D1213881

Zur Erinnerung
an unseren Besuch
im Juli 1991
Brigitte und Wolfgang

Reinhold Andert   Wolfgang Herzberg

Der Sturz

Reinhold Andert   Wolfgang Herzberg

Der Sturz

Erich Honecker im Kreuzverhör

Aufbau-Verlag Berlin und Weimar

Mit Fotos und Dokumenten

ISBN 3-351-02060-0

1. Auflage 1990
© Aufbau-Verlag Berlin und Weimar 1990
Gesamtgestaltung Heinz Hellmis
Umschlagfotos: Privatbesitz/Christina Kurby
Lichtsatz, Druck und Binden
Mohndruck graphische Betriebe GmbH, Gütersloh
Printed in Germany

Inhalt

Vorwort 9

»Zu meiner Überraschung klatschten alle Beifall«
Der Sturz und die persönlichen Folgen 1989–1990

    Erste Empfindungen 19
    Verlauf der Ablösung 25
    Stationen nach dem Sturz 38

»Ich hatte überhaupt nicht die Macht!«
Die Krise der letzten Jahre 1985–1989

    Überalterung des Politbüros 55
    Ausreiseproblem 57
    Gorbatschow und die DDR 60
    Wahlfälschung 83
    Rumänien 86
    Botschaftsbesetzungen und Massenflucht
        über Ungarn 90
    China und Leipzig 94

**»Die Trommel ist wichtig für das gesamte
Orchester«**
Erinnerungen an Kindheit und Jugend 1912–1945

    Wiebelskirchen 103
    Vater und Mutter 106
    Essen, Kleidung 114
    Geschwister 116
    Schule 119
    Dachdecker 125

Landarbeit in Pommern. 128
Politische Entwicklung. 131
Das erste Mal in Moskau 140
Weimarer Republik, KPD und SPD. 146
Illegale Arbeit 159
Verhaftung und Haft. 163
Resümee des Widerstandes 172
Biographie Margot Honeckers 177

»Wo gehobelt wird, fallen Späne«
Die Nachkriegszeit 1945—1955

Befreiung aus Brandenburg 197
Gründung der FDJ. 202
Sowjetdeutschland? 204
Vereinigung KPD und SPD 214
Erinnerung an Wilhelm Pieck, Otto Grotewohl,
    Walter Ulbricht, Anton Ackermann, Max Fechner,
    Wilhelm Zaisser, Rudolf Herrnstadt 224
Erste und zweite Ehe 234
Stalins 70. Geburtstag 244
XX. Parteitag der KPdSU und Stalinismus 249

»... dann erfolgt ein Warnschuß«
Als Kronprinz Ulbrichts 1956—1971

Ämter im Poltibüro 257
Bau der Mauer. 259
Schüsse an der Mauer 262
Ablösung Willi Stophs 265

»Der Chef kann nicht alles wissen«
Als Partei- und Staatschef 1971—1989

Ablösung Ulbrichts 271
Neue Politik 274
Wohnungsbau 277
Wirtschaftspolitik 281
Ökologie. 287
Arbeitsproduktivität. 292

Bildungspolitik 297
Wissenschafts- und Informationspolitik. 310
Kulturpolitik 315
Medienpolitik und Ideologiebildung. 324
Antisemitismus 337
Außen- und Deutschlandpolitik. 342

»Der Tschaika stand nicht mehr zur Verfügung«
Vorwürfe

Personenkult 359
Staatssicherheit 363
Wandlitz 378
Die Jagd 387
Amtsmißbrauch und Korruption 392

»Die DDR war keine Insel«
Fazit und Ausblick. 401

Anhang

Biographische Fakten 1989/90 443
Personenregister 447
Bildnachweis. 454

Vorwort

> Noch nie hat man in der Geschichte eine herr-
> schende Klasse gesehen, die in ihrer Gesamtheit
> in Lebensbedingungen verharren mußte, die
> niedriger sind als bei bestimmten Elementen und
> Schichten der beherrschten und unterworfenen
> Klasse. Das ist der unglaubliche Widerspruch, den
> die Geschichte dem Schicksal des Proletariats
> auferlegt hat. In diesem Widerspruch liegen die
> größten Gefahren ...
>
> (Gramsci an das ZK der KPdSU, 1926)

Der praktizierte Sozialismus, zumindest in Europa, ist offenbar am Ende.

Die tiefergehende Ursachenforschung für seine Reformunfähigkeit und seinen überraschenden Zusammenbruch dürfte aber erst noch am Anfang stehen. Schließlich leben wir inmitten des tiefsten Einschnitts der deutschen und europäischen Geschichte seit 1945 und der Weltgeschichte seit 1917.

Trotzdem: Es haben Millionen von Menschen auf der ganzen Welt an den realen, nicht nur fiktiven Sozialismus geglaubt. Sie ließen sich davon leiten, daß er von ewigem Bestand sein werde und als sozial gerechtere Gesellschaftsordnung eine wirkliche Alternative zum Kapitalismus sei. Darunter waren viele, die den Sozialismus im Rahmen der gegebenen Möglichkeiten verbessern wollten, nicht selten dafür Nachteile in Kauf nehmen mußten und nun besonders bitter enttäuscht sind. Gerade sie fragen wohl, wie wir selbst in diesem Interview-Buch, besonders eindringlich danach, warum dieser Sozialismus scheitern mußte.

Eine der entscheidenden Ursachen für seinen Untergang war sicher die pharaonenhafte Konzentration aller Macht in den Händen der ersten Männer der Partei. Was ist aus diesen ersten Männern in Mittel- und Osteuropa geworden? Der Russe Tscher-

nenko ist verstorben und hat Gorbatschow Platz gemacht, dessen Reformbemühungen nur noch an einem seidenen Faden hängen. Der Pole Jaruzelski hat den historischen Kompromiß versucht und mußte sich in ein fast machtloses Präsidentenamt zurückziehen. Der Tscheche Jakeš und der Bulgare Shiwkow leben unbehelligt als Rentner in ihren Häusern. Der Rumäne Ceauşescu wurde nach seinem blutigen Abgang standrechtlich erschossen.

Nur die Deutschen wissen weder vor noch nach ihrer Vereinigung so recht, wie sie mit dem ehemaligen ersten Mann der DDR umgehen sollen.

Nach seiner Entmachtung durch das Politbüro der SED mußte der schwer erkrankte Erich Honecker sich in der Berliner Charité erneut einer Operation unterziehen. Außer seiner Frau und seiner Tochter hat ihn dort niemand besucht. Ein Westberliner Pfarrer gab eine Bibel ab, ein Ostberliner Künstler einen Blumenstrauß. Das war alles.

Kurz vor seiner Entlassung aus dem Krankenhaus besetzten Staatsanwälte und Kripobeamte die Station, um ihn wegen Amtsmißbrauch, Korruption und des angeblichen Verdachts auf Hochverrat zu verhaften. Im Morgengrauen wurde er ins Gefängnis Rummelsburg transportiert. Nach zwei Tagen Haft wurde Honecker, der während der Nazizeit bereits zehn Jahre wegen Hochverrats inhaftiert war, aufgrund seines schlechten Gesundheitszustandes und des Mangels an ausreichend juristisch fixierten Beweisen wieder entlassen. Aber jetzt wohin?

Eine angebotene Zweiraumwohnung im Stadtzentrum Berlins war aus Sicherheitsgründen unannehmbar. Die oft geschmähte Kirche bot Hilfe an und wurde dafür wiederum geschmäht. Etwa 50 km nördlich von Berlin liegt das Dorf Lobetal. Bürgermeister und Seelsorger in einem ist Pfarrer Holmer. In seinem zweistöckigen Pfarrhaus wurden zwei Zimmer des Obergeschosses geräumt. Zuflucht für die beiden Honeckers.

Die Belästigungen durch Reporter, Briefe, Telefon- anrufe und Bombendrohungen nahmen überhand. So entschloß sich noch die Übergangsregierung Modrow, einen »Ausweg« zu finden: das damalige Gästehaus der Regierung der DDR in Lindow. Als die Honeckers dort eintrafen, skandierten etwa 150 Leute die ganze Nacht vor den Fenstern mit Rufen wie: »Mörder, Verbrecher, hängt sie!«

Am nächsten Morgen saßen die Honeckers wieder im Auto ihres Rechtsanwaltes. Als es durch die aufge- brachte, mit Steinen und Knüppeln bewaffnete Menge fuhr, fehlte nicht viel und man hätte die Insas- sen erschlagen.

Inzwischen war über die sowjetische Botschaft das Angebot gekommen, das Ehepaar Honecker im zen- tralen Lazarett ihrer Armee in Beelitz unterzubrin- gen. Hier leben die beiden nun seit Anfang April 1990, werden rund um die Uhr bewacht, ärztlich betreut und warten den Ausgang des über Erich Honecker schwebenden Ermittlungsverfahrens ab.

Wie kam es nun zu diesem Buch und was waren die Hauptmotive seiner Erarbeitung?

Der Anlaß dieses Interviews war eher zufällig. Beide Interviewer kannten die Honeckers vor ihrem Sturz nicht persönlich. Reinhold Andert war lediglich mit der Tochter Honeckers bekannt, die einige Jahre in seiner Nachbarschaft in einem Berliner Neubauge- biet wohnte. Kurz nach dem Sturz begegnete er Frau Honecker zum ersten Mal unverhofft in der Woh- nung ihrer Tochter Sonja. Seit diesem Zeitpunkt ergab sich, aufgrund vielfältiger Gespräche und Dis- kussionen, eine Verbindung zum Ehepaar Honecker, die schließlich zu diesem Buch führte.

Zu diesem Zweck bat Reinhold Andert Wolfgang Herzberg um Mitarbeit, weil dieser sich als Autor seit vielen Jahren mit Dokumentarliteratur auf der Basis von Tonbandprotokollen befaßte. Dazu gehört die Entwicklung von Problemstellungen, die Methodik des Fragens, die anschließende Textverdichtung einschließlich grammatischer Korrekturen sowie die Dokumentation des Materials nach bestimmten konzeptionellen Gesichtspunkten.

Das Manuskript mit den Honeckers, das vom Februar bis Mai 1990 erarbeitet wurde, entstand dann im wesentlichen aus drei Beweggründen:

Erstens bestand zunächst das dringende Bedürfnis der Interviewer, die einmalige Gelegenheit zu nutzen, den ehemaligen ersten Mann der DDR, der schließlich über ein Drittel dieses Jahrhunderts die Geschicke der DDR an führender Stelle mitbestimmt und gelenkt hatte, kritisch zu befragen. Es sind die eindringlichen Vorhaltungen einer Generation, die unter sozialistischen Bedingungen aufwuchs, anfangs so große Hoffnungen hegte, mit der Zeit aber bitter enttäuscht wurde und sich schließlich so vehement auflehnte.

Zweitens konnte durch das Interview das würdelose Schweigen durchbrochen werden, das Honecker, gewollt oder ungewollt, nach dem Abgang von der Macht umgab. Er erhielt auf diese Weise auch die Chance, sich nicht nur in flüchtigen journalistischen Statements, sondern erstmals ausführlich zu den Ursachen seines Sturzes und zu den massiven Vorwürfen gegen ihn im kritischen Kreuzverhör der Interviewer zu äußern.

Drittens spielte ein psychologisches Moment bei der Entstehung des Buches eine wichtige Rolle. Immerhin stand und steht Honecker unter vielfältigen Schockerlebnissen und großem inneren Druck. Dieses Interview empfand er deshalb auch als eine gewisse Erleichterung, trotz der bohrenden Fragen.

Die beiden letztgenannten Gründe erklären wohl im wesentlichen seine Bereitschaft, uns dieses ungewöhnliche Interview gegeben zu haben.

Wer ist dieser Mensch Erich Honecker, wer seine Frau Margot?

Wie denkt er über seinen Sturz und den gescheiterten Sozialismus, nicht nur in der DDR?

Was sind aus seiner Sicht die Hauptursachen dafür,

und welche persönliche Verantwortung empfindet er?

Warum lehnte Honecker Gorbatschows Glasnost und Perestroika ab und sträubte sich bis zum Schluß gegen eine Übertragung dieser Politik auf die DDR?

Was bewegt ihn angesichts des Untergangs der DDR und der rasanten Vereinigung Deutschlands unter kapitalistischem Vorzeichen?

Welche Chancen gibt er dem Sozialismus noch für die Zukunft?

Darüber hinaus fragten wir nach wichtigen Stationen im Leben der Honeckers, um persönlichkeitsprägende Momente ihrer Lebensgeschichten zu erfahren. Dadurch erhofften wir auch, einen Schlüssel zum kritischen Verständnis ihrer gescheiterten Politik zu finden.

Dies ist im Grunde weder ein Buch für noch gegen die Honeckers geworden.

Es ist der unwiederholbare Versuch, in die Geheimnisse ihrer Gefühls-, Denk- und Handlungsstrukturen und die oft erschreckenden ideologischen Verkrustungen und Legenden einzudringen. Dies geschieht im Lichte des brandaktuellen Zeitgeschehens, vor dem Hintergrund ihrer Biographien und nicht zuletzt der deutschen und sowjetischen Geschichte vor und nach 1945, von der sie geprägt wurden und die sie zum Teil selbst mitprägten. Wie immer man die Personen und Ansichten der Interviewpartner beurteilen mag, es war von allen Beteiligten des Buches das Bemühen, dem gewaltigen Analysematerial einen Mosaikstein hinzuzufügen, den es kritisch zur Kenntnis zu nehmen gilt, um auch auf diesem Wege zur Wahrheitsfindung über die Ursachen des gescheiterten Sozialismus nicht nur auf deutschem Boden beizutragen.

Mögen sich auch die vergangenen gesellschaftlichen Strukturen, das Niveau der politischen Kultur und die Personen, die sie repräsentierten, historisch auf Dauer nicht als tragfähig erwiesen haben — die

13

gewaltigen sozialen und globalen Herausforderungen, auf die der Sozialismus zum Teil vergeblich nach Antworten suchte und an denen er vielleicht auch tragisch scheiterte, bleiben! Sie verlangen unaufschiebbar nach neuen Lösungen, die bisher auch der moderne Kapitalismus nicht in der Lage war zu liefern. Nicht weniger als das Überleben der Menschheit steht dabei jetzt auf dem Spiel.

Wir hoffen, daß dieses Buch auf eine möglichst vorurteilsfreie, kritisch interessierte nationale und internationale Öffentlichkeit stößt, die sich nicht mit falschen alten wie neuen Legendenbildungen und unhistorisch personifizierten Schuldzuweisungen zufriedengibt.

Es gilt nun, Punkt für Punkt, um Wahrheit ringend, neben der moralischen Schuld einzelner auch nach der tiefen geschichtlichen Kausalität der Schwachpunkte gesellschaftlicher Verhältnisse des praktizierten Sozialismus und der biographischen Prägungen solcher Symbolfiguren wie der Honeckers zu fragen, die schließlich beide einstmals aus ärmlichen Arbeiterverhältnissen kamen.

Man hätte sicher mehr, anders und tiefer fragen können. Der stark angegriffene Gesundheitszustand beider, der täglich nur eine sehr begrenzte Interviewzeit erlaubte, und der Zeitdruck in diesem nervierenden Abschnitt unserer Geschichte setzten hier Grenzen.

Die Interviewer verstanden sich darüber hinaus nicht als Fachhistoriker, Juristen, Psychologen oder Politiker. Wir fragten vielmehr als künstlerisch Arbeitende, aus der tiefen Betroffenheit einer Generation heraus, die vor den Trümmern ihrer Ideale steht und nach der Verantwortung dafür nicht nur bei den Interviewten, sondern auch bei sich selbst sucht. Es war oft sehr schwierig, das dogmatisch festgefügte Geschichts- und Gesellschaftsbild der Honeckers zu hinterfragen, besonders dann, wenn wir auf Personen zu sprechen kommen wollten, die unmittelbar Opfer stalinistischer Politik geworden sind. Das Reflexionsvermögen der Rechtswidrigkeit gegenüber diesen Opfern war erschreckend wenig ausgeprägt. Hier setzten die stärksten Verdrängungen ein.

Dennoch, das letzte Wort über die geschichtliche Verantwortung, die Leistungen und Grenzen dieses maßgebenden Politikers der deutschen Nachkriegsgeschichte, der das Experiment Sozialismus auf deutschem Boden fast zwei Jahrzehnte leitete, ist noch nicht gesprochen. Dies wird dem weiteren Gang der Geschichte nicht nur in Deutschland vorbehalten bleiben.

Wir versichern, daß dieses Interview authentisch ist und mit den zugrunde liegenden Tonbändern übereinstimmt.

Reinhold Andert und Wolfgang Herzberg

Berlin, den 9. November 1990

»Zu meiner Überraschung klatschten alle Beifall«

Der Sturz und die persönlichen Folgen

1989—1990

Erste Empfindungen

Eingangs zunächst die Frage: Was empfinden Sie angesichts Ihres Sturzes, des Untergangs der DDR, ja, des gesamten Sozialismus, dessen Aufbau Sie zu Ihrer Lebensaufgabe gemacht hatten?

Selbstverständlich ist mir eine ganze Welt zusammengefallen. Aber es geht ja nicht nur um mich, sondern um alle, die tatkräftig mitgewirkt haben bei der Gestaltung der sozialistischen Gesellschaft. Unter diesen Gesichtspunkten habe ich großes Verständnis für alle, die sagen, das kann doch nicht wahr sein, daß wir vierzig Jahre umsonst gearbeitet haben! Sie haben alle recht, das kann wirklich nicht sein. Was wir in vierzig Jahren unter schwierigen Bedingungen entwickelt haben, wird fortleben in den Kämpfen der Zukunft. Ich denke dabei insbesondere an die sozialen Errungenschaften, für deren Verteidigung die Menschen, insbesondere die Arbeiter, auf die Straße gehen. Aus dem schier Unverständlichen des Zusammenbruchs der sozialistischen Gesellschaft wächst zugleich der Aufbruch in eine neue Welt. Ich weiß, daß ich das alles nicht mehr erleben werde. Aber aus den Entwicklungsgesetzen der menschlichen Gesellschaft, die Marx und Engels aufgedeckt haben, auch aus den Erkenntnissen dieser Zeiten ist es so, daß sich doch letzten Endes der Sozialismus als eine der Alternativen zur kapitalistischen Gesellschaft herausbilden wird.

Was waren Ihrer Meinung nach die Hauptursachen für Ihren Sturz als Partei- und Staatschef?

Mein Sturz als Partei- und Staatschef war das Ergebnis eines großangelegten Manövers, deren Draht-

Spaziergang in Beelitz/Heilstätten 1990

zieher sich noch im Hintergrund halten. Diejenigen, die sich heute mit dieser Tat brüsten, sind dagegen kleine Lichter. Hier handelt es sich um große Vorgänge, die nicht von heute auf morgen eintraten, sondern um langfristig angestrebte Veränderungen auf der europäischen Bühne, ja auf der Weltbühne. Die heutigen Gelegenheiten bezeugen dies. Wir erhielten 1987 Signale aus Washington. Wir konnten und wollten sie nicht als Grundlage unserer Politik betrachten. Dies, obwohl unser Botschafter in Moskau, König, schon 1987 feststellte, daß viele sowjetische Autoren in den verschiedensten Medien »die Überwindung der deutschen Zweistaatlichkeit« plötzlich als politische Tagesaufgabe beschrieben. Die Überwindung der »deutschen Zweistaatlichkeit« wäre als Beitrag zur Herausbildung des »europäischen Hauses« zu betrachten. Dies konnte nach Lage der Dinge nur durch einen Systemwechsel in der DDR erreicht werden. Keine leichte Sache. Die Ereignisse seit meinem Rücktritt auf dem 9. Plenum des ZK der SED bezeugen dies. Das Gleis, auf das der Zug der DDR gestellt wurde, ging in Richtung des Ausverkaufs der DDR an die BRD. Er wurde beschleunigt durch den Zusammenbruch der sozialistischen Ordnung in Mittel- und Osteuropa, die im Ergebnis des Zweiten Weltkrieges und der Nachkriegsentwicklung entstanden war und eine große positive Rolle in der Weltpolitik spielte. Sie war jedenfalls mehr als eine bloße Fußnote der Geschichte.

Die Rechnung ist aufgegangen. Der Fahrplan in das europäische Haus, in ein deutsches Europa ist fertig. Wenn es zu keinen Schienenbrüchen kommt, wird der Zug nach dem Willen der BRD dort ankommen. Ob diese Träume letztlich in Erfüllung gehen, mag man bezweifeln, denn das hängt am Ende nicht nur von Europa ab. Die Nabelschau, die gegenwärtig von den Architekten des Vierten Reiches betrieben wird, ist dafür von untergeordneter Bedeutung.

Die Opferung der DDR ist das Schmerzlichste in meinem Leben, aber der Sozialismus ist, das wird die Zukunft zeigen, damit noch nicht von der Weltbühne der

Geschichte verschwunden. Das wichtigste ist und bleibt die Sicherung des Friedens. Die Gesetze der gesellschaftlichen Entwicklung in den einzelnen Ländern der Erde werden dadurch nicht aufgehoben, sowohl in politischer, ökonomischer, sozialer als auch kultureller Hinsicht. Der Sozialismus als solcher ist keine Utopie. Er ist eine Wissenschaft, auch wenn er im Augenblick für viele nicht mehr aktuell ist. Niederlagen können zu neuen Siegen führen.

Egon Krenz, den ich, entsprechend dem Beschluß des Politbüros, dem 9. Plenum des ZK der SED als meinen Nachfolger vorschlug, war, wie ich es seit langem ahnte, nicht der Mann, für den er sich hielt, ganz zu schweigen davon, für den ihn das Politbüro hielt. Da half ihm auch seine »konspirative Tätigkeit« nichts. Er fuhr das Volk der DDR in den Abgrund. Auch seine Rechnung, Hans Modrow den Weg in die Partei- und Staatsführung zu ebnen, ging nicht auf. Die vom 10. Plenum ausgelöste Eruption, die geschürt wurde durch eine zügellose Kampagne der Saubermänner, ihrer Hintermänner, ihrer Lügen und Verleumdungen, fegte alles weg, was auf eine sich andeutende Erneuerung der Partei und des Staates hindeutete. Es war keine Erneuerung des Sozialismus, sondern seine Beseitigung! Die spontane Öffnung der Grenze wurde zum Tor für den inzwischen in Gang gekommenen Wechsel der gegebenen Gesellschaftsordnung in der DDR in Richtung BRD. Dies hat auch etwas Erschütterndes, etwas Magisches, etwas Unerklärliches für alle, die ihre Zukunft, ihre Hoffnungen mit der DDR verbanden, für die sie vier Jahrzehnte lang arbeiteten und kämpften. Ihnen allen sei heute noch Dank und Anerkennung! Auf dem Schleudersitz ging es vom Sozialismus zum Kapitalismus.

Hatte der Sozialismus Mängel, haben wir, habe ich Fehler gemacht? Ja, das haben wir. Wer gibt jemandem das Recht zu behaupten, der Kapitalismus hätte keine? Er hat mehr als genug, ich brauche sie nicht aufzuzählen, immer mehr sehen dies. Seine Zweidrittelgesellschaft hat keine Zukunft. Jetzt sind wir, das entspricht der Realität,

Unterkunft Honeckers
in Beelitz/Heilstätten 1990

auf dem Wege zum Vierten Reich, ein Reich, wo, wie
selbst der »Stern« in einer Dokumentation nachgewiesen
hat, das Kapital der wirkliche Herrscher ist, der am
Schalthebel der Macht sitzt. Jetzt kommt noch die industrielle Kraft der DDR hinzu und die ihrer Landwirtschaft. Keiner soll sagen, daß dies das Land der kleinen
Leute war. Deutschland wird jetzt ein Reich von 78 bis

23

80 Millionen Menschen. Die Losung »Heim ins Reich« symbolisiert die Zukunft dieses Reiches. Ernste Betrachter der gegenwärtigen Situation können nicht in Frage stellen, daß in »des Lebens goldener Waage« sich gegenwärtig das militärstrategische Gleichgewicht zugunsten der NATO verändert hat, zugunsten auch des deutschen Kapitals, zugunsten des Geldes. Nun befindet sich das Volk der DDR im Ergebnis der »Politik der Erneuerung«, im Ergebnis »freier und gleicher Wahlen«, in einer Lage, in die offensichtlich die Mehrheit — jedenfalls lange Zeit — nicht hineingeraten wollte. Der Wahlbetrug ist schon jetzt offensichtlich. Das in vierzig Jahren Errungene wird dahinschmelzen. Aber die Erinnerung daran wird nicht vergehen! Allein der Verlust der sozialen Sicherheit und Geborgenheit, der sicheren Zukunft unserer Kinder, der Gleichberechtigung von Mann und Frau, das verbriefte Recht auf Arbeit und vieles andere mehr wird auch in Zukunft nicht der Erinnerung entschwinden. Das, was wir geschaffen haben, ist das Vermächtnis derer, die ihr Leben für unsere Befreiung gaben, das Vermächtnis der vielen Kameraden und Kommunisten, die ihr Leben im Kampf gegen Hitler opferten. Auch in Zukunft werden vor den Völkern der Welt die Worte stehen: Freiheit, Demokratie, Menschenrechte und Sozialismus!

Verlauf der Ablösung

Wie spielte sich nun Ihre Ablösung ab?

Ich kam aus dem Genesungsurlaub in die erste Sitzung des Politbüros nach dem 40. Jahrestag der DDR in eine vollkommen neue Situation. Es war tagesordnungsmäßig festgelegt, zur politischen Situation Stellung zu nehmen. Dies war bedingt durch die sich anbahnenden Ereignisse in der DDR, die sozusagen zur friedlichen Revolution führten.

Die Mitglieder des Politbüros nahmen einer nach dem anderen das Wort.

Dabei kam zum Ausdruck, daß alle Mitglieder des Politbüros, die zur Diskussion sprachen, der Meinung waren, daß wir unbedingt von der Möglichkeit Gebrauch machen müßten, vor der Öffentlichkeit unseren Standpunkt zur Lage in der DDR darzulegen und den Weg, um da wieder rauszukommen. Es lag der Entwurf einer Entschließung vor, die Egon Krenz nach seiner Rückkehr aus China vorgelegt hatte. Er bat darum, daß diese Vorlage eingereicht wird als Grundlage für die Diskussion und für mögliche Schlußfolgerungen. Ich habe am Abend dann darüber mit Krenz gesprochen, daß meines Erachtens die Erklärung sehr unbefriedigend sei und man erst nach einer Aussprache, ohne die Ergebnisse vorwegzunehmen, endgültig entscheiden könne. Jetzt, nach der Grenzöffnung durch Ungarn und die Schwierigkeiten, die damit in Verbindung mit der ČSSR auftraten, mußte man solche Dinge neu verhandeln. Bei Behandlung dieser Fragen ging ich davon aus, daß man bei allen Schwierigkeiten, die es gab, das Kind nicht mit dem Bade ausschütten dürfe. Ich ging davon aus, daß wir selbstverständlich das Neue der Lage sehen müßten, weil die durch die innere und äußere Entwicklung sehr kompliziert geworden war. Aber entsprechend unseren Erfahrungen, die wir mit dem neuen Kurs seit 1953 machten, mußten wir natürlich eine kurze, allgemeinverständliche Analyse der Lage geben. Für mich stand außer Frage, daß wir in den 40 Jahren nicht nur Erfolge erzielt hatten, das habe ich unterstrichen, sondern sich in unserer Arbeit auch große Mängel zeigten, die es möglich machten, daß ein Teil der Bürger der DDR nicht das Bewußtsein hatte, die DDR und nicht die Bundesrepublik Deutschland ist ihr Vaterland. Aber umgekehrt dürften wir auch nicht so tun, als hätte es in der letzten Zeit bei uns nur Fehler und Mängel gegeben. Es war doch nicht abzustreiten, daß mit der Beendigung des kalten Krieges und der Hinwendung zu einer modernen Volkswirtschaft in der Industrie, im Transportwesen, im Bauwesen und in der Landwirtschaft etwas geleistet wurde, auf dem man für die Zukunft aufbauen konnte. Jetzt käme es darauf an, eine entsprechende Konzeption vorzulegen, die es wirklich ermöglichte, mit der Kraft der Partei, mit allen Kräften vieles besser zu machen und dafür die Mitarbeit der Bürger stärker zu gewinnen, und, wenn diese verloren war, sie wiederzugewinnen. Dies wäre aber nur möglich, wenn wir nicht einfach alles negierten, was bisher geschaffen wurde. In Verbindung damit sei es jetzt die Aufgabe, bestimmte Unterlassungen, die inzwischen in Vorbereitung des XII. Parteitages eingetreten waren, zu beheben.

Um was ging es im wesentlichen bei meinem Auftreten im Politbüro? Es ging darum, die ganze Arbeit der Partei- und Staatsführung transparenter zu machen, und zwar in der Richtung der stärkeren Einbeziehung der Bürger in die unmittelbare Leitung des Staates und der Gesellschaft. Es waren ja bereits Arbeitsgruppen gebildet worden zur stärkeren Einbeziehung der Arbeit der Bürger in die Arbeit der Volksvertretungen. Von mir aus wurde der Vorschlag unterbreitet, daß die Arbeitsgruppe »Staat und Recht« das in ihren Vorschlägen berücksichtigen sollte, um so zur Belebung der Arbeit der Kommunalparlamente zu kommen, und zwar dadurch, daß sie, wie es früher mal üblich war, öffentlich tagten und alle Fragen behandelten, die in ihrem Bereich von Bedeutung sind im Interesse der Bürger, der Gemeinde oder der Stadt. Die Kommissionen der Kreis- und Stadtverordnetenversammlungen mußten aktiver beziehungsweise neu eingesetzt werden, um Probleme zu behandeln, um den Bürgern mehr Einsicht in die Arbeit der Kreis- und Bezirksräte zu geben. Eine gleiche Bewegung sollte auch erreicht werden durch eine aktivere Tätigkeit der Volkskammer und ihrer Kommissionen durch Einbeziehung von entsprechenden Menschen und durch Rechenschaftslegung direkt vor der Presse, durch Teilnahme der Medien auch bei Plenartagungen der Volkskammer.

Die zweite Frage war die der weiteren Entwicklung unserer ökonomischen Potenzen. Von mir wurde der Vorschlag unterbreitet nach der 7. Tagung des Zentralkomitees. Ich habe in dieser Sitzung des Politbüros daran erinnert, daß es erforderlich sei, den Kombinaten mehr Selbständigkeit zu verleihen, in Verbindung mit dem Ausbau des Banksystems und der Kontrolle der Kombinate durch dieses Banksystem, bei gleichzeitiger Entflechtung von jenen kleinen Betrieben, die eine ganze Reihe Produktionssortimente nicht mehr produzierten, nachdem sie den Kombinaten angeschlossen worden waren. Ich drang auf eine größere Eigenverantwortung der Kombinate, darauf, bei der Leitung der Kombinate Aufsichtsräte zu bilden, die Aktivität der Gewerkschaften zu vergrößern oder die Frage der Betriebsräte zu stellen.

Die nächste Frage war die, daß wir den Gemeinden, den Kommunen die Mittel geben mußten, die sie für ihre Bautätigkeit benötigten. Der Gedanke der Selbständigkeit, der Selbstverwaltung mußte in Angriff genommen werden. Wir hatten eine Situation, daß alle Kommunen, Kreise, schuldenfrei waren, daß aber auf der anderen Seite die Gemeinden keine Möglichkeiten hatten, Mittel auszugeben ohne zentrale Vorgabe durch den Haushalt.

Am ersten Tag wurde beschlossen, den Entwurf von

Krenz zu überarbeiten und dem Politbüro vorzulegen. Am anderen Tage ging die Diskussion weiter. Es entstand diese Erklärung, die dann am 11. Oktober abgegeben wurde, und zwar abends im Rundfunk und Fernsehen und am anderen Tage in der Presse. Eine Erklärung, die nicht befriedigte, weil sie nicht richtig angelegt war. Sie enthielt keine gründliche Analyse und Schlußfolgerungen.

Nach dieser Tagung des Politbüros hatten wir eine Beratung mit den 1. Bezirkssekretären. Es ist vollkommen falsch, daß von einigen Mitgliedern des Politbüros diese Beratung als eine Beratung des Mißtrauens gegenüber dem Generalsekretär qualifiziert wurde. Es gab drei Bezirkssekretäre, die klar auftraten mit einer abgestimmten Konzeption, während alle anderen 1. Sekretäre davon ausgingen, daß es auf der Grundlage dieser Veröffentlichung möglich sei, die Situation in den Bezirken zu meistern.

Bei Beratungen mit den Bezirkssekretären haben die meisten gesagt, mit Ihrer Linie wird die Sache in Griff zu kriegen sein. Aber drei haben dagegen gesprochen, warum?

Sie glaubten, daß sich meine Einschätzung nicht in Übereinstimmung befindet mit der gegenwärtigen Lage. Aber die meisten Bezirkssekretäre unterstützten die Auffassung, daß es jetzt darauf ankäme, daß die Partei ihre Einheit festigt und im Dialog mit den Massen ihre Aufgaben verwirklicht, die der XI. Parteitag uns gestellt hat und die zur Vorbereitung des XII. Parteitages auf der Tagesordnung standen.

Dann hatten wir freitags eine Zusammenkunft mit den Vorsitzenden der befreundeten Parteien und dem Präsidenten der Nationalen Front. Dazu gehörte Jochen Herrmann, der ja für die befreundeten Parteien veranwortlich war, dann Genosse Mittag, und nicht anwesend, aber vorgesehen, war Genosse Krenz, der eine andere Sache an dem Tag hatte. Diese Aussprache war sehr fruchtbar.

Man kann das nachlesen. Das war eine ausgiebige Aussprache über die Lage und über die nächsten Aufgaben. Dazu lag ein Material vor, das am anderen Tag veröffentlicht wurde. Das ist meines Erachtens eines der ausführlichsten Dokumente, welches von allen in der DDR bestehenden Parteien und vom Präsidenten des Nationalrates der Nationalen Front getragen wurde. Die Parteien gingen davon aus, daß sich die Lage weiterentwickelt habe, daß auch die Partei im Fernsehen offen auftreten müsse, um die Probleme darzulegen, wie sie im Politbüro diskutiert würden, und daß sie bereits unter dem Eindruck der Entwicklung in ihren Bezirken den Gedanken hatten, man müsse mit dem Neuen Forum in den Dialog treten. Solche Ideen haben sie vom Politbüro erwartet, und unser Vorschlag war, eine gründliche Veränderung der Politik durchzuführen. Die ZK-Tagung dazu war ja schon beschlossen, aufgrund der Diskussion am 10. und 11. Oktober im Politbüro. Da sollte zur politischen Lage Stellung genommen und gleichzeitig ein Entwurf von Thesen zum XII. Parteitag behandelt und angenommen werden, damit die Partei in Vorbereitung des XII. Parteitages eine Grundlage zur allgemeinen Diskussion innerhalb der Partei und auch mit allen gesellschaftlichen Kräften und Bürgern der DDR hatte. Das war eine vernünftige Idee, und hätten wir das so gemacht, es wäre vieles anders gekommen.

Wie verlief nun die entscheidende Sitzung?

Kurz vor der Sitzung des Politbüros am 17. Oktober gab es noch einen Anruf von Hans Modrow, der in der Beratung mit den 1. Bezirkssekretären bei der Beurteilung der Situation sehr zugespitzt gegen mich aufgetreten war. Er sagte zu mir: »Erich, es wäre gut, wenn wir uns sprechen könnten, damit wir aufeinander zugehen.« Ich habe gesagt: »Ja, das können wir am Freitag.«
Ich ging zur Sitzung des Politbüros und entschuldigte mich, daß ich mich etwas verspätet hatte durch den Telefonanruf von Modrow, und sagte: »Ich habe mit ihm

ein Treffen vereinbart. Er will eine Bemerkung zu seinem Auftreten machen, damit man sich verständigt.« Ich eröffnete die Sitzung. Ich schlug vor, die Tagesordnung zu ergänzen. Es meldete sich sofort Genosse Willi Stoph und sagte, das aufgrund der Beratung mit den 1. Bezirkssekretären die Vertrauensfrage gestellt worden sei hinsichtlich des Generalsekretärs, was aber gar nicht der Fall gewesen war. Er beantragte deshalb, den Genossen Honecker von seiner Funktion zu entbinden und diesen Beschluß als Vorschlag dem Zentralkomitee darzulegen. Es ging dann reihum. Es meldeten sich alle zu Wort.

Wie war Ihnen zumute nach dem Antrag von Willi Stoph?

Ich war selbstverständlich sehr überrascht von diesem Antrag Willi Stophs, habe mich aber, wie so oft in meinem Leben, sehr rasch gefaßt. Für mich war die anschließende Diskussion interessant. Ich habe nacheinander den Genossen das Wort erteilt. Ali Neumann sagte, das käme wahrscheinlich alles sehr überraschend für mich, aber es wäre doch das beste für die Partei und die Republik, diesem Antrag die Zustimmung zu geben. Daraufhin nahm nicht, wie angegeben, als dritter Mittag das Wort sondern, entsprechend der Reihenfolge, Kurt Hager. Er wies darauf hin, daß in Kreisen der Intelligenz das Vertrauen in die Partei unter meiner Führung geschwunden sei. Aus diesem Grunde sei er dafür, daß man dem Antrag Willi Stophs entspräche, und das würde auch in Übereinstimmung stehen mit der Leitung der Kulturkommission. Dann kamen alle weiteren Genossen dran. Einige brachten zum Ausdruck, wie Siegfried Lorenz, wir hätten früher gut zusammengearbeitet. Er habe viel gelernt, aber die Lage sei gegenwärtig doch so, daß man eine Veränderung in der Führung der Partei erwarte. Es kam dann Inge Lange, die sagte, sie sei dafür, daß ich mit Würde aus der Funktion scheide. Dieses sei jetzt noch gegeben, wie es später wäre, könne man nicht sagen. In der gleichen Richtung sprach Margarete Müller.

Alle Genossen haben mit dieser oder jener Begründung, einschließlich Günter Schabowski, gesagt, daß das ein sehr schwerer Entschluß sei, den ich da zu fassen habe. Es nahm im Verlaufe des Gesprächs auch noch Joachim Herrmann das Wort, der, ausgehend von einer guten Zusammenarbeit, den Vorschlag unterstützte, was mich sehr überraschte. Und als Vorletzter sprach dann Günter Mittag. Er wies darauf hin, daß er für den Vorschlag sei und daß es an der Zeit sei, eine Veränderung herbeizuführen. Da war ich selbstverständlich auch sehr erstaunt. Ich hatte ja inzwischen schon begriffen, daß alles vorbesprochen war, und gab dann das Wort Egon Krenz. Er erhob sich und sagte, daß dies ein entscheidender Augenblick sei. Er habe sich diese Dinge sehr wohl überlegt, und er stimme zu. Wenn das Politbüro den Beschluß fasse, nach dem Antrag Willi Stophs, dann sei er bereit, die Funktion zu übernehmen. Er sei gesund.

Nachdem ich die Situation sah, war für mich ganz klar, daß ich zukünftig in einem solchen Kollektiv nicht mehr arbeiten konnte. Nachdem vorher immer wieder alle ihre starke Verbundenheit zum Ausdruck gebracht hatten, auf politischem und auch auf persönlichem Gebiet, hat man noch nicht einmal den Anstand besessen, der in unserer Partei immer üblich war, vorher mit dem Genossen, den das betraf, zu sprechen. Daraufhin habe ich meine Meinung gesagt zu unserer Arbeit, den Aufgaben, die noch zu erfüllen sind, unseren Schwächen in unserer Arbeit, und daß ich einverstanden bin. Es wurde festgelegt, daß von einer Arbeitsgruppe eine Rede für die Tagung des Zentralkomitees am anderen Tag und für die Sitzung des Politbüros am Vormittag sowie meine Erklärung dazu ausgearbeitet wird.

Während der Diskussion hat dann noch einer den Antrag gestellt, Günter Mittag ebenfalls von seiner Funktion zu entbinden, und ein anderer schlug vor, auch Joachim Herrmann von seiner Funktion zu entbinden. Weitere Anträge gab es nicht. Zuerst habe ich darüber abstimmen lassen, wer dafür ist, daß wir auf der 9. Tagung des Zentralkomitees vorschlagen, mich von meinen drei Funktionen zu entbinden, und ich bat um das Handzeichen. Daraufhin haben alle Mitglieder des Politbüros und alle Kandidaten zugestimmt. Ich selbst habe dem Beschluß ebenfalls durch die Hebung meiner Hand die Zustimmung gegeben. Dann fuhr ich fort und sagte: »Wer dafür ist, Günter Mittag von seinen Funktionen zu entbinden, den bitte ich ebenfalls um das Handzeichen.« Da haben alle zugestimmt, und ich auch. Und das gleiche geschah bei Joachim Herrmann. Alle drei Beschlüsse sind also einstimmig gefaßt worden.

Wie war Ihnen danach zumute?

Nun, ich ging zurück in mein Arbeitszimmer, habe die erforderlichen Aufräumungsarbeiten durchgeführt und alles zur Übergabe an meinen Nachfolger geordnet. Ich habe mit meiner Sekretärin gesprochen, mit meinen persönlichen Mitarbeitern Frank-Joachim Herrmann, Joachim Wolff und Hubert Ruhnke, und habe mich von ihnen verabschiedet. Das heißt, ich war vollkommen gefaßt, als die Entscheidung gefallen war.

Das war der organisatorische Aspekt. Wie aber ging es Ihnen innerlich?

Persönlich muß ich sagen, daß ich in dem Augenblick, nachdem das alles passiert war, eine bestimmte Befreiung empfand. Denn diese Funktionen waren mir in zweierlei Hinsicht doch zu einer Belastung geworden: Erstens war es so, daß ich aufgrund der schweren Operation wirklich nicht mehr die Kraft hatte, so wie früher die Arbeit zu erledigen. Ich habe vielleicht sogar zu früh die Arbeit wieder aufgenommen. Und zweitens war es für mich eine schwere Enttäuschung, daß hinter meinem Rücken eine solche Einigung erreicht worden war. Ich verspürte keinerlei Lust, in einem solchen Kollektiv, das auf konspirativem Wege meine Entbindung von allen Funktionen betrieben hatte, weiterhin zu arbeiten.

Margot Honecker

Nach dieser Entscheidung hat mich mein Mann angerufen und gesagt: »Es ist passiert. Jetzt bin ich von meiner Funktion zurückgetreten.« Und als ich abends nach Hause kam, empfand ich, daß mein Mann schon immer ein Mensch gewesen ist, der nach außen sehr beherrscht war, auch wenn manchmal die Sicherungen bei ihm durchgebrannt sind. Aber er war immer sehr verschlossen, wenn ihn innerlich etwas bewegte, und hat selbst mit mir über bestimmte Dinge nicht gesprochen. Aber ich habe ihm vieles angemerkt. Am Abend, als er mir sagte, was ist und was sein wird, war er nicht nur gefaßt, sondern auch enttäuscht über den Vertrauensbruch, den er darin sah, daß nicht mal jemand mit ihm vorher geredet hatte. Aber er hat wirklich an diesem Abend zu mir gesagt: »Weißt Du, ich bin regelrecht erleichtert, ich könnte es nicht mehr.«

Herr Honecker, was taten Sie noch an diesem Tag?

Ich rief noch Krenz an und sagte: »Du, hör mal, wenn ihr schon bei der Ausarbeitung seid, mach gleich eine kurze Erklärung fertig für meinen Rücktritt.«

Morgens in der Früh lag der Entwurf der Erklärung auf meinem Platz. Ich habe mit Krenz gesprochen und einige Ergänzungen vorgenommen in bezug auf Einheit und Geschlossenheit der Partei und beste Wünsche, die Aufgaben zu meistern. Es wurde in dieser Erklärung als Grund für meinen Rücktritt angegeben, daß ich durch die Operationen, die ich unmittelbar zuvor hatte, nicht mehr die Kraft und die Energie besaß, die Aufgaben zu erfüllen, die gegenwärtig vor der Partei und vor dem Volk der DDR stehen.

Ich sagte: »Ihr müßt euch noch darüber einig werden, wen ich als Generalsekretär vorschlagen soll.« Da sagte Krenz zu mir, daß in der Begründung von Stoph sein Name schon enthalten sei. Und wörtlich: »Du hast mich ja vorbereitet als deinen Nachfolger.« So war ich nicht mehr frei, einen anderen vorzuschlagen oder zu gewinnen, und habe dann einfach hineingeschrieben: Egon Krenz. Er war sichtlich erleichtert, und wir gingen dann zusammen ins Politbüro.

Ich habe die Sitzung eröffnet, meine Erklärung vorgelesen – weil Egon mir sagte, sie sei noch nicht verteilt, und sie habe sich inzwischen auch verändert. Zu meiner Überraschung klatschten alle Beifall. Das hatte es noch nie im Politbüro gegeben. Dann habe ich gesagt, ich war ja immer noch Generalsekretär: »Dann studieren wir zunächst die schriftliche Rede von Egon.« Die Rede wurde bestätigt, und nachmittags begann die ZK-Sitzung, die ich gleich mit der Verlesung meiner Bitte begann, mich aus meiner Funktion zu entbinden. Willi Stoph nannte die Beschlußfassung dazu. Dieser wurde zugestimmt – zur Freude der einen, zur Verblüffung der anderen. Die Abstimmung erfolgte gegen eine Stimme. Es folgte die Abstimmung über Egon Krenz. Ich glaube, sie war einstimmig. Danach bat ich Genosse Willi Stoph, dem ZK die Frage zu stellen, ob ich aus Gesundheitsgründen jetzt von der Tagung befreit werden könnte. Das hat Stoph getan. Alle waren dafür. Ich habe mich verabschiedet von Stoph, von Krenz, von Sindermann und bin rausgegangen, und das ganze ZK erhob sich von den Sitzen. So nahm ich an, daß das, was dort gesagt worden war, die Grundlage der weiteren Tätigkeit würde und auf der nächsten Sitzung des Zentralkomitees, die kurz darauf stattfand, diese vereinbarte Linie weitergeführt wird.

Am Abend vor dieser Sitzung – inzwischen war Krenz in Moskau gewesen und hatte ein Gespräch mit Gorbatschow – rief Krenz mich an und sagte: »Du, Erich, ich wollte dich bloß informieren, da du aus Krankheitsgründen an der Sitzung nicht teilnahmst, ich mußte meine Rede etwas verschärfen.« Ich sagte: »So, wenn es nicht anders ging, bitte sehr.« Ich habe allerdings nicht gedacht, daß damit eine Verleumdungskampagne eingeleitet wurde, eine Entstellung der Beratung im Politbüro. Ich habe später gehört, daß vor Beginn der Tagung des Zentralkomitees das Material über das Gespräch zwischen Krenz und Gorbatschow verteilt worden war. Die Darlegungen, die Krenz darin über die Notwendigkeit des Wechsels des Generalsekretärs machte, sind einfach hanebüchen und stimmen nicht überein mit den Begründungen im Politbüro in bezug auf die Bitte um meinen Rücktritt. Sie waren verbunden mit Darlegungen von Gorbatschow über die Anerkennung des guten Verhältnisses, das wir hatten, und waren doch sehr stark geprägt von einer Einmischung in die inneren Angelegenheiten unserer Partei, so daß die ZK-Mitglieder den Eindruck gewannen, daß es eine starke Zuspitzung zwischen der SED und der KPdSU gab. Das machte sie natürlich alle sehr betroffen.

Die 10. Tagung des Zentralkomitees war – nachdem alles veröffentlicht wurde – der Beginn der Talfahrt der SED und damit der DDR in die Katastrophe, so wie sie sich heute darstellt. Wäre man beim 9. Plenum geblieben, hätte man eine Konzeption ausgearbeitet für die weitere Entwicklung, dann wäre zumindest die DDR nicht aufgegeben worden. Mein Vorschlag war der, daß wir eine ZK-Sitzung einberufen, und zwar für November. Tagesordnung: Die politische Lage in der DDR. Das wurde nicht gemacht. Statt dessen kam es zu diesem ominösen Sonderparteitag, auf dem nun alles baden ging. Es war das totale Chaos. Das Politbüro, das vorher glaubte, durch meinen Abgang die Lage in die Hand zu bekommen, dieses Politbüro ging selbst ade. Und besonders bedauerlich ist es, das muß ich sagen, daß die meisten von den Politbüromitgliedern später im Gefängnis landeten. Ich war immer gegen eine Kriminalisierung unserer Politik, denn das schadet nur der DDR im Inneren und international.

Noch einmal zu Ihrer Ablösung. Haben Sie etwas von den Plänen geahnt oder gewußt? Zum Beispiel vom Treffen Mielke, Schabowski, Krenz, Herger in Mielkes Dienstzimmer am 8. Oktober, wo auch die Wendeerklärung vorbereitet wurde?

Ich muß ganz offen sagen, daß ich von der ganzen Soße nichts gewußt habe. Das ergab sich einfach daraus, daß ich ein viertel Jahr durch Krankheit und Operation aus der praktischen Arbeit ausgeschaltet war. Das alles vollzog sich hinter meinem Rücken. Wenn das so war wie dargelegt wurde, ich möchte mich dazu nicht weiter äußern, dann war es offensichtlich ein schändliches Spiel.

Warum konnten Sie die Wahl von Krenz nicht verhindern, den Sie doch für nicht qualifiziert und vertrauenswürdig gehalten haben?

Ich konnte die Wahl von Krenz deshalb nicht verhindern, weil ich urplötzlich vor die Frage gestellt wurde, zurückzutreten, und man sich inzwischen auf Krenz geeinigt hatte, so daß überhaupt keine Diskussion um Personen mehr möglich war. Ich hatte auch den Eindruck, daß es auf sozialistischem Wege weitergeht.

Und Sie konnten im Politbüro nicht sagen: Krenz ist nicht der richtige Mann?

Nein, das hätte ich früher sagen müssen, aber nicht in dem Moment. Man muß auch sehen, ich hatte erst die Operation hinter mir.

Wie beurteilen Sie nun grundsätzlich die Entwicklung der DDR nach Ihrer Ablösung?

Die Entwicklung seit dem 9. Plenum des Zentralkomitees 1989 hat zu einer bis dahin nicht geahnten Freisetzung der gegenrevolutionären Kräfte geführt. Die Frage nach den Ursachen dieser Entwicklung beantwor-

36

tet sich von selbst. Nicht umsonst hat im April dieses Jahres der gegenwärtige Ministerpräsident der DDR bei seinem Treffen in Moskau zuerst gegenüber dem Präsidenten der Sowjetunion den Dank dafür ausgesprochen. Die Ereignisse in der Sowjetunion haben die sogenannte friedliche Revolution der DDR auch ermöglicht. Die Übernahme der ganzen Verantwortung für diese Entwicklung durch das Politbüro, dem ich schon nicht mehr angehörte, ist durch die erfolgte Zerschlagung von Partei und Staat entwertet worden. Die Wahrheit ist, daß die Welt der Andersdenkenden, wie sich jetzt herausstellt, nicht die Welt des Sozialismus ist.

Die Entscheidungen, die das Politbüro nach dem 9. Plenum traf, haben sich alle als nicht tragfähig erwiesen. Sie waren schlicht und einfach falsch. Sie führten zur Selbstzerfleischung, zur Manipulierung der öffentlichen Meinung zuungunsten des Sozialismus, zur Restauration des Kapitalismus. Oder wie soll man den Anschluß der DDR an die BRD nach Artikel 23 sonst nennen? Soll dies die Vereinigung der beiden deutschen Staaten in einer Konföderation sein? Nein! Wir selbst haben 1957 diesen Vorschlag an die BRD erneuert. Er wurde zurückgewiesen von den gleichen Kräften, die heute in der BRD das Sagen haben.

Die Schlußakte von Helsinki, deren Bedeutung für die europäische Entwicklung gerade jetzt so herausgestellt wird, die von mir im Namen der DDR und Helmut Schmidt im Namen der Bundesrepublik unterschrieben wurde, waren wir, gemeinsam mit der SU, mit allen unseren Empfindungen bemüht zu verwirklichen. Kann man dies von allen westlichen Staaten heute sagen? Nein!

Stationen nach dem Sturz

Viele möchten sicherlich wissen, wie Sie mit der Situation nach dem Umbruch fertiggeworden sind. Könnten Sie etwas dazu erzählen? Zum Beispiel mit der Auflösung oder der Zerschlagung Ihrer Partei?

Ich denke, daß die gesamten Ereignisse mich ebenso tief getroffen haben wie alle Genossinnen und Genossen der Partei, die wirklich bestrebt waren, im Dienste der Arbeiterklasse und der Werktätigen der DDR aktiv mitzuwirken an der weiteren Gestaltung des Sozialismus. Was sich jetzt vollzogen hat, war vorauszusehen aufgrund der Haltung, die die SED seit dem 10. Plenum des Zentralkomitees und dem nachfolgenden sogenannten Sonderparteitag eingenommen hat. Wenn man eine solche Kurve nimmt, ist ganz klar, daß damit der Weg für alle destruktiven Elemente geöffnet wurde, die im Grunde genommen nicht für, sondern gegen den Sozialismus waren. Heute sehen wir Folgen der verfehlten Politik, die seit dem 10. Plenum des ZK der SED eingeleitet wurde.

Sie haben das meistens vor dem Fernsehapparat erlebt?

Ich habe diese Dinge insbesondere über das Fernsehen und auch durch die Presse erlebt sowie durch die vielen Kontakte, die ich ja immer mit der Außenwelt hielt, soweit das mein Gesundheitszustand erlaubte.

Können Sie sich an besonders schlimme Momente für Sie erinnern?

Ein ganz schlimmer Moment war für mich die Entfernung des Parteiabzeichens vom Haus des Zentralkomitees unserer Partei und die Tatsache, daß der Vorsitzende der Partei, Gysi, dabeistand und sich auch noch belustigte über die Abnahme dieses Abzeichens. Schließlich war es doch der Ausdruck für die Einheit der Arbeiterklasse, die sich nach 1945 aufgrund der Lehren der Vergangenheit herausgebildet hatte.

Ich glaube, da ging es mir so wie allen, die es ernst meinten mit der Partei, die es ernst meinten mit unserer gemeinsamen sozialistischen Sache.

Und ging es Ihnen ähnlich, als plötzlich die Öffnung der Mauer da war?

Ja, da ging es mir genauso. Ich war tief erschüttert davon. Im übrigen war das bereits ein Akt, der praktisch die DDR liquidiert hat. Selbst vom Westen habe ich später von verschiedenen Persönlichkeiten gehört, die sagten, daß diese unvorbereitete Öffnung der Grenze zu einer Katastrophe führen mußte, die später praktisch auch eingetreten ist.

Können Sie sich noch an die Haussuchung bei Ihnen in Wandlitz erinnern?

Dazu möchte ich sagen, daß sie vollkommen überraschend für uns kam. Ich war mit Margot auf einem Spaziergang. Auf dem Rückweg sahen wir auf einmal in der Ferne einige Autos kreisen. Sie kamen auf uns zu, als wir den Hauptweg betraten. Man stieg aus und forderte uns auf, in das Auto zu steigen, das bei uns hielt. Ich stellte die Frage: »Wie kommen Sie dazu?« Sie stellten sich als Kriminalbeamte vor, die den Auftrag hätten, in unserem Haus eine Durchsuchung vorzunehmen. Wir sagten: »Gut, fahrt hin, wir kommen zu Fuß nach.« Das

Öffnung der Mauer
am Brandenburger Tor 1990

ließen sie nicht gelten, so daß ich zum ersten Mal seit
meiner Verhaftung durch die Gestapo, diesmal mit meiner Frau, gezwungen wurde, in ein Polizeiauto einzustei-
gen. Als wir in unserem Haus ankamen, war es bereits
besetzt und von Personen umstellt. Ich habe gegen diese
Maßnahmen protestiert, aber es blieb uns ja nichts weiter
übrig. Der ganze Vorgang hatte mich so erregt, daß ich

einem Schlaganfall nahe war. Eine Krankenschwester wurde angerufen. Sie stellte einen hohen Blutdruck fest. Der Arzt kam, es wurden Medikamente verabreicht, so daß ich einen Teil der Haussuchung nicht mehr beobachten konnte. Das geschah dann durch meine Frau. Praktisch wurde das Haus von oben bis zum Keller durchsucht. Wir wußten gar nicht, was sie suchten. Nichts wurde mitgenommen, mit Ausnahme von Funkgeräten für unsere Enkelkinder. Die Haussuchung wurde damit abgeschlossen, daß praktisch nichts gefunden wurde. Sie sei erfolgt aufgrund einer Anordnung der Staatsanwaltschaft wegen Vertrauensmißbrauch, sagte man uns nach Abschluß der Haussuchung und nachdem ich mich etwas gefangen hatte. Eine Krankenschwester hat mich noch eine Stunde spazierengeführt, damit ich durch die frische Luft noch einmal meinen Kreislauf regulieren konnte.

Haben Sie mit Ihrer Frau darüber gesprochen?

Natürlich haben wir uns darüber unterhalten. Das war ja etwas sehr Erschütterndes. Das war an und für sich eine sehr beleidigende Sache, denn ich wurde ja schließlich vom Zentralkomitee auf der 9. Tagung ehrenvoll verabschiedet. Und dann plötzlich dieser Überfall! Das habe ich mir im nachhinein überlegt – er erfolgte selbstverständlich entsprechend einer großangelegten Planung. Zum gleichen Zeitpunkt wurde nicht nur bei uns eine Hausdurchsuchung durchgeführt, sondern in den verschiedensten Häusern einer ganzen Reihe von Politbüromitgliedern. Das haben wir aber erst etwas später erfahren.

Das stand alles in Verbindung mit den Vorwürfen von Amtsmißbrauch, Korruption und Hochverrat?

Nein, Hochverrat noch nicht. Es ging damals um Vertrauensmißbrauch. Darunter konnte man sich alles vorstellen. Ich habe natürlich sehr scharfen Protest dagegen erhoben. In Verbindung mit den vorhergehenden

Ereignissen war es gar nicht vorstellbar, daß eine solche Entwicklung eingeleitet wurde. Bis heute ist noch nicht klar, wer die Frechheit besaß, einen solchen Durchsuchungsbefehl zu erlassen. Beachtenswert in diesem Zusammenhang ist, daß diejenigen, die vordergründig diese Maßnahme veranlaßten, später selbst inhaftiert wurden.

Als die Kripobeamten Sie später vom Krankenhaus abholten, um Sie nach Rummelsburg ins Gefängnis zu bringen, woran haben Sie da denken müssen?

Zunächst möchte ich sagen, daß diese Leute sich abends gegen 22 Uhr durch den behandelnden Arzt meldeten. Der Arzt teilte mir mit: »Entschuldigen Sie, Herr Honecker, da sind zwei Leute von der Kriminalpolizei, die möchten Ihr Zimmer betreten.« Ich sagte: »Na, was wollen die denn überhaupt?« Er sagte: »Ich weiß es nicht, ich habe mit ihnen nicht gesprochen.« Da drängten sich diese Herren schon vor. Ich habe sie gefragt: »Was wollen Sie hier?« Sie sagten, sie hätten den Auftrag, mich vorläufig festzunehmen. Ich habe dagegen protestiert, konnte es allerdings nicht verhindern.

Sie nahmen in meinem Zimmer Platz. Ich habe sie ein paarmal gebeten, sich doch ins Vorzimmer zu setzen, ich wollte schlafen. Aber sie haben bei der Nachttischlampe Platz genommen, so daß sich für mich zwei Fragen ergaben. Erstens einmal diese überraschende Festnahme, für die es keinerlei Voraussetzungen gab, auch nicht in gesetzlicher Hinsicht, und zweitens die Tatsache, daß diese Leute die ganze Nacht in meinem Krankenzimmer bleiben wollten. Ich habe mit ihnen diskutiert und sie verschiedene Male aufgefordert, den Raum zu verlassen. Das haben sie nicht getan. Daraufhin habe ich ihnen gesagt: »Das ist ja schlimmer als bei der Gestapo.« Sie verwahrten sich dagegen. Sie würden ja nur Befehle ausführen. Ich habe gesagt, die anderen hätten auch Befehle ausführen müssen, aber sie haben nie in meiner Zelle gesessen, als ich drin war. Das war im Krankenzimmer der Charité nach dieser zweiten schwierigen Krebsoperation, wobei die Nachbehandlung, wie ich vor kurzem gehört habe, genauso wichtig ist wie die Operation. Die Operation ist ja erst gelungen, wenn die Nachbehandlung gelingt.

Ich habe dann sofort meine Frau angerufen und ihr mitgeteilt, was sich vollzogen hat, und daß diese vorläufige Festnahme bis zum nächsten Tag um 16.30 Uhr gelte. Sie sagte mir, daß sie am nächsten Morgen kommen würde, um mich noch im Krankenhaus anzutreffen. Meine Frau ist – wie sie mir später mitteilte – sofort mit den Rechtsanwälten in Verbindung getreten.

Ich bin dann natürlich nur eingeschlafen, nachdem ich eine ganze Reihe Schlaftabletten geschluckt hatte, damit ich, halb betäubt, wenigstens einige Stunden die Leute, die sich da in meinem Zimmer breitmachten, nicht wahrzunehmen brauchte.

Und am nächsten Morgen?

Am nächsten Morgen bin ich wach geworden, und da waren die immer noch da. Ich habe mich fertiggemacht so gegen viertel nach sechs. Um halb sieben sind dann meine Frau, meine Tochter und mein Schwiegersohn mit meiner kleinen Enkelin gekommen. Mein Enkel, wie ich später hörte, war so erschrocken, daß er schrie und nicht zur Schule ging. Und die ganz Kleine, die konnte das natürlich alles nicht verstehen, was da vor sich ging. Sie war ja erst ein Jahr und zwei Monate. Das waren erschütternde Momente.

Meine Tochter Sonja kam herein und sagte zu den Kripoleuten: »Hören Sie mal, berufen Sie sich später nicht auf einen Notstand, wenn Sie diese Sache jetzt hier durchführen.« Sie hat sie auch verglichen mit Gestapoleuten, was ich auch nicht in Abrede stellen konnte. Wie sich später herausstellte, hat es auf die ganze Welt abscheulich gewirkt, daß ausgerechnet unmittelbar nach einer so schweren Krebsoperation eine vorläufige Festnahme vorgenommen wurde beim ehemaligen Staatsoberhaupt der Deutschen Demokratischen Republik. Das habe ich ihnen später auch gesagt. Das war nicht nur beschämend für meine Person, sondern auch für die DDR. Schließlich habe ich sehr aktiv gewirkt für die Zusammenarbeit zwischen den Völkern und zwischen Staaten.

Hatten die Kripoleute denn ein Papier mit, das sie Ihnen zeigten?

Sie hatten. Ich habe mir das Zeug nicht angesehen. Es war ein vorläufiger Haftbefehl des Generalstaatsanwaltes. Der trat zur gleichen Zeit in der Volkskammer auf und hat geschworen, die ehemalige Partei- und Staatsführung als eine Clique von Verbrechern zu behandeln. Dieser Generalstaatsanwalt Joseph klebt aber heute auch nur noch Briefmarken. Das so etwas möglich war in unserem Polizei- und Justizwesen?!

Wie lief Ihre Haft in Rummelsburg ab?

So wie ich am 4. Dezember 1935 von der Gestapo in der Klosterstraße in die Mitte genommen wurde im Auto, so ging auch diese Fahrt von der Charité bis nach Rummelsburg. Daß dabei keine großartigen Gefühle bei mir vorhanden waren, kann man sich schon vorstellen. Für mich war es natürlich erschütternd, daß ich zum ersten Mal nach der Verhaftung durch die Gestapo und der Fahrt zum Prinz-Albrecht-Palais – dieser Terrorzentrale – jetzt, wie man sagt, unter sozialistischen Bedingungen nach Rummelsburg gebracht wurde und dort die Tore passierte. Ich muß sagen, daß ich sehr erregt war und mir selbstverständlich so etwas nie vorstellen konnte.

Wie lief das in Rummelsburg ab?

Nach einem kurzen Aufenthalt dort in der Zelle des Krankenhauses hat man mich nach vorn gebeten, und es kam dabei zu der Begegnung mit dem stellvertretenden

Generalstaatsanwalt Reuter. Der fing gleich mit der Begründung der Festnahme an und wollte mir einen großen Vortrag halten über die Verantwortlichkeit in bezug auf die wirtschaftliche Entwicklung der DDR. Aber offensichtlich hatte der Mann überhaupt keine Ahnung von der wirtschaftlichen Entwicklung der DDR. Ich habe ihn unterbrochen und habe gesagt: »Erlauben Sie, daß ich mich Ihnen gegenüber ganz offen äußere. Ich möchte als erstes Protest einlegen gegen die vorläufige Inhaftierung. Sie hat überhaupt keine Begründung. Ich finde es beschämend, daß gegen das ehemalige Staatsoberhaupt der DDR solche Maßnahmen eingeleitet wurden. Ich verlange meine sofortige Freilassung.«

Dann sind Sie in eine Gefängniszelle gekommen?

Nein. Rummelsburg ist wahrscheinlich ein sehr altes Gefängnis. Ich kenne nicht seine Geschichte. Der erste Aufenthalt war zunächst im Krankenhaus des Gefängnisses. Ich wartete auf die Aufhebung des Haftbefehls. Die Zeit ging vorbei. Es gab Mittagessen. Ich habe mich etwas hingelegt, weil ich sehr erregt war und sehr hohen Blutdruck hatte und etwas ruhen wollte. Gegen Abend kam dann mein Rechtsanwalt, Herr Professor Dr. Vogel, in Begleitung von verschiedenen Persönlichkeiten, unter anderem auch der Haftrichterin. Professor Vogel hat mir erläutert, daß die Beschwerde der Rechtsanwaltschaft behandelt würde vom Berliner Stadtgericht und ihr auch stattgegeben wurde. Aber die Generalstaatsanwaltschaft habe noch einmal den Haftbefehl erneuert. Durch die Verlängerung des vorläufigen Haftbefehls müsse ich bis zum anderen Tag 16.30 Uhr dort verbleiben. Er sprach beruhigend auf mich ein, wobei er zugleich diese unbegründete Handlung und diese Haftrichterin verurteilte. Ich nahm ursprünglich an, sie wollte mich beruhigen und mir gute Nacht sagen, denn sie legte die Hand auf mich, sagte aber plötzlich: »Sie sind erneut festgenommen!« Nun können Sie sich vorstellen, was das für mich bedeutete! Alle dort − es waren ungefähr neun

Personen — waren ja Mitglieder der SED, und die haben es gewagt, den ehemaligen Generalsekretär und Vorsitzenden des Staatsrates und des Nationalen Verteidigungsrates in Haft zu nehmen! Ich fand das nicht nur einfach unerklärlich, sondern als den größten Skandal und das Schwerste, was man mir antun konnte, als einem Mann, der doch immerhin schon 60 Jahre Mitglied der Partei war und 60 Jahre seine Kraft für die Ideale der Partei und deren Verwirklichung gewidmet hat. Man kann sich vorstellen, wie einem das vorkommt.

Wir haben immer gedacht, das machten sie, weil sie Angst hatten, daß Sie noch einmal mit Gewalt die Macht erobern wollten?

Sie haben das getan, um mich auszuschalten aus dem politischen Leben. Schauen Sie mal, auf der 9. Tagung des Zentralkomitees wurde ich ja mit allen Ehren verabschiedet. Ich habe zur Eröffnung dieser Tagung meine Erklärung abgegeben, in der ich bat, mich von meiner Funktion zu entbinden, da ich weder die Kraft noch die Energie hatte, nach der zurückliegenden Operation meine Aufgaben zu erfüllen. Und mir wurde gedankt für die jahrzehntelange Arbeit. Das ganze ZK erhob sich, so daß ich in dem Moment selbstverständlich keine Ahnung davon hatte, was dann in dieser Richtung passierte. Ich war sehr tief betroffen über die auf dieser Tagung eingeleitete sogenannte Wende. Eine Wende, in deren Folge später die Wendehälse zutage traten. Aber daß unter dieser Parteiführung noch solche Maßnahmen eingeleitet wurden, das war nicht nur erschütternd, sondern das war ein Skandal ohne Beispiel in der kommunistischen Arbeiterbewegung.

Wie ist das dann in Rummelsburg ausgegangen?

Die Dinge waren so, daß wir seit 13.00 Uhr des nächsten Tages auf die Entscheidungen des Stadtgerichts von Berlin gewartet haben. Ich hatte schon tiefe Sorge, daß die nicht zum richtigen Ergebnis kamen, das heißt, der Ablehnung des Erlassens eines Haftbefehls gegenüber dem früheren Staatsoberhaupt der DDR. Aber durch den Kontakt mit den Ärzten dort, den Vertretern der Kriminalpolizei sowie den Anstaltsbeamten habe ich gefühlt, daß alle auf einen positiven Entscheid warteten. Die Zeit verging. Sie können verstehen, daß ich sehr unruhig wurde. Aber ab 15.00 Uhr wußte ich, daß irgendeine Entscheidung fallen würde, die auf die Ablehnung des Haftbefehls seitens der Generalstaatsanwaltschaft hinauslief. Erst zwei Minuten vor Ablauf des vorläufigen Haftbefehls erhielt ich die Information, daß der Haftbefehl ein zweites Mal durch das Stadtgericht von Berlin abgelehnt wurde. Dann wurden alle Vorbereitungen getroffen für meine Abfahrt von Rummelsburg. Ich rief meine Frau an, daß es soweit ist und ich abfahren könne, aber sie hatte schon den Bescheid. Sie fuhr dann vor. Dann stand noch die Frage, wie kommen wir, ohne die pressemäßig laufende Kampagne anzuheizen, dort gut heraus. Das wurde dann so organisiert, daß auf der einen Seite eine Pressekonferenz stattfand und wir dann auf der anderen Seite – es war schon dunkel geworden – zum Tor hinausfuhren und zu einer bestimmten Zeit in Lobetal ankamen.

Sie wußten schon in Rummelsburg, daß Sie nach Lobetal fahren würden und nicht nach Wandlitz?

Das haben wir schon vorher gewußt. Während meines Aufenthaltes in der Charité gab es schon Erwägungen, dort hinzugehen, da praktisch der Aufenthalt in Wandlitz unmöglich wurde. Wir hatten keine andere Wohnung, so daß ich das Angebot der kirchlichen Vertreter annahm, und zwar vom Bischof Forck und Konsistorialrat Stolpe sowie von weiteren kirchlichen Vertretern, wie zum Beispiel Pfarrer Braune von Berlin-Weißensee. Ich hatte zwar keine Vorstellung von Lobetal, hatte aber das Angebot schon vorher angenommen, weil seitens meiner früheren Partei keinerlei Anstrengungen unternommen wurden, wie sich das gehört hätte, um uns eine neue Wohnung in Berlin zu besorgen. In diesem Falle ist das bewußt unterlassen worden. Das war natürlich eine sehr »humanistische« Haltung, die die neue Parteiführung hier an den Tag legte.

Haben Sie direkt diesen »Rausschmiß« aus Wandlitz miterlebt?

Ich habe den Rausschmiß aus Wandlitz in der Charité erlebt. Meine Frau war dort. Sie hat sich mit der Vorbereitung des Auszugs beschäftigt. Sie hat sehr viel weggegeben, weil wir in der neuen Wohnung nicht alles benötigten und gebrauchen konnten. Die alte Wohnung gab es nicht mehr in Wandlitz, und wir mußten uns eine neue Wohnung suchen.

Das war alles sehr chaotisch?

Das war nicht chaotisch organisiert, sondern das war eine bewußte Politik der damaligen Parteiführung der SED-PDS unter Leitung des Herrn Gysi.

Und die hat keine Wohnung angeboten?

Nein, wir haben kein Angebot bekommen.

Wie kam Lobetal überhaupt zustande?

Lobetal kam zustande – wie ich bereits sagte – durch das Angebot von Bischof Forck und Konsistorialrat Stolpe. Auch Bischof Leich übermittelte Grüße. Sie sagten, wenn das nicht für mich eine weitere Demütigung bedeuten würde, würden sie uns gern in Lobetal eine Wohnung zur Verfügung stellen. Die Entscheidung erfolgte dann durch den Pfarrer Holmer, der sagte: »Warum sollen wir die Honeckers in einem anderen Haus unterbringen?« Dort gab es ja verschiedene Häuser. »Nehmen wir sie doch bei uns auf.«

Wie haben Sie das verarbeitet, daß sie quasi ohne Obdach dastanden?

Ich lebe ja noch. Margot hat alles organisiert und den ganzen Haushalt aufgelöst. Das ging alles sehr formell. Man muß noch folgendes sehen: Zuerst wurde mir mitgeteilt: »Sie können unter den gegenwärtigen Bedingungen in Wandlitz weiter wohnen und auch den Wildfang weiterhin benutzen«, den ich bekanntlich damals zur Miete von monatlich 20 Mark angemietet hatte. Er wurde später von der Staatssicherheit übernommen und etwas ausgebaut. Die zweite Mitteilung war, daß Wandlitz wahrscheinlich vom Gesundheitswesen übernommen wird und bis Ende Februar geräumt sein müßte. Aber es kam niemand zu uns, der uns ein Angebot gemacht hätte, sich die und die Wohnung anzusehen und dann umzuziehen; zumal wir ja noch ein Wohnrecht hatten aufgrund der Eintragung im Personalausweis im Majakowskiring in Berlin-Pankow, wo ich mal wohnte. Seitens der Führung SED-PDS war ein Nichtinteresse vorhanden für eine Wohnungsvermittlung eines Parteiarbeiters, der immerhin 60 Jahre Mitglied der Partei war. Man spricht zwar vom »menschlichen, demokratischen Sozialismus«, aber eine solche Handhabe gegenüber dem früheren Generalsekretär und Vorsitzenden des Staatsrates ist wirklich beispiellos. Uns praktisch zu Obdachlosen zu erklären! Unter diesen Bedingungen haben wir selbstverständlich das Angebot der Kirche angenommen zur Unterbringung in Lobetal. Das wurde von der Rechtsanwaltschaft vermittelt, Bischof Forck hat mir einen Brief geschrieben, in dem er sein Bedauern aussprach über die eingetretene Situation. Er machte dort das Angebot, daß die Kirche jederzeit bereit sei, in diesem Falle Obhut zu gewähren.

Wie haben Sie nun Lobetal erlebt?

Lobetal haben wir meist vom Zimmer aus erlebt, weil die gesamte Weltpresse Interesse an uns hatte. Damals war die Situation noch ungeklärt, durch die Anwälte, wir sollten uns nicht äußern. Es gab dort sehr lange eine Belagerung durch die Medien, so daß letzten Endes die Entscheidung fiel, Lobetal wieder zu verlassen.

Ich möchte sagen, daß sich die Bürger Lobetals sehr korrekt und freundschaftlich benommen haben, während die Vertreter der Medien nur ihre Aufnahmen und Interviews haben wollten.

Die Familie Holmer hat uns vollkommen aufgenommen, denn wir hatten zuerst nicht die Möglichkeit, selbst zu kochen oder was anderes zu tun. Wir haben gemeinsam mit der Familie gefrühstückt, wir haben gemeinsam Mittag und Abendbrot gegessen, und wir haben uns unterhalten. Es hat sich gezeigt, daß aus christlicher Sicht die Familie Holmer die ganzen Dinge auch nicht verstand, das heißt die Wohnungsverweigerung, und daß sie es als christliche Pflicht betrachteten, uns aufzunehmen. Das hätte natürlich für das humanistische Anliegen der PDS auch etwas bedeutet.

Herr Modrow hat Sie dort besucht?

Das war zum Schluß gewesen. Plötzlich kam der Besuch des Herrn Modrow, den wir aus der Vergangenheit ja sehr gut kannten, und wo wir annahmen, daß nun eine Änderung der Haltung dieser Regierung uns gegenüber eintreten würde. Man hat uns dann die Unterkunft im Gästehaus der Regierung in Lindow vermittelt. Aber man hat offensichtlich die Dinge dort sehr schlecht vorbereitet, so daß es zu den bekannten Provokationen kam. Das war, so möchte ich ausdrücklich betonen, nicht die Lindower Bevölkerung, die den Aufenthalt in diesem Heim verhindert hat, sondern die Organisation von Provokateuren. Uns war unverständlich, daß die herangezogenen, ungefähr 40 Polizisten sich so untätig verhielten, so daß auch die Begleitung durch den dortigen Pfarrer und verschiedene Leute des Bürgerkomitees sie nicht daran hinderte, gegen unsere Abfahrt vorzugehen. Aber das war unseres Erachtens eine gezielte Provokation. Wir wurden dann wieder sehr gut bei Pfarrer Holmer aufgenommen und durch die Bürger von Lobetal.

Wie kam es dann zur Übersiedlung nach Beelitz?

Aufgrund der Vermittlung der Regierung der DDR und unserer Rechtsanwälte hat die sowjetische Seite ihre Bereitschaft erklärt, uns im Militärhospital Beelitz unterzubringen. Damit war zugleich unsere ärztliche Pflege organisiert, für mich und meine Frau. Ich möchte sagen, es war ein Glück, daß wir nach Beelitz kamen. Nur dadurch war es möglich, daß meine Frau bei ihrem am 19. April erlittenen Herzinfarkt gerettet werden konnte. Die Hilfe war unmittelbar. Es war eine sehr furchtbare Situation. Ich hätte ihren Tod nicht überstanden. Aber zum Glück war es so, daß die schnelle ärztliche Hilfe das Leben von Margot rettete und damit auch unseren Kindern die Eltern.

Wie haben Sie beide das alles verkraftet? Haben Sie sich gegenseitig gestützt?

Wir waren seit unserer Bekanntschaft Lebens- und Kampfgefährten. Es ist ganz offensichtlich, daß für mich die Margot eine entscheidende Stütze war. Ohne sie wäre das Leben für mich sowieso sinnlos, und ich kann auch sagen, daß Margot im ähnlichen Sinne gehandelt hat, so daß sich unsere Ehe auch in dieser sehr schwierigen Periode unseres Lebens bewährt hat.

Sagen Sie noch bitte etwas dazu, wie Ihr Alltag hier abläuft, Ihr Tagesablauf in Beelitz?

Der Tagesablauf ist so, daß wir hier volle Bewegungsfreiheit haben, zumal auch seitens der Staatsanwaltschaft inzwischen öffentlich erklärt wurde, auf einer internationalen Pressekonferenz, daß ich ein freier Mensch sei. Margot betrifft ja das Ermittlungsverfahren sowieso überhaupt nicht. Die ersten Anschuldigungen

erwiesen sich auch dort als das, was sie sind: als Denun-
ziation, für die es überhaupt im Leben keine Grundlage
gibt. Wir stehen im Durchschnitt zwischen sieben und
halb acht auf, gegen neun ist Frühstück. Anschließend
gehen wir im Wald spazieren. Dann erfolgt die medizini-
sche Behandlung und die tägliche Untersuchung durch
den Arzt und die entsprechende medikamentöse Behandlung. Der Tagesablauf ist weiterhin eingeteilt durch das
Lesen von Zeitungen und Büchern, die wir über unsere
Freunde erhalten. Das letztere ist sozusagen eine Haupt-
beschäftigung von Margot, während ich mich nach dem
Zeitungslesen sehr stark mit dem Fernsehen beschäftige.
Nach dem Mittagessen gehen wir wieder 30 bis 40 Minuten spazieren und nach dem Abendbrot ebenfalls. Das ist
immerhin mehr Bewegungsmöglichkeit, als wir zur Zeit
unseres aktiven Lebens hatten.

**Das heißt, Sie verfolgen auch weiterhin das politische
Leben?**

Wir verfolgen selbstverständlich das politische
Leben, das heißt, daß der Sozialismus den Bach hinunter-
gelaufen ist und wir in einem kapitalistischen Deutschland gelandet sind.

»Ich hatte überhaupt nicht die Macht!«

Die Krise der letzten Jahre

1985—1989

Überalterung des Politbüros

Waren die Mitglieder des Politbüros nicht zu alt, um die herangereiften komplizierten Fragen erneut zu packen? Hätten Sie nicht viel früher abtreten müssen?

Ich muß sagen, daß die Frage des Alters eines Funktionärs in der Arbeiterbewegung nie eine Rolle gespielt hat. Wilhelm Pieck zum Beispiel haben wir aufgrund seines Ansehens, das er im Volke genoß, und seiner Lebenserfahrung bis zu seinem Tode in der Funktion des Präsidenten der Deutschen Demokratischen Republik belassen und das als selbstverständlich empfunden. So war es auch mit Walter Ulbricht.

Über eine gewisse Überalterung im Politbüro habe ich mir persönlich ja auch Gedanken gemacht. Wir hatten ursprünglich einen solchen Kandidaten für meine Nachfolge im Auge wie Werner Lamberz, der dann leider in Libyen verunglückt ist bei einem Hubschrauberabsturz. Er kam damals um mit Paul Markowski, einem sehr zukunftsträchtigen Funktionär. Es ist bekannt, daß ich vor zehn Jahren vorschlug, Egon Krenz ins Politbüro zu nehmen und ihn gleich so zu fördern, daß er ein Nachfolgekandidat für die Funktion des Generalsekretärs wurde, so daß man sagen kann, daß wir selbstverständlich immer an die Frage des Nachwuchses dachten. Ob unsere Entscheidung richtig war oder nicht, mußte sich später herausstellen.

Aber wir sind gleichzeitig einen anderen Weg gegangen, um vielen Kadern in einem mittleren Alter die Erfahrungen bei einer zentralen Arbeit zu geben, damit sie nach dem Abtritt der sogenannten »alten Garde« die

Arbeit des Politbüros voll und ganz übernehmen konnten. Deshalb wurden mit der Zeit eine ganze Reihe neuer Mitglieder des Politbüros gewählt. Ich denke an Joachim Böhme, den 1. Sekretär des Bezirkes Halle, an die Wahl von Siegfried Lorenz, Günter Schabowski und Gerhard Müller. Wir waren so halb und halb: die eine Hälfte waren die über Siebzigjährigen, die andere Hälfte waren die über Fünfzigjährigen.

Ausreiseproblem

Es gab mit den Jahren immer mehr Anträge auf Ausreise aus der DDR, einschließlich der Botschaftsbesetzungen. Haben Sie die Ursachen dafür analysiert, und war Ihnen überhaupt die genaue Anzahl der Leute, die rauswollten, bekannt?

Ich hatte sehr oft mit dem Minister für Staatssicherheit eine Diskussion zu diesen Anträgen. Es gab eine Zeit, in der man ganz offensichtlich aufgrund der realen Einschätzung der Lage wußte, daß eine ganze Anzahl Bürger, junge und alte, ihren Wohnsitz am liebsten in der Bundesrepublik Deutschland gehabt hätten. Dazu brauchte ich kein zentrales Register. Dazu hatte jeder Mensch Einsicht, der im Leben stand. Wenn ich gefragt wurde, wie lange steht noch die Mauer, habe ich immer ganz frei und offen gesagt, die Mauer wird so lange stehen, solange die Voraussetzungen vorhanden sind, die zu ihrer Errichtung führten. Ich bin ja nicht der Erfinder der Grenzsicherungsmaßnahmen, obwohl ich entscheidend daran mitgewirkt habe. Auf dem Höhepunkt des kalten Krieges hatte man 1960/61 eine Massenauswanderung von Bürgern der DDR nach der Bundesrepublik Deutschland beziehungsweise nach Westberlin provoziert. Das führte zu einem solchen Auswanderungsstrom, daß sich der Politische Beratende Ausschuß der Warschauer Vertragsstaaten damit befaßte.

War Ihnen nicht seit langem klar, daß eine der wichtigen Ursachen für die Ausreiseproblematik, abgesehen vom Wirtschaftsgefälle, darin bestand, daß die Mehrzahl der Leute nicht ins westliche Ausland rei-

sen konnten, wenn sie wollten, und daß eine sehr zwiespältige Reisepolitik betrieben wurde?

Die Privilegien der Intellektuellen, der Künstler, gegenüber dem einfachen Arbeiter, diese Unterschiede wurden in der letzten Zeit immer größer. Sie führten zu einem Spalt zwischen Volk und Führung. Wenn Sie damit unsere Reisepolitik meinen, dann stimme ich Ihnen mit einer kleinen Einschränkung zu: Es ist mir seit langem klar geworden, daß die Reisefreiheit für Intellektuelle den einfachen Leuten nicht immer verständlich war. Das führte mit der Zeit zu einer Mißstimmung. Wir haben versucht, durch die Erweiterung der Reisemöglichkeiten nach dem Westen die Dinge zu beheben. So konnten 1986 bis 1989 jährlich zwischen fünf und sechs Millionen Bürger der DDR die Bundesrepublik Deutschland und Berlin-West besuchen. Wir hatten damit praktisch auch die Trennung der Reisemöglichkeiten zwischen Rentnern und den übrigen Bürgern aufgehoben.

Während meines Aufenthaltes in der BRD hat man mich sehr oft nach der Ursache dieser zwiespältigen Reisepolitik gefragt. Ich habe ganz offen gesagt, wenn die Beziehungen zwischen der DDR und der BRD nach dem Völkerrecht entwickelt werden, wird es auch möglich sein, auf dem Gebiet des Reisens weiter die DDR zu öffnen. Man hat hoch eingeschätzt, daß der damalige Reiseverkehr schon freier war. Alle Beschränkungen konnte man bekanntlich nicht aufheben, denn es gab Betriebe, die ja ein festes Regime in bezug auf Arbeitskräfte hatten, um die Produktion im Betrieb aufrechtzuerhalten und eine hohe Effektivität zu erreichen. Großräumige Reisen waren praktisch nur in Urlaubszeiten möglich. Ich habe allerdings damals zum Ausdruck gebracht: Wenn die Aufgaben erfüllt sind, die wir uns im gemeinsamen Kommuniqué gestellt haben, dann wird auch der Tag kommen, an dem die Grenze zwischen der DDR und der BRD den Charakter annimmt wie die Grenze zwischen der DDR und Volkspolen. Es wird eine Grenze werden, die uns nicht trennt sondern einigt.

Diese Worte von mir wurden als Sensation betrachtet. Franz Josef Strauß sagte zur mir: »Herr Vorsitzender, was soll ich daraus entnehmen?« Ich habe bestätigt, daß unser Wille darin besteht, die Reisemöglichkeiten zu erweitern, und zwar für alle Bürger der DDR einen Reisepaß auszufertigen, der ihnen die Möglichkeit gibt, in alle Himmelsrichtungen zu reisen. Allerdings wurde das Reisen auch gehemmt durch die notwendigen Devisen. Es fuhren mehr Bürger der DDR in die BRD als Bürger der BRD in die DDR, und unsere Reichsbahn hatte dadurch Devisenausfälle von etwa 100 Millionen Mark. Aber diese Fragen wollten wir mit der BRD besprechen.

Gorbatschow und die DDR

Sprechen wir über den Eintritt Gorbatschows in die Geschichte. Was hielten und was halten Sie von ihm und seiner Politik?

Der Eintritt Michail Gorbatschows in die Geschichte wurde von mir eindeutig begrüßt, da ich mir von ihm einen stärkeren Einfluß auf die Lösung der großen Fragen der Weltpolitik, und zwar die Sicherung des Friedens versprach.

Ich lernte ihn bereits vor 1985 kennen. In den sechziger Jahren war er einmal als Mitglied einer Delegation von Rayonsekretären in der DDR. Sie machte sich mit der Arbeit unserer Partei in den Bezirken der DDR bekannt. Später traf ich ihn in Moskau als Sekretär für Landwirtschaft. Wir hatten auch wichtige Gespräche, die darüber hinausgingen, zum Beispiel auch über die Entwicklung der Beziehungen zwischen der DDR und der BRD. Das war schon zur Zeit Tschernenkos.

Gefördert wurde er, wie er mir selbst sagte, von Breshnew, der ihn zur Arbeit ins ZK holte. Er war damals noch Kandidat des Politbüros des ZK der KPdSU, und bei einem Treffen in Moskau saßen wir in den Pausen am großen Tisch mit Leonid Breshnew zusammen. Er hat auch teilgenommen am Parteitag der DKP in Nürnberg. Anläßlich einer Begegnung mit mir sagte er, er wäre auch mal in Wiebelskirchen, meinem Geburtsort, gewesen. Ich habe mich natürlich damals sehr darüber gefreut. Wir haben uns dadurch mehr gekannt. Daraus ergab sich, daß ich und auch andere Genossen – soweit sie Bescheid wußten – es sehr begrüßten, als er Generalsekretär wurde. Soweit uns bekannt war, wurde er auf Vorschlag von Andrej Gromyko gewählt, der zum Ausdruck brachte, daß wir nun einen jüngeren Generalsekretär hätten, damit wir nicht jedes Jahr eine Beerdigung durchführen müßten. Die Abstände waren zuletzt sehr knapp. Damals gab es auch noch andere Mitglieder des Politbüros, die hätten gewählt werden können. Aber schließlich hatte man sich auf ihn geeinigt. Nach und nach sind alle anderen aus dem Politbüro verschwunden, was mich sehr überrascht hat. Es gab mal später eine Unterhaltung zwischen mir und ihm über Andrej Gromyko. Aber das waren Fragen, die wirklich Angelegenheiten der KPdSU waren. Die Initiativen, die später auf außenpolitischem Gebiet von ihm kamen, habe ich sehr begrüßt. Auf diesem Gebiet stimmten wir weitgehend überein. Von meiner Seite wurde betont, daß Gorbatschow, wenn er die Richtung weitergeht, doch zum Hoffnungsträger der Welt wird, in bezug auf die Friedenssicherung.

Aber natürlich war für uns von eminenter Bedeutung das Problem der Entwicklung der Außenpolitik und ihres Verhältnisses zur Innenpolitik. Gorbatschow hat mich auch gefragt, wie ich zu diesen innenpolitischen Fragen stehe. Damals ging es um die schnelle sozialökonomische Entwicklung in der Sowjetunion. Ich habe zu ihm gesagt: »Weißt du, da gibt es eine bestimmte Besonderheit für uns. Wir sind natürlich für eine effektivere Volkswirtschaft, für ein höheres Tempo, aber auf sozialem Gebiet haben wir natürlich schon ein breites soziales Netz, das finanziert werden muß, so daß wir nicht einfach deine Lösungen übernehmen können.«

Wußten Sie, daß Gorbatschow ein so radikaler Umdenker war?

Das war selbstverständlich vollkommen unbekannt. Bevor er Generalsekretär wurde, hatte er eine sehr festgefügte Meinung in bezug auf die weitere Entwicklung der Außenpolitik, die sich im wesentlichen nicht unterschied von der bis dahin gültigen Außenpolitik, auch was das Verhältnis der Sowjetunion zu den anderen sozialistischen Ländern betraf. Dabei möchte ich sagen, daß ich selbstverständlich bei meinen gesamten Handlungen und Äußerungen stets davon ausging, daß die brüderliche Freundschaft zwischen unseren beiden Staaten von ungeheuer großer Bedeutung für das Aufblühen der sozialistischen Entwicklung in der DDR, für die Festigung des Friedens in Europa und damit in der Welt war. Ich möchte in diesem Zusammenhang sagen, daß gerade Gorbatschow es war, der bei jeder unserer Besprechungen die Besonderheit der Beziehungen zwischen der Sowjetunion und der DDR betonte. Und in der Tat war es natürlich so, daß die Entwicklung der DDR im Zentrum Europas gleichzeitig den Einfluß der Sowjetunion sicherte, den sie sich im Ergebnis des Zweiten Weltkrieges und der Nachkriegsentwicklung errungen hatte. Bei allen Unterschieden der Auffassungen in dieser und jener Frage behielt selbstverständlich die Frage der Festigung der Freundschaft stets die Oberhand. Das war so am Anfang und auch bis zum Ende in den vielseitigen inoffiziellen Gesprächen, die wir hatten.

Herr Honecker, können Sie etwas darüber sagen, was für Diskussionen es über die Gorbatschow-Innenpolitik — Stichwort Glasnost, Perestroika — im Politbüro der SED seit 1985 gab?

Selbstverständlich haben wir uns mit der neuen Entwicklung in der Sowjetunion beschäftigt. Die Formulierung vom neuen Denken kam erst später, auch die Formulierungen Perestroika und Glasnost. Ich möchte nur sagen, daß ich während meiner Anwesenheit auf dem XXVII. Parteitag der KPdSU einen ungeheuren Eindruck hatte von der Entwicklung dort und den verschiedenen Tendenzen im gesellschaftlichen Leben. Bekanntlich habe ich ja auf diesem Parteitag gesprochen. Mein Beitrag wurde mit großem Beifall aufgenommen. Ich wurde öfter in meinen Darlegungen von Beifall unterbrochen. Auf der Festveranstaltung während des Parteitages wurde noch ein großes Bildnis von Stalin gezeigt. Ich möchte sagen, daß wir im Politbüro mit den Beschlüssen dieses Parteitages und mit dem Verlauf der Feierlichkeiten zum 70. Jahrestag der Oktoberrevolution sehr einverstanden waren. Wir haben uns durchaus unterhalten über die Entwicklung in der Sowjetunion, über die Probleme der Beziehungen der DDR zur Sowjetunion, der SED zur KPdSU. Den Kurs der Umgestaltung in der Sowjetunion und einer höheren Transparenz, unter der Führung des Generalsekretärs Michail Gorbatschow, unterstützten wir voll und ganz. Niemand von uns konnte etwas dagegen haben. Wir haben ihnen dabei große Erfolge gewünscht, weil wir wußten, daß ein Aufschwung des sozialistischen Lebens in der Sowjetunion eine weitere Stärkung des Sozialismus und eine Ausstrahlung auf die Tätigkeit der progressiven Kräfte in der Welt hatte. Es ist eine Lüge, wenn man uns heute unterschieben möchte, wir hätten nicht die Absicht gehabt, die Sowjetregierung in ihrer Arbeit zur Umgestaltung zu unterstützen. Im Gegenteil: Wir haben über das handelsmäßig vereinbarte Volumen von jährlich 15 Milliarden Rubel hinaus an unsere Bauern appelliert, ihre Kartoffelmieten wieder zu öffnen, um 300 000 Tonnen Kartoffeln nach Moskau und Leningrad zu liefern, damit die Bürger Moskaus und Leningrads wenigstens Kartoffeln hatten für ihre Ernährung. Es ist nicht nur eine ungeheure Verlogenheit, sondern eine Frechheit, wenn heute einige Leute behaupten, daß wir Handlungen unternommen hätten, die nicht den freundschaftlichen Beziehungen zwischen der DDR und der Sowjetunion entsprachen.

Haben die Politbüromitglieder mal über das Buch von Gorbatschow diskutiert?

Wir haben alle Bücher von Michail Sergejewitsch Gorbatschow veröffentlicht. Wir haben alle seine Reden in Broschüren veröffentlicht, auch in der 1,3 Millionenauflage des »Neuen Deutschland«. Es bestand überhaupt kein Defizit in bezug auf Informationsmöglichkeiten über die Sowjetunion.

Gerade weil wir so gut informierten, haben wir betont: Wir können das nicht kopieren. In der DDR war zum Beispiel das Ernährungsproblem als solches gelöst, obwohl wir kein Land waren, das über eine so ausgiebige Landwirtschaft verfügte wie die Sowjetunion. Zugleich haben wir sogar Fleisch und Butter exportiert.

Aber bei allen politisch denkenden Leuten wurde kontrovers diskutiert. Diese Diskussionen gab es doch bei Ihnen auch? Das kann doch kein Geheimnis sein.

Natürlich hat es diese Diskussionen gegeben, zum Beispiel bei unseren Parteihistorikern. Die waren natürlich nicht einverstanden mit der Neubestimmung aller Werte über die Oktoberrevolution. Daß das nun auf einmal alles falsch sein sollte, war natürlich für einen Kommunisten, besonders einen, der wissenschaftlich tätig war, sehr schwer begreifbar; daß zum Beispiel die Kollektivierung falsch gewesen sein sollte.

Und wenn Sie sich als die Parteiführer untereinander getroffen haben, haben Sie über diese innenpolitischen Fragen diskutiert?

Nein, wir haben uns nur informiert. Wir haben Stellung genommen zur internationalen Lage und zu den Problemen der Gewährleistung der Sicherung des Friedens, über die nächsten Schritte. Aber das war früher auch schon so. Die inneren Fragen haben natürlich sehr stark im Vordergrund gestanden. Die ökonomischen Fragen in Verbindung mit der Durchführung des Komplexprogramms des RGW. Aber die Sache hat ja nie richtig funktioniert. Und auf jeder Sitzung des Politischen Beratenden Ausschusses hatten wir einen Vortrag des Oberkommandierenden der Streitkräfte über die Lage, in der die Situation von kompetenter Seite geschildert wurde, das heißt, daß die Balance zwischen Krieg und Frieden immer sehr schwierig war, und daß es dank des ausgewogenen Kräfteverhältnisses möglich war, über 45 Jahre den Frieden zu erhalten.

Aber wenn Sie zusammensaßen und diskutierten, wurden da die Argumente hin und her gewendet? Gab es solche Diskussionen im Politbüro?

Doch, die gab es. Sowohl im Politbüro als auch zwischen den Parteiführern. Aber ich habe kein Mitglied anderer Politbüros gekannt und hatte auch nie die Möglichkeit, mit einem über die Frage von Perestroika und Glasnost zu diskutieren. Alle waren der Meinung, die Außenpolitik ist ausgezeichnet, wie auch das neue Denken auf außenpolitischem Gebiet. Was die inneren Fragen betraf, so gibt es zwar viel Gemeinsames, aber die konkreten Bedingungen des sozialistischen Aufbaus in der Sowjetunion waren natürlich anders als in der DDR. Man muß doch, bei allen Trümmern, die uns der Hitlerkrieg hinterlassen hatte, sehen, wir verfügten über eine gut ausgebildete Arbeiterklasse und Intelligenz. Wir haben doch trotz der Reparationen in der Nachkriegszeit in verhältnismäßig kurzer Zeit die Industrie wieder aufgebaut und die Landwirtschaft zu einem funktionierenden System entwickelt.

Die entscheidende Frage ist doch, ob Ihnen klar war, daß eine fundamentale Demokratisierung des Sozialismus auf der Tagesordnung der Geschichte aller sozialistischen Länder stand, um ihre Zukunft zu sichern, unabhängig von ihren nationalen Bedingungen.

Selbstverständlich stand diese Frage ganz klar vor unseren Augen, aufgrund der Entwicklung in der Sowjetunion. Denn die Sowjetunion war doch die Kernmacht und Führungskraft der sozialistischen Welt. In Verbindung mit der Entwicklung dort haben wir selbst überlegt, wie wir diese Entwicklung in der DDR unter Beachtung all unserer Bedingungen weiterführen könnten. Mein

Vorschlag auf der 7. Tagung des ZK, unseren Parteitag vorzuziehen, erfolgte schon unter dem Blickfeld, daß auch für uns neue Fragen entstanden waren, die neue Antworten erforderten. Wir setzten eine ganze Reihe von Kommissionen ein, um die weitere Entwicklung der sozialistischen Demokratie in der DDR zu gewährleisten.

Die Frage ist aber, ob dies nicht zu spät kam?

Das kam natürlich aufgrund der gesamten Entwicklung zu spät. Zu spät allein schon deshalb, weil die Solidarität zwischen den sozialistischen Staaten nicht nur nachgelassen hatte, sondern ausblieb. Ich erinnere daran, daß entgegen den Beschlüssen im Warschauer Pakt Ungarn von sich aus die Grenze öffnete und damit mitten in der Urlaubszeit, unter Vorspiegelung falscher Tatsachen, sozusagen den Weg in die Freiheit über Österreich bahnte. Deshalb hat ja auch der ungarische Außenminister den Karlspreis in Aachen erhalten, und unsere neue Regierung hat den Ungarn gegenüber Dankbarkeit zum Ausdruck gebracht, daß sie die ersten waren, die die Steine aus der Mauer nahmen, wie man sich so ausdrückt!

Worüber haben Sie im Oktober 1989 geredet, als Gorbatschow das letzte Mal hier war?

Wir hatten ja die verschiedensten Gelegenheiten durch zweiseitige Gespräche. Diese Gespräche waren wirklich getragen von einem gegenseitigen Verständnis, und er war auf das tiefste beeindruckt von dem Empfang, der ihm bereitet wurde. Zwischen mir und ihm ging es natürlich erstens um die gegenseitige Information über die Entwicklung in unseren beiden Ländern und dann um die Fragen der Außenpolitik. Es gab selbstverständlich in bezug auf die Sowjetunion ein offenes Gespräch von seiner Seite aus, obwohl ich versucht habe, mich nicht einzumischen in die inneren Angelegenheiten der Sowjetunion. Ihm ging es einfach bei sich zu langsam. Perestroika schlug noch nicht durch. Das habe ich auch

Gorbatschow und Honecker,
40. Jahrestag der DDR

bemerkt bei einem Aufenthalt in der Sowjetunion im Juni 1988, und zwar in Magnitogorsk und Swerdlowsk, in der Begegnung mit den Gebietskomitees und mit den Arbeitern. Ich war anläßlich des 60. Jahrestages des ersten Stahlabstiches dort. Das Werk in Magnitogorsk hatte einen großen Beitrag im Vaterländischen Krieg geleistet. Damals war es die Waffenschmiede der Sowjetunion. Aber die unmittelbare Berührung mit den Menschen dort, die Gespräche, haben doch zum Ausdruck gebracht, daß mit der Perestroika die ökonomische Lage nicht besser geworden war, sondern eher schlechter. Die Arbeitsproduktivität war gestiegen, aber es gab weder Salz noch Zucker, noch Mehl, noch Fleisch, all das, was ein Mensch braucht, um sich zu ernähren. Nun gut, ich habe etwas zurückgeblickt auf die Jahre 1930/31, als ich das erste Mal dort weilte und das Werk aufgebaut wurde, und bin natürlich davon ausgegangen, daß die Entwicklung inzwischen zur großen, mächtigen Sowjetunion geführt hatte, im Verhältnis zu damals. Aber sowohl den Genossen als auch mir war es unverständlich, daß trotz der Anstrengungen die Versorgung sich nicht verbessert, sondern verschlechtert hatte.

Warum haben Ihrer Meinung nach die Perestroika und Glasnost nicht so gegriffen?

Sie haben deshalb nicht gegriffen, das hat Gorbatschow inzwischen selbst gesagt, weil man nicht über eine Konzeption verfügte, die greifen konnte, vor allem durch den sogenannten Pluralismus, den Leitungspluralismus, der gepflegt wurde, so daß die Partei als solche schon durcheinander geriet und auch an Einfluß verloren hatte bei den Volksmassen. Die sogenannte Selbständigkeit der Betriebe in einem solchen großen Reich wie der Sowjetunion mußte die Ökonomie durcheinander bringen. Ich hatte damals darüber auch mit Gorbatschow ein Gespräch. Ich habe geschildert, mit welchem Enthusiasmus, mit welch großer Begeisterung 1930/31 gearbeitet wurde, obwohl man Hunger hatte, und wie trotz aller Schwierigkeiten der erste Fünfjahrplan in zweieinhalb Jahren verwirklicht wurde. Da sagte er mir, und das mag vielleicht symptomatisch sein für die Beantwortung dieser Frage: »Damals hat man das in zweieinhalb Jahren verwirklicht aufgrund des Enthusiasmus, aber heute wird man das, was für ein Jahr vorgesehen ist, noch nicht einmal in sechs Jahren erfüllen. Das ist das Problem.« Aber ich möchte mich gar nicht weiter einmischen. Natürlich, wenn man einen solch großen Wurf vor hat, gehört selbstverständlich auf außenpolitischem Gebiet eine ständige Entspannung dazu, durch Abrüstung. Diese Sache ist aber sehr schwer in Gang gekommen. Bis jetzt haben die NATO und ihr mächtigster Staat – die USA – noch keine Soldaten und keinen einzigen Panzer abgebaut, ganz zu schweigen von den strategischen Offensivwaffen. Auf der anderen Seite ist es doch so, daß man einen Teil der Menschen, die in der Verteidigungsindustrie arbeiten, mit der Produktion des zivilen Sektors verbinden muß. Das war oft eine Frage zwischen ihm und mir. Ich hatte auch die Überzeugung gewonnen, daß sich auf diesem Gebiet eine Änderung vollzieht. Die Imperialisten waren ja bestrebt, die Sowjetunion zu vernichten. Bekanntlich hatte Reagan davon gesprochen, den Sozialismus zu enthaupten. Jetzt wurde eine Initiative entwickelt, durch einseitige Abrüstung auch die andere Seite zur Abrüstung zu zwingen. Das ist eben das Problem, das man dabei sehen muß.

Aber warum haben Ihrer Meinung nach die Reformen bisher nicht gegriffen? Liegt das nicht an der grundsätzlichen Unreformierbarkeit des Systems oder mehr an den Leuten, die sie machen müssen?

Das hat mit dem System gar nichts zu tun! Tatsache ist, daß die Verschlechterung des Lebensstandards der Sowjetbürger in den letzten fünf Jahren auf eine verfehlte ökonomische Politik zurückzuführen ist. Trotz aller Reden, sie fände überall Unterstützung, ist es doch so, daß die Ökonomie in der internationalen Arbeitsteilung nicht über die erforderlichen Steigerungsraten verfügt. Auf der anderen Seite, das betrifft die Versorgung mit Nahrungsmitteln, auch mit Konsumgütern, erfüllt sie nicht primitivste Ansprüche. Wir hatten einmal eine Diskussion mit Genossen Leonid Breshnew. Es ging damals um das Problem der Steigerung der gegenseitigen Lieferungen, und er sagte auf einmal: »Nun, Erich, versteh folgendes: Auch die Sowjetbürger möchten gern einmal im dritten Stock wohnen.« Und er meinte damit, daß die Bürger der DDR sich schon im dritten Stock befänden, aber die Sowjetbürger noch im untersten Stockwerk. Damit hatte er natürlich vollkommen recht!

Wir standen ja 1970/71 vor der gleichen Lage. Die Analyse, die wir 1970 gemacht haben, zeigte, daß wir sehr starke Disproportionen in unserer Volkswirtschaft hatten, daß die Produktion nicht so effektiv war, um eine grundlegende Verbesserung zu erreichen. Wir mußten damals zum Beispiel jährlich drei bis vier Millionen Tonnen Getreide einführen. Wir haben bei uns eine ganze Reihe von Umstellungen vorgenommen hinsichtlich der Erhöhung der Effektivität, aber wir sind dabei davon ausgegangen: wenn wir in bezug auf Lebensstandard nichts bringen, werden wir nicht die Unterstützung der Bevölkerung haben, um die Arbeitsproduktivität zu erhöhen. Was haben wir gemacht? Wir haben als erstes − damit der Arbeiter und Angestellte sieht, daß die Partei es ernst meint − eine ganze Reihe dieser Interhotels demonstrativ den Gewerkschaften übergeben. Das ist ja bekannt. Zweitens haben wir uns auf die Erneuerung unserer Produktionsfonds orientiert. Damit trat selbstverständlich eine Veränderung in der Zahlungsbilanz der DDR ein, so daß später fast 50 Prozent unserer Grundfonds erneuert waren. In Verbindung damit trug unsere Investitionspolitik dazu bei, insgesamt eine Verbesserung zu erreichen. Es war noch nicht möglich, auf allen Gebieten alles auf einmal zu machen. Es wurden lohnpolitische Maßnahmen durchgeführt, es wurden bestimmte Probleme auf dem Gebiet der Familienpolitik gelöst und so weiter.

Wieso immer Einmischung in die inneren Angelegenheiten der Sowjetunion? Die Sowjetunion war doch stets Beispiel? Vieles wurde übernommen. Nun wunderte sich alle Welt, daß gerade in diesen Punkten, Perestroika, Glasnost, plötzlich nichts übernommen wurde.

Die Ursache dafür war einfach, daß bisher in der gesamten geschichtlichen Entwicklung nach 1924 eine sehr enge Freundschaft und Kampfgemeinschaft zwischen der KPdSU und der Kommunistischen Partei Deutschlands bestanden hatte. Sie hatte sich fortgesetzt in der Illegalität, nach der Befreiung durch die Rote Armee, im Bündnis zwischen unseren Parteien. Aber dann hat sich die geschichtliche Beurteilung in der Sowjetunion geändert. Sie führte zu einer Negierung des bisher Erreichten. Die Losung des Kampfes gegen den

Stalinismus und auch die Entstehung des Pluralismus führten dazu, daß man jetzt unter dem zaristischen Banner in Moskau demonstriert! Da waren wir natürlich als Freunde so offen und ehrlich und haben gesagt: »Seht mal her, Genossen, das ist doch nicht nur schädlich für uns, sondern auch schädlich für die sozialistische Welt, für die kommunistische Weltbewegung!«

Denn so sehr man davon ausgehen mag, oder ausgeht, daß unter Stalin große negative Erscheinungen auftraten, so darf man doch nicht übersehen, daß siebzig Jahre Sowjetmacht, so wie es Gorbatschow anläßlich des 70. Jahrestages sagte, doch die Grundlagen für die Entwicklung der Sowjetunion zu einer Weltmacht schufen. Schließlich war es ja auch die Sowjetregierung, die die Hauptlast im Großen Vaterländischen Krieg und auch zur Befreiung des deutschen Volkes vom Hitlerfaschismus trug. Wir waren der Meinung, so kritisch man die Vergangenheit in einzelnen Phasen auch beurteilt, so wichtig ist es selbstverständlich auch, hervorzuheben, was von der Sowjetunion Neues in die Welt gebracht wurde. Ich habe vor kurzem noch einmal das Buch von John Reed »Zehn Tage, die die Welt erschütterten« gelesen. Wer dieses Buch von vorn bis hinten durcharbeitet und sich die beiden Filme ansieht, die dazu gemacht wurden, sowohl in der Sowjetunion als auch im Westen, der weiß, daß durch die Oktoberrevolution eine neue Etappe in der Weltgeschichte begann. Sogar Zweifel zu hegen, ob es richtig war, zur Oktoberrevolution überzugehen, das finde ich eine unerhörte Sache, um das nicht noch stärker zu qualifizieren! Schließlich setzt sich ja die Revolution sowohl aus spontanen als auch Führungselementen zusammen. Das Problem bestand doch darin, mit dem Krieg Schluß zu machen. Das war das Motto der Februarrevolution: »Arbeit, Brot und Frieden«. Nach dem Sturz des Zarenregimes, der Beseitigung der zaristischen Selbstherrschaft, waren die Volksmassen nicht einverstanden, diesen Krieg weiterzuführen. So war es notwendig, daß die revolutionäre Bewegung weiterging, entsprechend den Aprilthesen von Lenin, so daß die Zeit heranreifte, daß die Arbeiter und Bauern die Macht übernahmen und den Krieg beendeten.

Aber wenn sie heute nicht einmal Salz, Fleisch, Butter, alle Grundnahrungsmittel und die tausend kleinen Dinge des Alltags, sogar nicht einmal Seife haben, sagt sich doch jeder Sowjetbürger: Sozialismus, siebzig Jahre rote Fahnen, Großmacht, Verteidigung, Weltraum sind mir egal! Ich will zuerst einmal satt werden!

Ja, erst kommt das Essen, dann die Moral, sagte schon Bertolt Brecht. Das bedeutet natürlich Pflicht, daß man erst gute Lebensbedingungen hat und dann mit dem Denken anfängt. Aber durch den Abgang vom demokratischen Zentralismus, durch das Verlassen der doch bewährten Planwirtschaft kam ein Durcheinander in die Volkswirtschaft. Denn jeder weiß aufgrund des Besuches der zehnklassigen allgemeinbildenden polytechnischen Oberschule einigermaßen, wie man Seife herstellen kann. Aber da ist eben erst einmal ein bestimmtes Durcheinander in der Produktion und in der Verteilung eingetreten. Das hängt auch damit zusammen, daß viele Menschen, wenn etwas knapp wird, hamstern. Aber es hamstert nicht der Staat. Wenn wir alles hätten, dann wären wir ja zufrieden, aber es reicht eben nicht. Das hängt zusammen mit dem zu raschen Verlassen der Planwirtschaft, ohne die Voraussetzungen zu schaffen, daß die Volkswirtschaft nach dem Prinzip der zentralen Leitung und der örtlichen Initiative geleitet wird. Die Betriebe sollen verhältnismäßig große Selbständigkeit haben, aber die Zusammenarbeit muß doch so sein, wie sie sogar im Kapitalismus ist.

Lenin hat das große Werk geschrieben »Der Imperialismus, das höchste Stadium des Kapitalismus«. In diesem Buch stützte er sich sehr stark auf die Entwicklung der deutschen Industrie und des deutschen Imperialismus. Es trifft auch zu, was Marx sagte: Die Kapitalisten bringen es fertig, eine gute Produktion zu organisieren; was sie nicht fertigbringen ist, die Ursachen für den Krieg zu beseitigen und die Planlosigkeit durch den Markt.

Zwei Drittel der ersten Gebiets- und Kreissekretäre wurden abgesetzt, und trotzdem hat sich gezeigt, daß man keine Änderung durch Perestroika und Glasnost erzielen konnte.

Aber nochmals gefragt: Ist unter der Losung der Nichteinmischung in die inneren Angelegenheiten der anderen Parteien nicht auch von Ihnen versäumt worden, eine gemeinsame Konzeption der Demokratisierung der sozialistischen Länder herauszuarbeiten?

Nein, das kann man nicht sagen. Im Gegenteil. Wir haben diese Diskussionen geführt. Es ist nicht so, daß wir diese Diskussionen nicht geführt hätten. Ich kann mich zum Beispiel an die Berliner Tagung erinnern, in der ich sehr stark betont habe, daß bei aller Erneuerung selbstverständlich der demokratische Zentralismus gewährleistet werden muß, und zwar die Verbindung von zentraler Leitung mit der schöpferischen Initiative von unten. Das war kein stures System. Dieses System finden wir übrigens in allen bürgerlichen Staaten auch. Regierung ist Regierung, und Parteileitung ist Parteileitung. Das baut sich auf von oben nach unten und von unten nach oben.

Das Kernproblem der Demokratisierung des Sozialismus war ja vielleicht, von einem demokratischen Zentralismus zu einer sich zentralisierenden Demokratie zu kommen. Oder? Also eine Umkehrung des Prinzips des demokratischen Zentralismus, das heißt eine wirkliche Meinungsbildung von unten nach oben.

Nun, das war jedenfalls nicht der Wille unserer Partei. Denn wir haben immer genügend Zeit gelassen zur wirklichen Diskussion der Probleme. Ob sie genutzt wurde, ist eine andere Frage. Daß wir Vorgaben gegeben haben, ist eine ganz andere Frage. Man konnte jedenfalls frei diskutieren über die Lage in den jeweiligen Arbeitsgebieten, im Betrieb, Kreis und Bezirk, so daß selbstverständlich dieser Austausch von Erfahrungen zwischen der Basis und der Zentrale da war, der ja lebensnotwendig war. Ohne diesen Austausch kann man überhaupt nicht funktionieren und arbeiten.

Aber das funktionierte in der Praxis natürlich sehr träge oder gar nicht.

Ja, dies funktionierte in der alten Zeit nicht genügend.

Aber hier war doch eine neue Qualität in der sozialistischen Demokratie angesagt?

Wir haben diese neue Qualität selbst angestrebt, wobei wir stets davon ausgingen, daß Sozialismus und Demokratie eins sind, denn ohne Demokratie kein sozialistischer Aufbau.

Oder waren Sie grundsätzlich gegen eine Demokratisierung beim Aufbau des Sozialismus?

Selbstverständlich wäre die Entwicklung der DDR undenkbar ohne ein Zusammengehen unserer Partei mit anderen existierenden Parteien, wie der Christlich-Demokratischen Union, der Liberal-Demokratischen Partei, der Bauernpartei, der National-Demokratischen Partei. All diese Parteien wurden im antifaschistisch-demokratischen Block zusammengefaßt und erkannten aufgrund der geschichtlichen Entwicklung die führende Rolle der Arbeiterklasse und unserer Partei an. Das war etwas Neues in der demokratischen Entwicklung und nicht vergleichbar mit einem Pluralismus im bürgerlichen Sinne. Es gab selbstverständlich ein Zusammenspiel. Es gab grundlegend eine Bündnispolitik. Aber diese Bündnispolitik hat mit der Zeit doch nicht dazu geführt, bestimmten Einflüssen entgegenzuwirken. Doch vierzig Jahre DDR wären natürlich undenkbar ohne die Vereinigung von Kommunisten und Sozialdemokraten und eine kameradschaftliche Zusammenarbeit mit den bis dahin bestehenden anderen Parteien.

Aber die führende Rolle der Partei war dabei für Sie unumstößlich. Warum? Und wurde darüber in der Parteiführung nicht nachgedacht?

Eine andere Frage war selbstverständlich die des Pluralismus. Es versteht sich, daß wir darüber sehr oft nachgedacht haben, denn es ging dabei im Grunde genommen, wie wir das heute erleben, um die Liquidierung der führenden Rolle der Partei, nicht als eine dogmatische Feststellung in irgendeiner Verfassung, sondern im Zusammenhang mit der Zulassung anderer Parteien. Es ist verständlich, daß die anderen Parteien aufgrund der Unzulänglichkeit des Sozialismus auf diesem oder jenem Gebiet und aufgrund von Wahlversprechungen bei bestimmten rückständigen Schichten mehr Verständnis erhalten hätten als unsere Partei, die immer von der Logik ausging: So wie wir heute arbeiten, werden wir morgen leben.

Unser Verständnis von der führenden Rolle der Partei ergab sich allein aus den Schriften von Marx und Engels. Ich möchte nur verweisen auf die Lehren, die Marx und Engels aus der ersten sozialistischen Revolution, der Pariser Kommune, gezogen hatten, um zu zeigen, daß die Vorhut der kommunistischen Partei entscheidend ist für den Sieg der sozialistischen Revolution. Wir sagten: Wir bleiben bei Marx, Engels und Lenin. Wir zogen unsere Schlußfolgerungen aus dem Manifest der Kommunistischen Partei, aus der Erkenntnis, daß Klassen und Klassenkampf ja nicht die Erfindung von Kommunisten sind, auch nicht die Erfindung von Karl Marx und Friedrich Engels. Aber das Verdienst von Marx und Engels war, daß sie die Gesetzmäßigkeit dieses Klassenkampfes erkannt hatten und in Verbindung damit auch die führende Rolle des Vortrupps der Volksmassen, einer Partei, die über die wissenschaftlichen Gesetze der Entwicklung der Menschheit verfügt und aufgrund dessen den Massen den Weg zeigen kann. Es kommt nicht nur auf das Volk an, sondern darauf, dem Volk die Erkenntnis des Marxismus zu vermitteln. Daß dabei Fehler vorkamen, versteht sich von selbst. Die Politik wird von Menschen gemacht, und Menschen machen Fehler. Aber die Entwicklung, die sich jetzt nach fünfundvierzig Jahren in den sozialistischen Ländern zeigt, unterstreicht, daß eine der Hauptursachen des Mißerfolgs in der mangelnden internationalen Solidarität lag. Die materiellen Voraussetzungen waren gegeben, aber auf unserem Weg zu einem europäischen Haus wurde die ideologische Zersetzung so stark, daß die Partei die Entwicklung nicht mehr ausschalten konnte.

Sie stellten an mich die Frage, wie denn in dieser Periode das Politbüro reagiert habe. Ich möchte Ihnen sagen, daß ich nicht die Absicht habe, hier Details von Sitzungen des Politbüros zu behandeln, da es müßig ist, mit jenen in Wettbewerb zu treten, die im Interesse von Honoraren eine Berichterstattung durchführten, die unter der Gürtellinie liegt. Es wäre gut, wenn diese Leute damals ihre Kenntnisse in der Diskussion der Probleme eingesetzt hätten, die immer frei und offen geführt wurde. Wenn man sich natürlich statt dessen mit konspirativen Methoden zur Veränderung der Führung der SED beschäftigt, kann man seine Arbeit nicht leisten und sich dessen erst recht nicht im nachhinein rühmen. Die Schauermärchen über das Politbüro stammen aus jenen Kreisen, die kein Interesse hatten an einer starken Sozialistischen Einheitspartei Deutschlands, an einem starken sozialistischen Staate. Sie hatten obskure Vorstellungen über die Rolle der Partei, die Rolle der Arbeiter-und-Bauern-Macht. Unsere Sorge mußte sein, dafür zu sorgen, daß die Menschen Arbeit haben, eine Wohnung, Kleidung, Essen, daß sie ihre kulturellen Bedürfnisse befriedigen können und so weiter.

Die Entwicklung zeigt, daß sich seit der sogenannten

76

friedlichen Revolution die reale Lage der Werktätigen im ehemaligen Gebiet der DDR stark verschlechtert hat, verschlechtert sowohl in materieller als auch in geistiger Hinsicht. Schließlich ist eine gesicherte Zukunft für die junge Generation verlorengegangen.

Es wird heute viel über Demokratie gesprochen. Für uns, für unsere Partei, für Staat und Gesellschaft waren bis zum 9. Plenum 1989 Sozialismus und Demokratie stets eins. Sozialismus konnte nicht ohne Demokratie sein, und die Demokratie konnte für uns nicht ohne Sozialismus sein. Wir waren gegen die Herrschaft des Geldes, für die Herrschaft des Volkes. Zur Weimarer Demokratie wollten wir nicht zurück, für uns gab es das Beispiel, auch wenn man dies heute nicht mehr gelten läßt, die SU.

Im selben Monat der Gründung der DDR erfolgte im Jahre 1949 die Gründung der Volksrepublik China, später kamen Vietnam und Laos dazu. Viele Länder des Ostens, des Westens, Afrikas und Kuba gingen den Weg der sozialistischen Orientierung. Überall hat die DDR einen Beitrag zur Befreiung dieser Länder geleistet, beim Aufbau eines neuen Lebens. Es zeigte sich, daß unser Weg richtig war.

Wir hatten unseren Aufruf vom Juni 1945, in dem wir erklärten, daß es nicht unsere Absicht war, das sowjetische System auf Deutschland zu übertragen. Das war zur damaligen Zeit eine sehr mutige Haltung, der selbstverständlich auch mutige Taten folgen mußten.

Der Artikel von Anton Ackermann »Der deutsche Weg zum Sozialismus« war richtig. Ich habe ihn unterstützt, obwohl er später korrigiert wurde. Trotz aller gegenwärtigen Stürme, von denen sich noch zeigen muß, ob es wirklich richtige Stürme sind, die uns um siebzig Jahre zurückwerfen, zeigte sich, daß unser Weg der einzig richtige war, auf dem die vereinten Kommunisten und Sozialdemokraten ihre Ideale verwirklichen konnten.

Aber haben Sie durch Ihre Weigerung, auch die Innenpolitik Gorbatschows zu unterstützen und auf die DDR-Politik schöpferisch anzuwenden, nicht selbst dazu beigetragen, die Solidarität zur Sowjetunion zu untergraben, und damit auch die Identifizierung mit dem DDR-Sozialismus unterminiert?

Es ist einfach unwahr, wenn man sagte, die DDR habe sich geweigert, die Politik von Perestroika oder Glasnost zu unterstützen. Wir haben von Anfang an, und ich persönlich, dieser Politik Unterstützung erwiesen, weil wir davon ausgingen, daß diese Politik zum Ziele hat, den Sozialismus in der Sowjetunion und damit in der Welt attraktiver zu gestalten.

Wir waren bestrebt, wesentliche Erfahrungen der Sowjetunion bei der Durchführung dieser Politik in unsere Arbeit einfließen zu lassen. Das beste Beispiel dafür ist, daß wir wohl als einziges sozialistisches Land so umfassend über die Perestroika und das neue Denken berichteten. Schwierig wurde es, unsere Berichterstattung so zu lenken, daß wir an praktischen Beispielen darauf hinweisen konnten, daß der neue Kurs in der Sowjetunion besonders den Menschen diente, der Hebung ihres Lebensstandards.

Die Führung der KPdSU stellte vor kurzem fest, daß auf diesem Gebiet die neue Politik noch nicht gegriffen habe und gegenwärtig große Anstrengungen unternommen würden, um die Wirtschaftspolitik in Ordnung zu bringen und damit die Sozialpolitik. Das bestätigte uns in der Erkenntnis, die neue Politik der Sowjetunion nicht einfach zu kopieren. Wir konnten sie schon deshalb nicht einfach kopieren, weil unsere wirtschaftliche Entwicklung von Jahr zu Jahr eine vierprozentige Steigerung der Arbeitsproduktivität erbrachte und das soziale Netz bei uns immer stärker ausgebaut wurde. Wir waren bestrebt – das zeigten die angelaufenen Vorbereitungen zum XII. Parteitag –, auf dem Gebiet der sozialistischen Demokratie größere Transparenz der Arbeiter- und Volksvertreter und der Wirtschaftsleitung sowie der Kulturpolitik einzuleiten. Wir wollten ein stärkeres Engagement von den Bürgern der DDR auf gesellschaftspolitischem Gebiet erreichen. Wir wollten in Verbindung mit den Kommunalwahlen 1989 die breiten Massen in die kommunalen Selbstverwaltungen einbeziehen und diesen Selbstverwaltungen mehr Selbständigkeit geben, insbesondere in finanzieller und materieller Hinsicht. Wir wollten einfach mehr Demokratie. Leider kam das Gegenteil.

Aber die Übersetzung der Gorbatschowschen Politik auf die DDR erfolgte doch nur sehr widerstrebend und zögerlich. Tragen Sie als ehemaliger Partei- und Staatschef der DDR nicht deshalb die Hauptverantwortung für ihren Untergang?

Davon kann selbstverständlich überhaupt keine Rede sein. Wenn man zurückblättert, wird man feststellen, daß in der DDR die Ansichten Gorbatschows durch die Massenmedien in einem Ausmaß popularisiert wurden wie in keinem anderen sozialistischen Land. Natürlich bin ich auf viele seiner Vorschläge nicht eingegangen. Bei uns kam es darauf an, eine Politik der Erneuerung unter Gewährleistung der Kontinuität weiterzugestalten. Wir haben ansonsten voll und ganz den Kurs der KPdSU unterstützt. Wir sind aber bei der Anwendung der Erfahrungen der Sowjetunion davon ausgegangen, daß man nur das für uns übernimmt, was für uns nützlich ist, und von dem absieht, was bei uns von vornherein nicht zu machen war.

Wir sind zu der Schlußfolgerung gekommen, daß die Bundesrepublik Deutschland bei der Entwicklung der sozialistischen Gesellschaft in der DDR zwar helfen, sie aber gleichzeitig auch vereinnahmen konnte. Das zunehmende Reisen unserer Bürger war eine Politik der Öffnung zum Beispiel, mit Risiken. Ob das alles richtig lief, ist eine andere Frage. Es gab damals Kritik an unserer Politik, aber meines Erachtens war das der einzige Weg, um schneller zur Beseitigung des trennenden Charakters der Grenze zu kommen, einer Grenze, die uns mehr verbinden als trennen sollte, wie ich in der BRD sagte.

Sicher, aber die Art und Weise, wie in der DDR der Sozialismus praktiziert wurde, hat sich doch auch nicht als dauerhaft tragfähig erwiesen. Wenn wir die Uhr zurückdrehen könnten auf das Jahr 1972, als Sie an die Macht kamen, was würden Sie vielleicht anders machen, aus heutiger Sicht?

Ich würde im Grunde genommen den gleichen Weg gehen, in Verbindung mit den neuesten Erkenntnissen, die wir gesammelt haben. Die Tatsache, daß in Ländern Mittel- und Osteuropas nacheinander die sozialistische Gesellschaftsordnung zerbrach, ist ja keinem Zufall der Geschichte zuzuschreiben, ist nicht im grundlegenden Sinne auf Fehler und Mängel der einstigen kommunistischen und Arbeiterparteien zurückzuführen, sondern vielmehr der Tatsache geschuldet, daß zwischen ihnen die internationale Solidarität zusammenbrach. Schließlich hat die Erklärung des führenden Landes der sozialistischen Gemeinschaft dazu geführt, daß man in Verbindung mit dem neuen Denken eine Umbewertung aller Werte vorgenommen hat. Das Abrücken von den revolutionären Traditionen der Sowjetunion hat sich selbstverständlich sehr negativ ausgewirkt, in der Richtung, daß in jedem Land die Revolutionäre vor der Frage standen: War das alles vergebens, was wir in den letzten fünfundvierzig oder fünfundsiebzig Jahren getan haben? War denn das alles falsch? Das kann doch nicht sein!

Ich habe gestern im westlichen Fernsehen eine Sendung verfolgt, die mich nicht nur erschüttert hat, sondern mir auch geradezu die Ursachen des Zusammenbruchs der sozialistischen Länder in Mittel- und Osteuropa blitzartig erhellt hat. Bisher hatte man die Dinge so dargestellt, daß die Vernichtung des Stalinismus das entscheidende für die Zukunft des Sozialismus ist und das lange Festhalten an alten stalinistischen Strukturen die

Hauptursache war für den Zusammenbruch auch in der Deutschen Demokratischen Republik. Aber allein die Tatsache, daß man sowohl in der Sowjetunion, dem Heimatland von Wladimir Iljitsch Lenin, als auch in einigen anderen früheren sozialistischen Ländern dazu übergeht, die Rolle Lenins in der Geschichte zu vermindern, und im Fall Rumänien sogar dazu übergegangen ist, Lenindenkmäler zu stürzen, und in Polen auch, zeigt doch, daß eine Entwicklung eingetreten ist, in der überhaupt der Sinn der Oktoberrevolution in Frage gestellt wird. Für uns war Lenin stets der Verteidiger der Lehren von Marx und Engels. Für uns war Lenin der Mann, der den Marxismus nicht nur verteidigt, sondern schöpferisch weiterentwickelt hat. Der Mann, der begriffen hatte, wann es notwendig war, die Macht der Sowjets in Rußland zu errichten, der eine wegweisende Arbeit schrieb in bezug auf den sozialistischen Aufbau.

Und Ihr Verhältnis zur Sowjetunion war trotz der ökonomischen Mißerfolge und der Verbrechen Stalins bis zu den Gorbatschowschen Reformen wirklich ungetrübt?

Mein Verhältnis zur jeweiligen sowjetischen Führung war seit Anbeginn gut. Das betraf die Führung unter Stalin, meine Zusammenarbeit mit Leonid Breshnew, mit Juri Andropow, mit Konstantin Tschernenko und schließlich mit Gorbatschow. Ich muß sagen, daß die Führer der Sowjetunion stets bestrebt waren, durch eine kameradschaftliche Diskussion jene Fragen in den Mittelpunkt zu stellen, die wichtig waren für die Politik der sozialistischen Länder, soweit sie im Warschauer Vertrag vereinigt waren, und für die bilaterale Politik der Sowjetunion zur DDR, die die sowjetischen Genossen als ein Bündnis von strategischer Bedeutung bezeichneten. Ich darf sagen, daß mich die Wahl Andropows zum Generalsekretär und später zum Präsidenten der Sowjetunion sehr erfreute, ja, daß wir bestrebt waren, in enger Zusammenarbeit mit der Sowjetunion Hochtechnologien zu beherrschen. Entscheidend für die weitere Entwicklung der Sowjetunion und des sozialistischen Lagers war ja die Notwendigkeit der Stärkung der Wirtschaftskraft der Sowjetunion durch die Beherrschung auch von Hochtechnologien, wie dies in Japan, den USA, der BRD und auch in Frankreich der Fall war. Wir haben auf diesem Gebiet hervorragende Anstrengungen unternommen. Das fand auch den Beifall von Michail Gorbatschow bei der Ausstellung der DDR in der Sowjetunion, wo das ganze Politbüro an der Eröffnung teilnahm und ein gutes Urteil abgegeben wurde über die wissenschaftlich-technische Entwicklung der DDR, über die Tatsache, daß sie auf allen Gebieten den Welthöchststand bestimmte, einschließlich der neuen Multispektralkamera und anderen automatischen Systemen zum Auf- und Ausbau ganzer Fabriken der Textilindustrie, der Glas- und der Plastindustrie, der Chemie, des Schiffbaus und so weiter. Es würde zu weit führen, wenn ich dies alles jetzt anführte.

Tatsache ist, daß diese Anstrengungen, so gering sie, wenn ich der Presse folge, heute auch von einigen Besserwissern des Politbüros eingeschätzt werden, doch entscheidend waren, um die sozialistische Gemeinschaft auch in ökonomischer und wissenschaftlich-technischer Hinsicht auf das höchste Niveau der Industrieproduktion zu bringen. Auf diesem Gebiet hatte es ja bekanntlich gehapert.

Wahlfälschung

Kommen wir zur DDR-Politik zurück, die sich im unmittelbaren Vorfeld Ihrer Ablösung vollzog. Es soll zum Beispiel die Losung herausgegeben worden sein, die Kommunalwahlen 1989 sollen die besten innerhalb der vierzigjährigen Geschichte der DDR werden. Die Wahlergebnisse wurden gefälscht und verursachten starke Proteste. Mittlerweile haben das auch die Untersuchungen der Bürgerkomitees ans Licht gebracht. Was sagen Sie dazu?

Also die Losung, daß diese Wahlen die besten sein müßten, wurde nicht vom Politbüro herausgegeben, erst recht nicht vom Zentralkomitee. Bis jetzt ist mir unerklärlich, wer dies in die Partei und in die Nationale Front hineingebracht hat. Für uns wäre ein Ergebnis von 65 Prozent ein großer Erfolg gewesen. Zwar hätte der Gegner dann gesagt, soundso viel sind dagegen. Aber das war nicht die Frage. Bei den Menschen hätte sich das Vertrauen gefestigt, daß das, was sie meinen, doch seinen Ausdruck findet in den Ergebnissen der Kommunalwahlen. Ich muß ganz offen sagen, daß ich hier vor einem Rätsel stehe. Bis jetzt ist diese Frage überhaupt noch nicht geklärt, wer diese Losung herausgegeben hat. Wahlfälschung betrachte ich als etwas Furchtbares, weil das nicht nur ein Selbstbetrug ist, sondern auch Betrug am Volk, um dessen Mitarbeit man doch rang.

Nun wird man sagen, warum bist du nicht darauf gekommen und hast in dieser Beziehung klärend gewirkt? Aber ich möchte sagen, daß auf der Tagung des Zentralkomitees, in der die Wahlen vorbereitet wurden, in meinen Darlegungen ganz klar zum Ausdruck kam, daß diese Wahlen zu einer breiteren Entwicklung der sozialistischen Demokratie führen sollten, weil die Wähler die Möglichkeit hatten, die Kandidaten auszuwählen, die sie haben möchten. Aus diesem Grunde wurde mit den in der Nationalen Front vereinten Parteien und Massenorganisationen vereinbart, die Wahlkreise kleiner zu machen, damit die Wähler die Möglichkeit haben, alle Personen zu testen, ob sie ihnen ihr Vertrauen geben könnten. Die durch die Bürgerkomitees aufgedeckten Verfehlungen brachten im Durchschnitt 10 bis 15 Prozent weniger Zustimmung zu den Wahlkandidaten ans Tageslicht, als offiziell bekanntgegeben wurde. Dieses Ergebnis wäre ein sehr gutes Ergebnis gewesen.

Abgesehen von den Wahlfälschungen fanden viele, daß das nie richtige Wahlen waren, mehr eine Art »Volkszählung«. Es fand keine Auswahl zwischen den Parteien statt, da waren keine entschiedenen Interessenvertreter des Volkes, es gab keine geheimen Wahlen in Wahlkabinen. Wie sehen Sie das?

Zunächst möchte ich feststellen, daß ich das natürlich für grundlegend falsch halte, diese Wahlen als Pseudowahlen zu bezeichnen. Immerhin war doch die Möglichkeit gegeben, in Vorbereitung der Wahlen Einfluß zu nehmen, auch auf die Aufstellung der Kandidaten. Ich kann mich noch an die vorletzten Wahlen zur Volkskammer erinnern. Ich habe an verschiedenen Wahlberichtsversammlungen teilgenommen und mich vorgestellt; auch in verschiedenen privaten Gesprächen, zum Beispiel in Karl-Marx-Stadt. Es waren damals circa 200 000 Menschen nur in Karl-Marx-Stadt auf den Beinen. Es hatte ein bißchen geregnet, aber trotzdem waren die Menschen da. Ich habe mich unter sie gemischt und mit ihnen diskutiert, insbesondere mit den »Fritz-Hekkert«-Werkern. Ich möchte sagen, daß sie sehr stolz waren auf das, was dort geleistet worden ist.

Man muß meines Erachtens grundsätzlich unterscheiden zwischen einer Wahl in einem bürgerlichen Staate, die ja als sogenannte freie Wahlen herausposaunt werden, und einer Wahl in einem sozialistischen Staat. Ich möchte damit nicht sagen, daß der Wahlmodus in der DDR nicht hätte qualifiziert werden können. Aber wenn man unsere Wahlen mit den Wahlen der bürgerlichen Staaten vergleicht, so gibt es schon heute Stimmen bei uns, die sagen: Hier haben jetzt nicht die ersten freien Wahlen in der DDR stattgefunden, sondern hier wurden Bundestagswahlen abgehalten. Es waren doch die Wahlen der Bundespolitiker. Ich kann mich noch sehr genau an die Parteispendenaffäre in der Bundesrepublik erinnern. Dabei stellte sich heraus, daß die verschiedensten Parteien bestochen wurden durch Banken und Konzerne. Wahlen in einem sozialistischen Land und Wahlen in einem kapitalistischen Land sind also nicht vergleichbar. Wir haben jedenfalls angestrebt, obwohl es nicht genauso verwirklicht wurde, daß die Aufstellung der Kandidaten strikt mit den Wählern erfolgte. Die Auswahl der Kandidaten erfolgte nicht, wie es im bürgerlichen Staat üblich ist, durch Kabinette, sondern in Versammlungen. Dort konnten die Menschen sich äußern. Bei allen Fehlern unseres Wahlsystems, bei aller Notwendigkeit, das System zu verbessern, war es doch im großen und ganzen in Ordnung und brachte den Willen der Menschen zum Ausdruck.

Aber wer nicht wählen ging, hatte unter Umständen Nachteile, oder?

Meines Erachtens ist das ein übles Gerücht. Das entsprach weder der Linie unserer Partei- und Staatsführung noch der Nationalen Front. Wir waren wirklich interessiert, daß in Vorbereitung der Wahlen mit jedem gesprochen wurde. Wenn einer nicht zur Wahl gehen wollte, brauchte er nicht einen Nachteil daraus zu haben. Ich kann mir das nicht vorstellen. Im Gegenteil, wir waren ja wirklich daran interessiert, die Meinung des Volkes kennenzulernen.

Rumänien

Sie fuhren dann Anfang August zum RGW-Gipfel nach Bukarest und wurden dort krank. Waren das Schwierigkeiten mit der Galle?

Ja. Ich hatte eine Gallenblasenkolik. Das waren große Schmerzen. Es bestand die Möglichkeit, mich an Ort und Stelle zu operieren, aber man hat davon abgesehen, und entsprechend meinem Wunsch kam ich mit dem Flugzeug zurück nach Berlin. Man hat die Kolik zurückgedrückt, um am 15. August 1989 mit der Operation zu beginnen.

Die Tagung des Politischen Beratenden Ausschusses verlief ansonsten normal. Ich hatte bereits meinen Diskussionsbeitrag geleistet und mich am Abend vorbereitet auf ein Gespräch zwischen den Generalsekretären der dort anwesenden Parteien. Die ganze Sache geriet dann durch meine Kolik durcheinander, soweit es die Teilnahme der DDR-Delegation betraf. Genosse Stoph sollte die Leitung der Delegation übernehmen.

Es war damals sehr heiß, und ich mußte die ganze Zeit im Flugzeug als auch im Sanitätswagen vom Flugplatz bis zu meinem Haus mit einem Eisbeutel auf dem Bauch liegen, der die Schmerzen lindern sollte.

Da wir gerade bei Rumänien sind. Sie haben ja Ceauşescu noch den Karl-Marx-Orden verliehen. Warum?

Was Rumänien betrifft, so habe ich aufgrund meines Alters ein ganz anderes Blickfeld hinsichtlich der Entwicklung dieses Landes. Ich war im Jahre 1948 zum ersten Mal auf einer Tagung des Exekutivkomitees des

Weltbundes, des BDJ, in Rumänien. Damals kam mir Bukarest wie ein kleines Dorf vor, obwohl man sehr oft für Bukarest den Namen »Klein-Paris« prägte. Aber das kam nur daher, weil die oberste Schicht — Rumänien war ein Königreich — sich damals in ihrem Bereich ein »Klein-Paris« geleistet hatte. Im übrigen waren auf dem Lande sehr schwierige Verhältnisse, überall Armut. Das waren solche miesen Dörfer wie in Hinterpommern und wie in Mecklenburg, mit sogenannten Schnitterkasernen und halbverfallenen Häusern. Die Armut der Mehrheit der Bevölkerung ergab sich aus der unterentwickelten Volkswirtschaft. Das Rumänien von heute ist trotz dieser blutigen Ereignisse nicht zu vergleichen mit dem Rumänien von damals. Zum Beispiel im Gebiet von Bukarest, aber auch in anderen Gebieten gibt es moderne Industrie, was den Maschinenbau, den Automobilbau und verschiedene andere Gebiete betrifft. Ich selbst konnte mich davon überzeugen, daß in diesen Betrieben eine hohe Produktivität vorhanden war.

Was führte meines Erachtens dort zu einer Zuspitzung der Lage?

Zunächst muß man sagen, daß die Rumänen stets sehr selbstbewußt waren und auf Unabhängigkeit drängten. Es gab eine Zeit, in der Ceauşescu deshalb eine große Sympathie im Westen besaß. Er wurde uns sozusagen als Vorbild vorgeführt, weil er zur Sowjetunion eine Haltung einnahm, die nach unserem Verständnis nicht der Haltung eines sozialistischen Staates entsprach. Er hat manchmal nicht nur die Armee, nicht nur die Polizei, die Volksgarden, sondern sogar die Feuerwehr mobilisiert, um einem eventuellen Einmarsch sowjetischer Truppen — wie er es sagte — zu begegnen. Das brachte selbstverständlich Unverständnis bei uns hervor. Ich führe das deshalb an, weil dieser sogenannte gesteigerte Unabhängigkeitsdrang die Partei- und Staatsführung Rumäniens dazu verführte, ein sehr ehrgeiziges, umfangreiches Programm durchzuführen sowohl in bezug auf den Aufbau einer modernen Industrie als auch den Aufbau der Bezirksstädte und der Hauptstadt. Ich selbst war bei meinem vorletzten Aufenthalt in Bukarest sehr beeindruckt von der Entwicklung des Bauwesens, einschließlich des Baus der ersten U-Bahn in Rumänien. Aber das ehrgeizige Programm konnte nur durchgeführt werden auf Kosten des Lebensstandards der Menschen. Das war offensichtlich der Fehler, der dann zur Zuspitzung der Lage in Rumänien führte und damit zum Bürgerkrieg. Aber diese Geschehnisse in Rumänien wurden von der westlichen Welt sehr aufgebauscht. Man berichtete damals von 70 000 Toten innerhalb von wenigen Tagen, später hat man das reduziert auf einige hundert. Ich will damit nicht die Erschütterung herabsetzen, mit der wir diese Ereignisse betrachteten, aber es ist einfach ein Fakt, daß es in Rumänien einen Bürgerkrieg gab, und ein Bürgerkrieg ist immer mit Opfern verbunden. Ich möchte meine Genugtuung zum Ausdruck bringen, daß solche Ereignisse uns erspart blieben.

Aber Orden werden doch nicht verteilt nach persönlicher Freundschaft, sondern es steckt ja eine politische Absicht dahinter.

Natürlich steckte eine politische Absicht dahinter. Die Absicht war die, daß wir durch diese Auszeichnungen an ausländische Staatsoberhäupter unsere freundschaftliche Zusammenarbeit zwischen den Ländern festigen wollten. Die Aberkennung dieses Ordens war natürlich dann eine Sache des Staatsrates unter Leitung von Gerlach.

Beim Bürgerkrieg müssen ja die Bürger und das Militär bewaffnet sein. Die Bürger waren, soweit man erkennen konnte, kaum bewaffnet, aber es wurde trotzdem geschossen.

Es gibt Bürger in Uniform und Bürger in Zivil. Die eine Gruppe, die Militärs, haben ihre Uniform, und diese Securitate − oder wie sie heißt − waren auch Bürger in Uniform. Offensichtlich war diese innere

88

Truppe nicht schwach, sondern sehr gut ausgerüstet, und es standen sich zwei Fronten gegenüber, unter Beteiligung von bestimmten Teilen der Bevölkerung. Ich habe im Fernsehen Bilder gesehen, in denen die Securitate und die Armee zusammenwirkten.

Es gibt auch heute noch viele Unklarheiten, was eigentlich in Rumänien los war. Das einzige, was ich sagen möchte, ist, daß ich von Genugtuung erfüllt bin, daß unserem Volk eine solche Entwicklung erspart wurde, dank der umsichtigen Politik des Zentralkomitees der Partei, der Regierung der DDR und des Nationalen Verteidigungsrates. Es war dies auch ein Ausdruck der Kultur, der politischen Kultur in unserem Land.

Botschaftsbesetzungen
und Massenflucht über Ungarn

Können Sie aus Ihrer Sicht nun die unmittelbare Vorgeschichte der »Novemberrevolution« schildern, bis es zu Ihrer Ablösung kam?

Eine nicht geringe Rolle in Vorbereitung der sogenannten Novemberrevolution spielten die Botschaftsbesetzungen. Die Sache begann bereits während meines Konditionsurlaubes, nach meiner Gallenblasenkolik. Damals schlug mir mein Vertreter im Urlaub, Egon Krenz, vor, in dieser Frage hart zu bleiben, da sonst die Botschaften der BRD zu Ausgangspunkten würden, um die DDR in Richtung BRD zu verlassen. Das sei eine eklatante Verletzung der Wiener Konvention. Ich stimmte diesem Vorschlag zu. Einen Brief von Bundeskanzler Kohl in dieser Frage habe ich entsprechend beantwortet, und zwar mit dem Hinweis, daß man in den Botschaften der BRD Bürgern der DDR keinen Unterschlupf mehr gewähren solle.

Am 29. September 1989 war noch eine ganz andere Entscheidung notwendig geworden. Seitens der Regierung der ČSSR wurden wir gebeten, das Problem der Botschaftsbesetzungen in dieser oder jener Form zu lösen, da es sonst zu Störungen von Ruhe und Ordnung in Prag kommen würde. Wir waren natürlich überhaupt nicht daran interessiert, daß die Ruhe und Ordnung in Prag gestört wurde. Wir besprachen diese Frage in einer kurz anberaumten Sitzung im Apollosaal der Staatsoper und kamen denn einmütig im Politbüro zu dem Beschluß, der Bitte der tschechoslowakischen Genossen zu entsprechen. In einem sehr rasch herbeigeführten

Kontakt erklärten wir gegenüber der Bundesregierung unsere Bereitschaft, die Botschaftsbesetzer in Prag mit Zügen, und zwar mit Nachtzügen, von Prag in die BRD zu leiten. Herr Seiters und Herr Genscher stimmten dem Plan zu und ebenfalls, keine großen Empfangsveranstaltungen durchzuführen. Daraus wurde allerdings nichts. Es war das erste Mal, daß in den deutsch-deutschen Beziehungen ein Wortbruch stattfand. Denn es war nicht vorgesehen, daß Genscher flugs nach Prag eilte, um dort eine große nationale Rede zu halten, anstatt die Geste der DDR zu würdigen und ohne viel Palaver den Botschaftsbesetzern die Möglichkeit zu geben, von Prag aus in die Bundesrepublik zu gelangen. Aufgrund von nicht vorgesehenen Ereignissen traten Verzögerungen in der Zugfolge ein. Von seiten der ČSSR wurde uns der Weg über Brambach verwehrt, so daß die Züge über Dresden rollten. Nun kam es zu den bekannten Zwischenfällen in Dresden, und die Botschaftsbesetzungen, die ja inszeniert wurden, führten dann bei uns zu der Schlußfolgerung, daß es erforderlich sei, ganz andere Wege zu gehen, um diese Dinge in Zukunft auszuschließen.

Wir faßten daher den Beschluß, der in dieser Frage früher schon einmal diskutiert worden war, jedem Bürger der DDR einen Reisepaß zu geben. Allerdings hatte die Sache einen Haken. Bekanntlich hatten wir aufgrund der Spaltung der Mark in zwei verschiedene Währungen keine Möglichkeiten, diesen Reisenden die erforderlichen Devisen zur Verfügung zu stellen. Die Pässe selbst wurden bereits im Februar 1989 in Druck gegeben. Es wurde also auf diese Situation reagiert. Allerdings erfolgte das alles viel zu spät, aufgrund von Verzögerungen in einigen Ministerien. Im Ergebnis der Dinge kam es dann zu einer solchen Lage, wie sie jetzt in der DDR gegeben ist.

Nachdem die Ungarn nun den Stacheldraht durchgeschnitten hatten und die Grenze durchlässig war, ist es endgültig klar gewesen, daß die Leute massenhaft wegwollten. Alle schienen sprach- und hilflos, das Politbüro an der Spitze. Oder?

Das war tatsächlich so. Nicht zuletzt ist ja Bundeskanzler Kohl der Kronzeuge, der der ungarischen Regierung gedankt hat, daß sie den ersten Stein aus der Mauer genommen hat und damit einem Strom von einigen zehntausend Bürgern der DDR ermöglichte, nach Westen zu gelangen.

Zur Sprachlosigkeit kann ich aber nichts sagen, denn zu jenem Zeitpunkt war es mir aufgrund meiner Operation unmöglich, meinen Mund aufzutun beziehungsweise mein Gehirn anzustrengen, was man dagegen hätte tun können. Als mir die Sache bewußt wurde, noch auf der Intensivstation, habe ich einmal angerufen und habe gesagt: »Nun hört mal, habt ihr eigentlich mit den Ungarn Verbindung aufgenommen, damit sie die Vereinbarungen einhalten?« Mir wurde gesagt, man wird was unternehmen.

Aber es war schon ganz klar: Die neue ungarische Partei- und Staatsführung war zu Gast bei der SPD in Bonn und wurde von dort aus weitergereicht zu Vertretern der Bundesregierung. Dann kam es zu der Vereinbarung, daß Möglichkeiten geschaffen würden, um die Staatsgrenze zwischen Ungarn und Österreich durchlässig zu machen. Die Bundesregierung stellte einen Kredit von 500 Millionen Mark dafür in Aussicht. So hat man unter Bruch der Verträge einfach die Sperrzäune weggerissen.

Zu der Veranstaltung befand sich dort unter Führung von Otto von Habsburg ein ganzes europäisches Picknick. Dann wurde die Losung herausgegeben: Auf nach Österreich! Auf über die Grenze! Der Strom setzte ein, und er wurde gefördert durch die Verteilung von Flugblättern in ganz Ungarn. Ich brauche dazu nichts weiter zu sagen. Otto von Habsburg ist ein Vertreter der CSU im europäischen Parlament und konnte dann auch in der Deutschen Demokratischen Republik auftreten.

Wer hatte denn damals die Hauptverantwortung im Politbüro?

Die Hauptverantwortung lag wie immer im Politbüro, deshalb spielen Personen in diesem Zusammenhang überhaupt keine Rolle. Wichtig ist, das möchte ich hier feststellen, daß ich bereits zu Beginn des Jahres 1989 sowohl den Minister für Staatssicherheit als auch den Minister des Innern beauftragte, Beschlüsse vorzubereiten für die Erweiterung der Reisemöglichkeiten der Bürger der DDR in die Bundesrepublik Deutschland. Bis zu diesem Zeitpunkt gab es jährlich bereits, wie gesagt, 5 bis 6 Millionen Besuche von Bürgern der DDR in die Bundesrepublik Deutschland, und umgekehrt standen die Besuche in die DDR nicht im Verhältnis zur größeren Zahl der Einwohner der BRD. Aber wie dem auch sei, es gab bereits den Auftrag von mir an die verantwortlichen Genossen: Erstens einen Beschluß vorzubereiten, in dem steht, daß jeder Bürger der DDR einen Reisepaß erhält und die Möglichkeit, ein- oder zweimal dahin zu fahren, wohin er wolle; zweitens sollte festgelegt werden, daß dieser Reisepaß im Besitz des Bürgers der DDR bleibt und nicht, wie bisher üblich, bei Rückkehr auf dem Polizeirevier wieder abgegeben werden mußte. Das heißt, es waren bereits Vorbereitungen im Gange, um die Reisemöglichkeiten zu erweitern. Es gab ein Muster für diesen Reisepaß. Wir hatten uns entschlossen, die Pässe weiterzudrucken, damit sich der Reiseverkehr breiter entwickeln konnte. Das Haupthemmnis dabei war selbstverständlich die Tatsache, daß die Mark der DDR eine Binnenwährung war, während die Mark der BRD eine konvertierbare ist. Aus diesem Grunde war es notwendig, bestimmte Besprechungen mit der Bundesrepublik Deutschland zu führen. Die spätere, sozusagen spontane Lösung hat ja mehr Unheil angerichtet als der Krieg. Was jetzt läuft, ist nicht die Erweiterung des Reiseverkehrs, sondern die Liquidierung der DDR.

China und Leipzig

Kommen wir zum 7. Oktober 1989. Es gab ja Gerüchte und Befürchtungen, daß bei uns auch die chinesische Lösung gesucht werden sollte. Was hat es damit auf sich? Und können Sie bitte ganz genau die Rolle von Herrn Krenz, auch im Zusammenhang mit seinem Chinabesuch, schildern?

Ich möchte sagen, daß der Gedanke des chinesischen Weges, ja oder nein, bei uns nie eine Rolle gespielt hat. Wir waren von Anfang an der Auffassung, das ist nicht unsere Sache, sondern die Sache der chinesischen Partei- und Staatsführung, wie sie Ruhe und Ordnung in ihrem Land hergestellt hat. Die chinesische Lösung hat trotz aller gegenteiligen Behauptungen bei uns nie gestanden.

Es war so, daß bis zum 7./8. Oktober vor uns nie die Frage stand, friedliche Demonstrationen durch die Anwendung militärischer Gewalt, durch Schußwaffen auseinanderzujagen. Wir suchten vielmehr den Weg der sogenannten Sicherheitspartnerschaften. Es hat sich auch gezeigt, daß dieser Weg der einzig richtige war. Das hat mit der Haltung von Egon Krenz gar nichts zu tun. Die Befehle, die dazu gegeben wurden, kamen von mir in meiner Eigenschaft als Vorsitzender des Nationalen Verteidigungsrates. Sie enthielten von vornherein, daß Schußwaffen nicht gebraucht werden durften. Die Abschriften dieses Befehls in bezug auf Leipzig wurden an alle Einsatzleiter der Bezirke geschickt, damit sie wissen, wie unsere Haltung zu einer solchen Erscheinung sein würde. Daß Krenz nachträglich irgendein Ruhmesblatt an seine Mütze stecken will, hängt sehr zusammen

mit seinem Auftreten in der bundesrepublikanischen
»Bild«-Zeitung, »Jetzt sage ich alles«. Ihm geht es dabei
– soweit ich davon Kenntnis nehmen konnte – offensichtlich weniger um »Jetzt sage ich alles«, um die Wahrheit, sondern offensichtlich um die 1,5 Millionen DM,
die er für sein Geschwätz dort erhalten haben soll.

**Er behauptet, Sie hätten ihn nach China geschickt,
um sich dort kundig zu machen.**

Das ist selbstverständlich vollkommener Unsinn.
Solche Vollmachten hatte ich nie, irgendein Mitglied des
Politbüros ins Ausland zu schicken. Das oblag voll und
ganz der Beschlußfassung des Politbüros. Vorbereitet
wurde diese Beschlußfassung durch die Abteilung Internationale Verbindungen des ZK und das Außenministe-
rium beziehungsweise, wenn es sich um Partei- und
Staatsfunktionäre handelte, den Ministerrat der DDR. Es
gab schon seit langem einen Beschluß zu dieser Reise, da
die Volksrepublik China zur gleichen Zeit den 40. Jahrestag ihres Bestehens beging wie die DDR. Das war eine
wichtige politische Angelegenheit. Deshalb wurde Egon
Krenz mit der Leitung dieser Delegation beauftragt, so
daß seine jetzigen Behauptungen, wie viele andere, ganz
einfach entstellt sind.

Im übrigen möchte ich sagen, daß er es nicht ungern
getan hat. Nach seiner Rückkehr aus der Volksrepublik
China nach dem 40. Jahrestag der siegreichen Revolution
in China waren seine ersten Worte: »Ich danke, daß ich
diese Delegation leiten durfte. Ich bin sehr begeistert von
dem, was ich in China sehen konnte. Alle meine Gespräche mit den führenden Leuten der Volksrepublik China
waren positiv.« Ich möchte sagen, ich hatte keinen Menschen vor mir, der eine negative Einstellung zur Volksrepublik China und zu den Ereignissen hatte, die sich dort
vollzogen, im Gegenteil, er war sehr beeindruckt von
dem, was er dort gesehen hatte. Das ist auch nicht weiter
verwunderlich, denn schließlich handelte es sich darum,
daß unter Führung der Kommunistischen Partei Chinas

und von dem mir bekannten Generalsekratär, dem früheren Parteisekretär aus Shanghai, große Leistungen vollbracht wurden zur Entwicklung des Sozialismus mit immerhin über eine Milliarde Menschen. Für mich ist es heute noch ein Rätsel, wie es möglich ist, über eine Milliarde Menschen auf den Weg zur Arbeit zu bringen. Ganz offensichtlich hing das mit dem Kern der Kommunistischen Partei Chinas zusammen.

Und die Demonstrationen zum Beispiel in Leipzig sollten nicht, wie in China, blutig niedergeschlagen werden?

Ich habe nie erwogen, die Demonstrationen gewaltsam zu unterdrücken. Die Befehle, die ich herausgab, waren keine Befehle im Alleingang, keine einsamen Beschlüsse. Wir waren entschlossen, alle Fragen, die sich zu den Oktober- und Novembertagen konzentrierten, mit Hilfe des Dialogs und der Sicherheitspartnerschaft zu lösen. Das ist schließlich auch in Leipzig gelungen. Ich habe Egon Krenz angewiesen, dafür zu sorgen, daß die drei Genossen der Bezirksleitung Leipzig eine Anerkennung bekamen für ihre Haltung während der Aussprache mit dem Chefdirigenten des Neuen Gewandhauses, Kurt Masur, und den anderen Persönlichkeiten. Der Ausschlag dafür wurde durch die Haltung des Politbüros gegeben.

Zur damaligen Zeit konnten Befehle nur von mir als Vorsitzenden des Nationalen Verteidigungsrates gegeben werden.

Alles andere ist ein Märchen und soll zur Glorifizierung einiger Personen dienen, die inzwischen schon alle Glorie verloren haben.

Aber die Kampfgruppen übten Sperrketten, um Demonstrationen zu flankieren oder auseinanderzubringen. Und die hatten auch Gummiknüppel. War Ihnen bekannt, daß die Kampfgruppen solche Funktionen übernehmen sollten?

Es gab einen Beschluß über die Kampfgruppen, die bekanntlich erst nach 1953 entstanden sind. Selbstverständlich haben die Kampfgruppen alle Varianten des Schutzes von Objekten, alle Varianten für die Gewährleistung von Ruhe und Ordnung durchgeübt. Praktisch waren die Kampfgruppen zum Schluß organisiert in normale Einheiten und sogenannte schwere Einheiten. Das war sozusagen eine Reservemiliz geworden für den Ernstfall und auch sonst, um Ruhe und Ordnung zu schaffen. Ich kenne keine besonderen Aufgabenstellungen der Kampfgruppen. Das war nicht geheim, das ist veröffentlicht. Es gab ja eine besondere Zeitung für die Kampfgruppen.

Es gibt den Ausspruch der Partei: »Der Sozialismus ist so gut, wie er sich zu verteidigen weiß.« Was ist Ihrer Meinung nach das Geheimnis, daß der Sozialismus in der DDR und anderswo — obwohl gut bewaffnet und trotz großer Staatssicherheit — sich nicht mit Gewalt verteidigt hat?

Das ergab sich aus der Gesamtentwicklung in den sozialistischen Ländern. So auch in der DDR. Nachdem offensichtlich war, daß die Solidarität innerhalb der sozialistischen Länder den Bach hinuntergegangen war, wäre es falsch gewesen und zutiefst inhuman, den Sozialismus mit Gewalt zu verteidigen. Man hatte sich ja schon auf das Prinzip geeinigt: Jeder stirbt für sich allein.

Damit war das unmöglich, auch in der DDR?

Ja, wir sind überhaupt stets davon ausgegangen, daß der Sozialismus von dem Willen der Volksmassen getragen wird. Nachdem schon offen verkündet wurde, daß die DDR ein Preis sein könnte für die Schaffung des europäischen Hauses, war das für uns überhaupt keine Frage mehr. Außerdem ist es so: Man muß sehen, daß die Unterbrechung des sozialistischen Aufbaus nicht aufgrund des Geschreis auf dem Marktplatz in Leipzig oder anderswo erfolgte, sondern aufgrund der Unfähigkeit der zentralen Führung, den sozialistischen Weg weiter zu gehen.

Falls Sie noch die Macht gehabt hätten, hätten Sie den Verteidigungszustand ausgerufen?

Allein schon die Formulierung: »Falls Sie noch die Macht gehabt hätten«! Ich hatte überhaupt nicht die Macht. Ich konnte nur kollektiv gefaßte Beschlüsse durchführen. So ist diese Frage hypothetisch.

Haben Sie von den Gerüchten gehört, daß Mielke, Krenz oder die Armeeführung Pläne hatten, die Wende gewaltsam aufzuhalten?

Das ist etwas ganz Neues. Es hat keinen Zweck, diese Frage zu behandeln.

Noch einmal zu Leipzig: Stimmt es, daß Sie doch einen Befehl, Befehl Nr. 8, zur gewaltsamen Auflösung der Montagsdemonstration vom 9. Oktober in Leipzig verfügt haben? Der Befehl wurde auch im Fernsehen gezeigt.

Eine gewaltsame Auflösung war überhaupt nicht vorgesehen. Wir haben uns verlassen auf die Vereinbarung über die Sicherheitspartnerschaft. Die polizeilichen Kräfte waren nur da, um das zu gewährleisten. Im Falle der Stürmung irgendwelcher Gebäude oder Brandstiftung wäre natürlich die Polizei entsprechend ihrer Verantwortung für Ruhe und Ordnung eingeschritten. Aber da niemand angegriffen wurde, wurde auch nicht viel Wert gelegt auf die Notwendigkeit des Eingreifens.

Aber wenn angegriffen worden wäre?

Was heißt das Wort »Wenn«. Wenn das Wörtchen Wenn nicht wär', wär' der Vater Millionär.

Das ausdrückliche Verbot des Schußwaffengebrauchs soll erst im Befehl Nr. 9 erfolgt sein vom 12. Oktober 1989, so sagt Krenz. Und er hätte Sie gezwungen, diesen Befehl zu erteilen.

Das ist lächerlich. Krenz konnte mich überhaupt nicht zwingen. Ich hätte den Krenz zwingen können, zum Rücktritt.

Diese Montagsdemonstration am 9. Oktober sollte unter allen Umständen, notfalls mit Gewalt, aufgelöst werden. An die Offiziere waren für den Notfall, falls die Massen angegriffen hätten, Waffen und Munition ausgegeben worden. Dieser Befehl, so lautet ein Gerücht, sei erst gegen 18.00 Uhr von Dickel, dem Polizeipräsidenten, aufgehoben worden durch einen Telefonanruf an den Polizeikommandanten von Leipzig. Wer hat Dickel dazu in Berlin veranlaßt?

Das kenne ich alles gar nicht. Es gab nie einen Befehl, Munition auszugeben. Ob die Polizei laufend bewaffnet wurde, weiß ich nicht. Ich kann über diese ganze Sache nichts sagen. Ich nehme an, wenn ein Polizist mit der Waffe herumläuft, hat er immer etwas dabei, daß er auch schießen kann. Von mir haben sie jedenfalls Befehl gekriegt, die Waffen nicht anzuwenden.

Von Anfang an?

Von Anfang an.

Dieser Begriff der »Sicherheitspartnerschaft«. Woher kommt er? War das irgendwo schriftlich verankert?

Nicht in einem Dokument, sondern er entstand im Ergebnis sozusagen der Montagsdemonstrationen, die waren ja schon lange im Gange. »Laßt sie gewähren«, war die Anweisung.

»Die Trommel ist wichtig
für das gesamte Orchester«

Erinnerungen an Kindheit und Jugend

1912–1945

Wiebelskirchen

Können Sie zunächst etwas über Ihren Geburtsort sagen?

Wiebelskirchen war ein kleiner Ort — es gibt ihn heute noch —, in dem Bergarbeiter, Metallarbeiter und auch Landwirte sowie kleine Geschäftsleute wohnten. Ein schöner Ort, der durchquert wird von der Fließ, einem kleinen Bach, mit waldreicher Umgebung, so daß wir nach der Schule die Möglichkeit hatten, uns sowohl im Ort als auch in der Umgebung und im Wald zu tummeln.

Was hat Ihnen am Leben dort besonders gefallen?

Mir hat besonders der Zusammenhalt seiner Bewohner, die Freundlichkeit, die man Jüngeren entgegenbrachte, und auch die Kameradschaftlichkeit untereinander gefallen. Ungefähr ab dem zehnten Lebensjahr, kann ich mich entsinnen, gab es regelmäßig politische Diskussionen, nicht nur in den eigenen Reihen der kommunistischen Kinderorganisation, sondern auch mit Jugendlichen, die christlichen Jugendvereinen oder dem Pfadfinderbund und so weiter angehörten. Da ging es dann auch schon — wenn man das nachträglich so sagen darf — um die große Politik, bereits im Kindesalter.

Warum war Wiebelskirchen ein so »rotes Dorf«?

Das ergab sich daraus, weil in diesem Dorf mit ungefähr neuntausend Bürgern die große Mehrheit im Kohlebergbau und im Neuenkirchner Stahlwerk beschäftigt war. Die Arbeiter mußten bereits zur kaiserlichen Zeit und später auch zur Zeit der Regierung des deutschen Völkerbundes unter sehr schwierigen Bedingungen ihr tägliches Brot erarbeiten, so daß zur Erreichung sozialer Errungenschaften schon eine rege gewerkschaftliche Tätigkeit nicht nur in Wiebelskirchen vorhanden war. In Wiebelskirchen war die SPD stark. Sie wurde während des Ersten Weltkrieges dann gespalten in SPD und USPD. Letztere war die linke Gruppe, die gegen die Fortführung des Krieges war. In Neuenkirchen war dann stärker die SPD, in Wiebelskirchen stärker die USPD und später die KPD vertreten.

Und was hat Ihnen dort nicht so gefallen?

Nicht gefallen hat mir, daß mein Vater, der Bergarbeiter war, sich ständig in Auseinandersetzungen mit der Grubendirektion befand. Er war ja sein Leben lang im Bergbau tätig und war Vertrauensmann der Belegschaft und zeitweise auch Sicherheitsmann. Sicherheitsmann, das bedeutete, er mußte als erster einfahren und feststellen, ob unten saubere Luft war, das heißt, daß keine Schlagwettergefahr bestand. Das hat er über ein Jahrzehnt gemacht, neben seiner Arbeit als Bergarbeiter. Er mußte die Lohnkämpfe dort mitführen – er war Mitglied der Bergarbeitergewerkschaft –, hatte das Vertrauen der Belegschaft. Aufgrund dieser Tatsache hatten wir in den späteren Jahren auch Unterstützung der Bergarbeiter, wenn wir Arbeitslosendemonstrationen organisierten.

Mir haben die Menschen, die dort wohnten, gefallen und die Gebäude, die dort standen. Das waren zum größten Teil kleine Häuser von Bergarbeitern, von Metallarbeitern und kleinen Geschäftsleuten. Ich möchte noch sagen, mir haben sogar die Pfarrer gefallen. Da war zum Beispiel der Prälat Schulz und die anderen. Trotz der sozialen Unterschiede gab es damals eine große Übereinstimmung zwischen den Menschen.

In was für einem Haus wohnten Sie in Wiebelskirchen?

Es war ein Bergarbeiterhaus, davon gibt es bei uns sehr viele. Im ersten Stock gab es zwei Zimmer, in der Mitte die Eingangstür. Im zweiten Stock gab es nochmals zwei Zimmer, eines mit drei Fenstern, und oben gab es dann die beiden Dachstuben, in denen insbesondere die Kinder gelebt haben. Also ein ganz einfaches Bergarbeiterhaus, eingeklemmt zwischen zwei größeren Häusern.

Unsere Familie hatte dieses Haus von meinem Großvater geerbt. Mein Großvater hatte es bauen lassen, und es ging, soweit ich weiß, 1912 über in den Besitz meiner Eltern.

Es gab noch einen Ausgang nach hinten zu einem schönen Garten. Da hat mein Vater später noch eine Veranda gebaut. Allerdings, der schöne Kirschbaum, der im Garten stand, verhinderte gleichzeitig die Sicht auf die katholische Kirche. Diesen schönen Kirschbaum habe ich bei meinem letzten Besuch nicht mehr angetroffen. Statt dessen einen Apfelbaum, von dem ich damals einen Apfel klaute, der mich durch die ganze Bundesrepublik begleitete, bis nach Berlin.

Ich habe noch einen Luftangriff in Erinnerung vom Ersten Weltkrieg. Ich sah die Flieger aufsteigen unten an der großen Wiese, am Fließ, ich sah den Anmarsch der Truppen von der Westfront während der Novemberrevolution. Ich kann mich noch heute erinnern an die Hissung der roten Fahne auf dem Zollhaus. Und ich erlebte auch den Einmarsch der französischen Truppen.

Vater und Mutter

Sie sagten einmal, Ihre Familie sei eine verschworene Gemeinschaft gewesen. — Auch, um etwas abzuwehren?

Ja, im Rahmen der Gesamtbewegung, in die wir uns ja eingefügt haben, in der Arbeiterbewegung, in der kommunistischen Bewegung. Dort war praktisch unsere ganze Familie tätig, auch nach 1945, soweit sie noch am Leben war. Die Familie Honecker war in Wiebelskirchen bekannt als eine kommunistische Familie.

Und es kam vom Vater oder mehr von der Mutter?

Es kam natürlich mehr vom Vater. Vater war Mitglied der USPD geworden zum Zeitpunkt seines Dienstes in der kaiserlichen Marine in Kiel, Wilhelmshaven, in Emden. Später war er als Seesoldat in Belgien eingesetzt. 1918 war er in Litauen Matrose und hat dann teilgenommen am Kieler Aufstand der Matrosen. Bei meinem letzten Besuch in Wiebelskirchen, bei dem ich mich leider sehr stark an die Protokollvorschriften halten mußte, hatte ich jedoch das Empfinden, daß eine große Verbundenheit bestand zwischen der Bevölkerung und mir.

Mit Mutter und Geschwistern, Willi, Erich,
Käthe, Karoline und Frieda (v.l.n.r.)

**Können Sie Beispiele nennen, was Sie an Ihrem Vater
beeindruckt hat, können Sie sich an wichtige Gespräche mit ihm erinnern, die Ihr Weltbild geprägt
haben?**

Ich kann mich an verschiedene Episoden erinnern, die das Verhältnis meines Vaters zu seinem Sohn
und umgekehrt illustrieren. Bis heute ist mir in Erinne-

rung, wie mein Vater mich zum ersten Mal an die Fließ brachte, damit ich dort schwimmen lernte. Es war ein vernünftiges Vater-Sohn-Verhältnis, sonst hätte ich ja das vergessen. Ich möchte sagen, daß er oft mit mir schwimmen ging, und daraus ergab sich auch das persönliche Verhältnis zu meinem Vater.

Hinzu kam selbstverständlich, was auch in der Autobiographie steht, die durch ihn erfolgte Einführung in die Erkenntnisse der gesellschaftlichen Prozesse, die sich täglich von neuem entwickelten. Ich kann das nur unterstreichen, was ich dort zum Ausdruck brachte: Ich schätzte meinen Vater vor allen Dingen, weil er ein aufrechter Mensch war, ein ehrlicher Mensch. Ich schätzte sein Eintreten für die Bergarbeiter seiner Zeche. Er hatte in seinem Heimatort immerhin einen solchen Einfluß, daß er Mitglied des Gemeinderates war, sehr aktiv, und er hat viel Kleinarbeit geleistet, um die Arbeiterbewegung dort nach vorne zu bringen. Wenn ich ihm das jetzt sagen würde, würde er das nicht hoch bewerten, denn für ihn war es selbstverständlich, für die gerechteste Sache der Welt einzutreten, für die Völkerbefreiung. Von diesem Blickfeld aus gesehen kann ich sagen, daß mein Vater mir in meinem ganzen Leben stets ein Vorbild war. Es ist ja auch bekannt, daß wir gemeinsam in einer Kapelle des RFB spielten, in der Schalmeienkapelle. Ich habe so manchmal die kleine Trommel gerührt, manchmal mein Vater. Die Trommel ist wichtig für das gesamte Orchester. Ich war zum Schluß auch Chorführer in der Roten Jungfront.

Was hat Ihnen am Trommel denn so besonders gefallen?

Es war nicht mein Musikinteresse, es war vielmehr mein Wille, im Rotfrontkämpferbund eine bestimmte Funktion auszuüben, wenn wir aufmarschierten. Ich hatte wenig Zeit, um Schalmei zu lernen, das war komplizierter, so daß ich dann zur Trommel kam. Ich beherrsche das heute noch, zum Beispiel die Begleitung des Liedes »Turner, auf zum Streite«.

Spielmannszug vom Rotfrontkämpferbund
um 1929. Hinter der großen Trommel
Vater Wilhelm, rechts daneben Sohn Erich

In der Biographie steht, Ihre Familie war ohne Vater während des Krieges. Wie wirkte sich das aus?

Das wirkte sich so aus, daß meine Mutter eben für die fünf Rangen selbst sorgen mußte, was die Ernährung und Bekleidung betraf. Bekannt ist ja, daß während des Ersten Weltkrieges der Hunger überall zu Hause war. Nicht nur in unserer Familie.

Warum ging der Vater zu den Kommunisten?

Mein Vater ging zu den Kommunisten, weil er in ihnen die besten Vertreter der Interessen der Arbeiter sah. Es waren die, die mit Karl Liebknecht und Rosa Luxemburg gingen, gegen den Krieg und für die Beendigung des Ersten Weltkrieges auftraten. Karl Liebknecht hatte ja bekanntlich mit anderen die Kriegskredite verweigert. Deshalb trat mein Vater in die KPD ein, und weil er der tiefsten Überzeugung war und auch bis zum Schluß geblieben ist, daß sie die einzige Partei ist, die konsequent die Interessen des Proletariats vertritt. Ein Begriff, den es heute offensichtlich nicht mehr gibt.

Man sagt heute Arbeitnehmer und so weiter. Aber Marx und Engels schrieben vom Proletariat, und von ihnen stammt ja auch die Losung: »Proletarier aller Länder, vereinigt euch!«

Novemberrevolution 1918

In der Biographie steht: »Mein Vater lehrte mich Familiensolidarität und Klassensolidarität.« Was ist das?

Das bedeutete, daß wir in der Familie stets solidarisch waren und uns gegenseitig halfen. Ich sprach schon von dem guten Klima in der Familie, die nicht unter günstigen Bedingungen ihr Leben fristete. Klassensolidarität war notwendig, weil es ganz offensichtlich so war, daß die Grubendirektion die Kumpels nicht nur ausbeutete, sondern auch versuchte, sie durch verschiedene Maßnahmen zu schikanieren und zu unterdrücken. Von diesem Gesichtspunkt aus gesehen, bildete sich bei uns schon sehr früh ein Klassenbewußtsein heraus.

Als Sie später Staatschef wurden, haben Sie manchmal darunter gelitten, daß Sie durch das Protokoll, die Sicherheitsgeschichten, Wandlitz und so weiter sehr isoliert vom einfachen Volk lebten?

Ich habe nicht darunter gelitten, das kann man nicht sagen. Natürlich wäre es mir lieber gewesen, wenn ich mich hätte freier bewegen können. Aber darunter gelitten, das wäre etwas übertrieben und wird auch gegenwärtig in der Öffentlichkeit übertrieben dargestellt. Ich hatte bis zum letzten Tag meiner Tätigkeit an der Spitze der Partei und des Staates laufenden Kontakt, nicht nur brieflich, sondern auch durch Unterhaltungen mit einfachen Arbeitern in den Betrieben und mit den Bauern. Wenn man heute die Zeitung liest, dann muß man sich nur wundern, daß diejenigen, die behaupten, eine so große Verbundenheit mit dem Volk zu haben, ihnen jetzt die Arbeitslosigkeit bringen und sie ihrer Spargutaben berauben.

Wie war Ihr Verhältnis zu Ihrer Mutter?

Sehr gut, und zwar bis zu ihrem Lebensende. Meine Mutter hatte natürlich sehr viel Arbeit mit ihren sechs Gören. Es war ja der Erste Weltkrieg, und sie hat uns alle großgezogen, mit den vielen Sorgen. Mein Vater war selten zu Hause. Als Bergarbeiter hatte er eine 10-Stunden-Schicht. Meine Mutter und mein Vater waren ein Ehepaar, das sehr harmonisch zusammenlebte, und ihre Hauptsorge galt selbstverständlich ihrem Nachwuchs. Meine Mutter hat uns in jeder Beziehung sehr umsorgt. Sie war damit beschäftigt, nicht nur das Essen zuzubereiten, die Kinder zum Schlafen zu bringen, sondern sie mußte auch für die ganze Kleidung sorgen. Eine Nähmaschine war ein wichtiger Hausrat zur damaligen Zeit. Ich kann mich nicht entsinnen, daß jemand anders unsere Kleider gemacht hat als meine Mutter. Sie mußte auch durch Zeitungaustragen noch etwas Geld dazuverdienen, um die Familie durchzubringen. Während mein

III

Vater, das hing mit seiner Arbeit im Bergbau zusammen und seinen Aktivitäten in der Gewerkschaft, in der Kommunistischen Partei und auch im Gemeinderat von Wiebelskirchen, sehr selten nach Hause kam, meistens zu einer Zeit, wenn wir schon schliefen. Ich habe meine Eltern geliebt und liebe sie auch heute noch, obwohl sie nicht mehr da sind.

Meine Eltern hatten eine große Zuneigung zu mir, auch aufgrund der Tatsache, daß ich nach meinem 14. Lebensjahr bereits wenig zu Hause war. Ich war dann durch die Kinderlandverschickung zwei Jahre praktisch in Neudorf in Pommern. Nach meiner Rückkehr begann sofort die zweijährige Dachdeckerlehre, und danach arbeitete ich bereits als Jugendfunktionär in Saarbrücken, und nach 1933 kamen die illegale Tätigkeit und die zehn Jahre Haft. Dann, nach 1945, konnte ich nicht mehr hinfahren, aufgrund meiner Funktionen in Partei und Staat. Ich war noch dreimal bei meinen Eltern an der Saar als Bürger unseres Landes. Meine Eltern kamen sehr oft nach Berlin. Sie haben auch unsere Tochter Sonja betreut, besonders in der Zeit, als meine Frau Margot die Schule in Moskau besuchte.

Sehr schlimm war natürlich die Zeit, als meine Mutter starb, im Alter von 78 Jahren, und später der Tod meines Vaters. Es fiel mir sehr schwer, aber ich konnte nicht zur Beisetzung fahren, sowohl von meiner Mutter als auch von meinem Vater. Ich bekam zwar eine Information seitens der Bundesregierung, daß sie in diesem Falle absähen von der Anwendung ihrer Gesetze und der Innenminister Vorsorge getroffen habe für meine Sicherheit. Aber da es damals für viele Bürger der DDR nicht möglich war zu fahren, habe ich einen Vertreter entsandt, der am Grabe meiner Elten Gebinde niederlegte.

Und Ihre Mutter. War sie zärtlich oder eher streng? Sie sind relativ früh vom Elternhaus weg. Haben Sie Ihre Mutter oder Ihren Vater sehr vermißt?

Meine Mutter und meinen Vater habe ich mein ganzes Leben lang vermißt und vermisse sie auch noch heute. In unserer Familie war ein kameradschaftliches Verhältnis. Es waren wahrlich gute Familienbeziehungen. Immerhin, sechs Gören großzukriegen, das bedeutet ja für Vater und Mutter viel Arbeit. Das kann ich erst heute ermessen, insbesondere weil es in den meisten Familien nur noch ein bis zwei Kinder gibt. Aber sechs Gören zu beherrschen, dazu gehört schon was.

Wenn wir die Frage eines zärtlichen Verhältnisses stellen, so ist darunter zu verstehen, daß meine Mutter ihre Kinder lieb hatte, daß sie sie umsorgte, daß sie ihnen half, im Leben weiterzukommen, und ich muß sagen, daß es ein sehr tiefes, ein sehr empfindsames Verhältnis war. Das bedeutet natürlich nicht, daß wir nicht manche Sachen gemacht haben, die ihr nicht paßten, insbesondere, wenn wir miteinander rauften. Daraus ist ja auch diese große Narbe entstanden, die ich hier an der Stirn habe. Da bin ich auf die Nähmaschine raufgeschlagen.

Können Sie sich noch an Ihre Großelten erinnern?

Ich kann mich nur an meinen Großvater mütterlicherseits erinnern. Er war Hüttenarbeiter in einem Neuenkirchener Hüttenwerk, und mein Großvater väterlicherseits war in den Kohlegruben. Allerdings habe ich beide nicht mehr kennengelernt.

Essen, Kleidung

Wie lebten die Honeckers?

Wir hatten, wie gesagt, das kleine Bergarbeiterhaus. Ich wohnte im 1. Stock, hatte mein Bett dort, meine Brüder wohnten unterm schrägen Dach. Es war ein Haus mit Garten, wo wir doch eine schöne Kindheit hatten, so daß es mir zu Hause sehr gut gefiel. Wir waren damals einfache Verhältnisse gewöhnt, es gab ja bekanntlich keine Badewanne, und so wurden die Kinder sonnabends in den Bottich gesteckt und gewaschen. Im Sommer gingen wir in die Fließ schwimmen. Der Garten hat uns sehr beschäftigt, im Frühjahr und im Herbst die Ernte. Aber das war in der Hauptsache eine Angelegenheit von Mutter. Wir haben nur die Kirschen mit 'runtergeholt. Mein Vater hatte ein Quergebäude gebaut, hatte Stallungen für eine Kuh. Dann waren Ziegen da. Später wurde ein großes Haus gebaut aus Holz für Kaninchen. Darauf war mein Vater besonders spezialisiert. Wir hatten zeitweise auch ein oder zwei Schweine.

Was gab es denn zu Hause zu essen?

Schwer zu sagen, was wir aßen. Wenn wir was hatten, zum Frühstück oft Brot mit Sirup, den man ja aus Rüben gewinnt. Das war das billigste, später gab es dann auch Kartoffelsuppe und andere Dinge wie Nudeln und so weiter. Beim Abendbrot gab es Brot und irgend etwas dazu. Wir waren sehr stark interessiert an dem Metzger, der in der Nähe sein Geschäft hatte und Wurst machte. Es ging nicht um die Wurst, sondern um die Brühe, in der die Wurst gekocht wurde, die haben wir dann in Kannen abgeholt. Aber hinter unserem Haus begann ja ein kleiner Garten, der war voller Obstbäume, wo wir hin und wieder Äpfel klauten. In der damaligen Zeit haben alle Menschen bei uns sehr bescheiden gelebt, selbstverständlich mit Ausnahme von Geschäftsleuten.

Wie war man damals gekleidet?

Ich war durch meine Mutter gut gekleidet, selbstverständlich bescheiden, aber wir verfügten, wie gesagt, über eine Nähmaschine. Mutter hat alles selber gemacht, was ich anzog. Ich kann mich erinnern, daß sie mir einmal einen sehr schönen Matrosenanzug genäht hat. Ich ging zu meiner Tante, und dort bin ich mit meiner Cousine den Lehmberg 'runtergerutscht, und als ich nach Hause kam, war der schöne Anzug vollkommen im Eimer. Nun gut, es gab zwar Schelte, aber Mutter hat nie geschlagen. Ansonsten habe ich das angezogen, was Mutter fertigbrachte, und aus zwei wurde eins gemacht. Man kann nicht sagen, daß wir groß einkaufen gingen. Ich ging nicht selten mit meiner Mutter nach Neukirchen, aber ein großer Einkauf, wie das heute so üblich ist, kam nicht vor.

Waren Sie oft krank?

Meine damalige Gesundheit war gut. Allerdings hat sich die ungenügende Ernährung negativ ausgewirkt, nicht nur auf mein Aussehen, sondern auch auf die Entwicklung meiner Körperkraft. Ich kam deshalb auch 1923 in die Kinderlandverschickung nach Pommern, von der ich bereits erzählte.

Geschwister

Können Sie etwas zu Ihren Geschwistern sagen?

Wir waren insgesamt also sechs Geschwister, drei Mädels und drei Jungs. Wir waren eine verschworene Gemeinschaft. Das bedauerliche war, das hat mich damals sehr bedrückt, daß meine Schwester an Lungentuberkulose litt und später daran starb. Wir hatten untereinander ein gutes Verhältnis, ob das die Käthe war oder später meine jüngste Schwester Gertrud. Wir haben uns gebalgt, haben Schlachten geführt.

Käthe hatte einen besonders sorgsamen Umgang mit ihrem Brüderchen und den übrigen Geschwistern. Sie war die älteste. Übrigens war sie ein sehr hübsches Mädchen. Wir hatten ein sehr gutes Verhältnis. Sie hatte einen günstigen Einfluß auf die Gemeinschaft der Familie. Das kam wahrscheinlich auch von Vater und Mutter. Wir hielten bis zum Schluß alle zueinander. Meine älteste Schwester interessierte sich stark für Literatur, meine mittlere Schwester lernte an der Schule Französisch, und die jüngste Schwester haben wir alle zusammen betreut.

Käthe war durch die Lungen-Tbc schwer erkrankt, und mit 19 Jahren verstarb sie. Sie war ein prächtiges Mädel. Sie war sehr sangesfreudig. Meine Eltern waren bemüht, später alles zu machen, damit sie so wenig wie möglich wegen ihrer Krankheit zusätzlich belastet wurde. Eine einschneidende Veränderung in der Familie war selbstverständlich ihr Tod. Er hätte nicht zu sein brauchen, wenn die Familie über die entsprechenden Mittel verfügt hätte, um meine Schwester in die Schweiz zu schicken. Das war für eine Bergarbeiterfamilie damals nicht möglich, und es gab noch keine Medizin, um erfolgreich die Lungentuberkulose zu behandeln.

Meine andere Schwester, die Frieda, ging in eine Dominalschule, eine Schule, die von der damaligen Besatzungsmacht im Saargebiet eingerichtet worden war, nach dem Ersten Weltkrieg. Es wurde dort deutsch und französisch unterrichtet. Trotz ihrer guten Zeugnisse hatte sie später nicht die Möglichkeit, irgendeinen Beruf zu ergreifen und war bei fremden Leuten Dienstmädchen. Sie hat später einen Bergarbeiter geheiratet. Ich muß sagen, daß sie mir später stets in meiner politischen Tätigkeit im Saargebiet eine große Hilfe war. Frieda war dann Hausfrau, wie das in Bergarbeiterfamilien üblich war. Sie war aktiv in der Kommunistischen Partei. Sie hat viele Kinder gehabt, sechs Burschen. Der Kleinste hatte mich zuvor nie gesehen, weil ich über zehn Jahre von zu Hause weg war während der Nazizeit. Als ich 1945 nach Hause kam und auch Frieda besuchte, kam mir der Kleine entgegengelaufen, als wenn er mich schon lange kannte. Sie hatten in der großen Stube ein Bild von mir angebracht.

Mein Bruder Willi war wie mein Vater Bergarbeiter und auch sehr aktiv in der Zelle der KPD in seiner Grube. Er hat früh geheiratet und wohnte in unserem Haus. Mit ihm war ich sehr verbunden. Er war im Sport und der Politik sehr aktiv und ein aufrechter Mann. Er wurde erst in den letzten Kriegsjahren eingezogen, obwohl er magenkrank war. Aber das hat in den letzten Kriegsjahren das Wehrkreiskommando nicht interessiert. Es war die letzte Möglichkeit, um ihn auch noch aufs Schlachtfeld zu schicken. Er ist gefallen, irgendwo auf dem Rückmarsch von der Sowjetunion, wahrscheinlich in Rumänien. Das Grab von ihm konnten wir nicht mehr finden. Er war als Kraftfahrer eingesetzt worden.

Dann gab es noch Gertrud, die noch heute in Vaters Haus lebt. Sie war sehr aktiv in der Kinderbewegung, im Jugendverband und später in der Kommunistischen Partei wie ich. Sie war auch diejenige, die mich mit ihrem Mann später in der Strafvollzugsanstalt in Brandenburg besuchte. Sie war ein tapferes kleines Mädchen. Ihr Mann, Hans Hoppstädter, war ein alter Kampfgefährte von mir. Es gibt noch Bilder, wo wir gemeinsam bei einer

Demonstration vornewegmarschieren. Gertrud hatte keinen Beruf gelernt. Die Mädchen waren damals noch für den Kochtopf bestimmt. Es hätte auch gar keine Möglichkeiten gegeben. Denn zur damaligen Zeit haben dort der Bergbau dominiert und die Hüttenindustrie. Es war alles sehr dezentralisiert. Ihr Mann Hans wurde dann zum Militär eingezogen. Er war von Beruf Tischler, später bei der Straßenbahn tätig, und nach dem Zweiten Weltkrieg war er auch im Hauptausschuß der Verkehrsbetriebe des Saargebiets. Er war Omnibusfahrer zum Schluß.

Es fehlt noch Robert. Er war ein Spätling, erst 1923 geboren. Robert kam auch in unsere Bewegung, 1933, er war erst zehn Jahre alt. Er wurde dann in die Hitlerjugend aufgenommen, hat dort mitgemacht und wurde, als er im entsprechenden Alter war, eingezogen zur Armee. Er war eingesetzt mit einer Einheit in Griechenland. Von da kam er nach Ägypten, und dort holte er sich eine Krankheit, an der er einige Jahre später verstorben ist. Das ist sozusagen das Panorama unserer Familie. Wie gesagt, drei Mädels, drei Jungs. Zwei sind noch da, meine Schwester Gertrud und ich.

Schule

Können Sie etwas über Ihre Schulzeit erzählen?

Ich bin in die evangelische Volksschule gegangen.
Es gab ja nur diese achtklassige Volksschule.

Hatten Sie Lieblingsfächer?

Lieblingsfächer – das waren Gesang, Geschichte
und Rechnen, Schreiben weniger.

Nicht gemocht habe ich Religionsunterricht. Aber da
wurde ich abgemeldet von meinen Eltern, so daß ich am
Religionsunterricht nicht teilgenommen habe. Das
bedeutet selbstverständlich nicht, daß ich auf diesem
Gebiet ohne Kenntnisse blieb, sei es nun die Bibel, das
Alte und Neue Testament, seien es die Probleme dieser
Weltanschauung. Denn es gab ja darüber in der damaligen Zeit sehr starke Diskussionen auf der Straße. Ich bin
zwar getauft worden, habe aber nie am Religionsunterricht teilgenommen, denn als junger Kommunist stand
ich voll und ganz auf dem Boden der materialistischen
Weltanschauung. Zum ersten Mal habe ich die Kirche
betreten als Dachdecker. Daß ich nicht am Religionsunterricht teilgenommen habe, war auch mehr eine Pro-
testhaltung. Es gab bei uns die evangelische Volksschule
und die katholische, und es war noch so, daß ein evange-
lischer Junge nicht ein katholisches Mädchen freien
durfte und umgekehrt. Das hat in der Familie zu Konflik-
ten geführt und auch zu einem Generationskonflikt, weil
viele Mädchen und Jungen das nicht verstanden haben.
Das hat auch unsere Tätigkeit als Atheisten gefördert
oder, wie man uns damals nannte, als Dissidenten. Wir

haben überhaupt diesen Gegensatz nicht verstanden und haben uns demonstrativ zusammenbegeben. Wir diskutierten als Atheisten, mal mit evangelischen Jungen und Mädeln und mal mit katholischen. Wir wollten diese Spaltung nicht, wie sie damals vorhanden war. Heute wird man das vielleicht schwer verstehen.

Die Erlebnisse aus der Kindheit haben meinen ganzen Lebensweg in bezug auf das Verhältnis zur Kirche entscheidend mitbestimmt. Ich habe sehr früh begriffen, daß es eine Sache ist, einer Religionsgemeinschaft anzugehören, und eine andere Sache, daß Menschen, die diesen Religionsgemeinschaften angehören, durchaus in vielen Fragen die gleichen Ziele verfolgen wie wir auch; zum Beispiel Gerechtigkeit und verschiedenes andere im Leben.

Welche Bedeutung haben für Sie die Zehn Gebote?

Ich kenne die Zehn Gebote. Ich darf sagen, daß viele davon auch Inhalt unseres Denken und Handelns waren.

Wurde die sozialistische Ideologie, wenn sie dogmatisch war, nicht auch oft vermittelt wie eine Religion?

Ich weiß nicht, was man dazu sagen soll. Das Wort Dogmatismus wird gegenwärtig in einer sehr verzerrten Form dargestellt. Eine Theorie ist immer lebendig, sonst ist es keine Theorie. Insbesondere die Theorie von Marx, Engels und Lenin. Bekanntlich hat Karl Marx darauf hingewiesen, daß es nicht darauf ankommt, die Welt verschieden zu interpretieren, sondern sie zu verändern. Die Welt zu verändern, das bedeutet, ein sehr flexibles Denken zu haben. In den Grundsätzen weiß man, was man will, in der Durchführung und Erreichung der Ziele gilt ein sehr flexibles Handeln. Für uns war der Marxismus kein Dogma, sondern eine Anleitung zum Handeln. Unsere Lehrer haben uns nicht erspart, daß wir unsere Köpfchen selbst anstrengen mußten.

Was wurde in einzelnen Fächern gelehrt, zum Beispiel in Geschichte?

Das Saargebiet war ja damals abgetrennt vom Deutschen Reich, und man könnte vielleicht annehmen, daß das in irgendeiner Form die Lehrbücher beeinflußt hätte. Aber wir hatten all das, was auch im Geschichtsunterricht des damaligen Reiches war. Die Geschichte wurde damals gelehrt als die Geschichte von Fürstengeschlechtern. Solange wir zu Preußen gehörten, war das die Geschichte der preußischen Königshäuser. Wir lernten auch viel über die Befreiungskriege, über die 1866er Schlacht, das heißt, den Krieg zwischen Preußen und Österreich, den Krieg gegen Dänemark sowie die Vorgeschichte des Ersten Weltkrieges. Der Geschichtsunterricht bestand aus Daten und der Verherrlichung preußischer, deutscher und germanischer Tugenden, bis zur Weimarer Republik und danach. Für Erdkunde hatte ich sehr großes Interesse, nicht nur rein geographisch, sondern auch was die politische Geographie in Verbindung mit der Ausdehnung des Deutschen Reiches anbetraf.

Und Sport?

Schulsport gab es nicht. Ich habe mich bald stark betätigt im Arbeitersportverein »Fichte«, und zwar in der Leichtathletik. Ich war auch beim Handball und beim Fußball dabei. Wir haben sogar Wettkämpfe ausgetragen. Wir hatten Geräteturnen, den Barren, das Reck, das Pferd und auch Gymnastik. Das wirkt sich noch bis heute positiv auf mich aus.

Und Musik?

Unterricht habe ich nicht gehabt. Damals war ja sehr stark die Mandoline vertreten in der Jugendbewegung. Da gab es viele, die dieses Instrument spielten. Ich habe ja dann in der Schalmeienkapelle mitgewirkt. In der Kindheit selbst habe ich mich wenig mit Musik beschäftigt. Zeichnen hat mich sehr stark interessiert, es war eine meiner Lieblingsbeschäftigungen, sowohl was das Reißbrettzeichnen als auch das Zeichnen nach Vorlagen wie Straßen, Wälder, Erde und Menschen. Fremdsprachen haben wir keine gehabt. In der allgemeinen Volksschule gab es keinen Sprachunterricht.

Warum mochten Sie Deutsch nicht so sehr?

Für Deutsch und Rechtschreibung hatte ich kein Interesse. Mein Onkel, Peter Weidenhof, hat mal bei der Besichtigung meines Zeugnisses darauf hingewiesen: »Mein lieber Freund, in Deutsch mußt du dich anstrengen, das ist sehr wichtig für das spätere Leben. Das betrifft nicht nur die Orthographie und die Schönschrift, sondern das hängt zusammen, wie man im Leben ist, besonders vielleicht im politischen Leben. Da muß man die Sprache gut beherrschen.«
Eine 3 war für mich damals noch 3, neben den vielen Einsen und Zweien.

Wie waren Sie in der Schule?

Ich hatte keine großen Schwierigkeiten beim Lernen. Die Zeugnisse waren normal. Es war kein großes Streben nach oben. In Deutsch war ich, wie gesagt, schwächer, am besten war ich im Rechnen.

Können Sie sich noch an Ihre Lehrer erinnern?

Es gab, wie überall, Lehrer, die man gut leiden konnte und solche, die man weniger leiden konnte. Wir hatten sehr oft junge Lehrer. Die Namen sind mit entfallen. Es gab Lehrer, die es verstanden haben, mit den Kindern gemeinsam zu leben, die haben wir selbstverständlich verehrt. Es gab auch solche, die praktisch die Dienstzeit aus der Armee fortsetzen wollten, und die haben wir weniger geliebt, weil sie versuchten, die Prügelstrafe anzuwenden. Aber es war oft so, daß die Jungs, wenn sie den Kopf zwischen die Beine tun sollten, weil sie geprügelt werden sollten, den Lehrer in die Beine bissen.

Sind Sie selbst mal in der Schule verdroschen worden?

Ich kann mich an wenig solcher Ereignisse erinnern. Aber ein Lehrer, der herausbekam, daß sein Prügelstock nicht mehr im Geigenkasten war, hat auch mich zwischen die Beine genommen, und ich habe ihn, als er mich prügelte, ganz einfach in die Beine gebissen. Ansonsten muß ich sagen, hatte ich eine große Hochachtung vor der Masse der Lehrer. Die Lehrer hatten auch eine bestimmte Sympathie für mich, weil wir als Kindergruppe der Kommunistischen Partei bekannt waren und als sehr fleißige Kinder galten und nicht zu den dümmsten gehörten. Es gab keine große Konfrontation mit den Lehrern. Es war eine feste Gemeinschaft bis zum Schluß, wobei man davon ausgehen kann, daß nur zwei aus meiner Klasse später die Möglichkeit hatten, die Mittelschule zu besuchen. Man nannte sie damals Realschule. Also wie es damals üblich war, Volksschule war Volksschule; nach der 8. Klasse hörten die Kontakte auf, wenn sie nicht in den Jugendorganisationen fortgesetzt wurden, der Naturfreundejugend, der ich selbst angehörte, und in der Sportorganisation »Fichte«.

Was hat Ihnen die Schulzeit gegeben?

Die Schulzeit hat mir für mein späteres Leben fast alles gegeben. Es war ein großes Feld, auf dem man lernen konnte; nicht nur das Rechnen, auch Physik und in bezug auf die Geschichte und Geographie. Ich muß also sagen, die damalige Volksschule hat doch für das weitere Leben eine gute Grundlage gegeben. Das fand auch seinen Ausdruck darin, daß ich in Verbindung mit meiner Lehre als Dachdecker gleichzeitig die Berufsschule besuchte. Die Volksschule war eine gute Grundlage für den beruflichen Weg, den man ergriffen hat.

Dachdecker

Welchen Berufswunsch hatten Sie?

Ich hatte viele große Wünsche. Ich wollte die
verschiedensten Berufe ergreifen. Ich war zum Beispiel
interessiert daran, Lokomotivführer zu werden. Daraus
wurde aber nichts, obwohl ich mich sehr intensiv bewor-
ben hatte. Dieser Beruf, ein Beamtenberuf, war gesperrt
für Arbeiterkinder zur damaligen Zeit. Dann wollte ich es
als Streckenarbeiter bei der Eisenbahn versuchen, zumal es
in unserer Partei zwei Leute gab, die als Eisenbahner
arbeiteten. Aber auch das war nicht möglich gewesen.

Warum wollten Sie gerade Lokführer werden?

Jeder Junge hat irgendeinen Traum. Das war mein
Traum. So ein Lokführer, der sein Stahlroß durch die
Lande lenkt, Grenzen überquert, das war mein Traum
– ein Traum aus der Kindheit. Ich habe dabei nicht
differenziert zwischen dem Lokführer und dem Heizer,
der ja die Kohlen reinschaufeln muß. Aber das ist dann
schnell zerstoben.

Ich wollte weg vom Bergbau, dafür hatte ich kein
Interesse. Dann habe ich mich orientiert an dem Beruf
meines Onkels, er war Dachdeckermeister. Ich bin ihm
sehr oft zur Hand gegangen, und später, nach meiner
Rückkehr aus Pommern, bin ich beim Dachdeckermeister
Müller in die Dachdeckerlehre gegangen. Mir hat das
gefallen. Ich war gern mit meinem Onkel auf dem Dach.
Ich habe zwar nicht ausgelernt mit einer Prüfung, weil ich
mich später dem politischen Leben zuwandte, aber ich
muß sagen, ich habe meinen Beruf gekannt, weil ich schon

als Kind während der Schulzeit mit aufs Dach ging. Der Beruf ist sehr vielseitig. Das betrifft sowohl das Ziegeldach, das Schieferdach; und die Ergänzung durch die Berufsschule hat natürlich dazu beigetragen, daß ich diesen Beruf gerne ausführte.

Warum wollten Sie nicht in den Bergbau? Hat Ihr Vater von diesem Beruf abgeraten, weil er zu gefährlich oder zu schwer war?

Ich hatte eine starke Abneigung gegen diesen Beruf, denn ich hörte sowohl von meinem Vater als auch von anderen Bergarbeitern, wie furchtbar die laufenden Unglücke im Bergbau sind. Es war aber nicht nur die Sorge wegen der Unglücke, sondern es war für mich nichts Erstrebenswertes. Für mich wäre Lokomotivführer etwas Besseres gewesen.

Was gefiel Ihnen besonders am Dachdeckerberuf?

Erstens war ich ständig an der frischen Luft, im Sommer wie im Herbst. Im Winter gab es ja keine Beschäftigung, so lange ich in der Lehre war. Da mußte man schwindelfrei sein. Aber das war kein Problem. Der Beruf als Dachdecker hat mich sehr stark erzogen zur Disziplin, zur Pünktlichkeit, zur Zuverlässigkeit in der Arbeit. Er hat zur Herausbildung einer Berufsehre geführt, und das ist auch sehr wichtig gewesen für die spätere Politik. Ich muß sagen, daß die Ausübung meines Berufes doch eine erste Grundlage war für die Behauptung im Leben. Ich habe den Beruf gern ausgeführt, und er ist mir sogar zugute gekommen während meiner Haftzeit. Im Zuchthaus wurden verschiedene Werke aufgebaut, und dazu waren natürlich Dachdecker erforderlich. Wir waren im Zuchthaus nur zwei Dachdecker und haben die Gebäude vollkommen mit Dächern versehen. Das war in unmittelbarer Nähe der Strafvollzugsanstalt in Brandenburg-Görden sowie später, nach den Luftangriffen, in Berlin.

**Warum haben Sie vorzeitig aufgehört mit der Dach-
deckerlehre?**

Ich habe aufgehört, weil in Verbindung mit meiner politischen Tätigkeit im Kommunistischen Jugendverband von der Partei vorgeschlagen wurde, daß ich die
Schule der Komintern in Moskau besuchen sollte. Das
war im August 1930. Und nach meiner Rückkehr von der
Leninschule wurde ich im Bezirk Saar Sekretär für Agitation und Propaganda, und einige Monate später übernahm ich als politischer Leiter die Funktion der Leitung
des Jugendverbandes an der Saar.

Landarbeit in Pommern

Bevor Sie die Lehre als Dachdecker aufnahmen, waren Sie zunächst nach der Schulentlassung mit vierzehn Jahren noch zwei Jahre als Knecht in Pommern tätig. Wie kam es dazu?

Ich habe mit der Landwirtschaft zum erstenmal Berührung bekommen durch die Kinderlandverschikkung. Das ging damals nach Neudorf, Kreis Publitz in Pommern. Dort fand ich bei dem Bauern Streich Unterkunft und Verpflegung, und ich habe mich sozusagen mit den Gänsen, mit den Kühen und mit den Pferden vertraut gemacht. Das hat mich so gereizt, daß ich später nach der Schulentlassung aus der achten Klasse wieder nach Pommern fuhr und dort zwei Jahre bei den Bauern verbrachte.

Wie kamen Sie zur Kinderlandverschickung, wer hat das damals organisiert?

Die Kinderlandverschickung wurde durch die örtlichen Organe organisiert. Ich kam deshalb dafür in Frage, weil meine Schwester an Tuberkulose erkrankt war, so daß ich unter diesem Blickfeld – da die Tuberkulose damals ziemlich unheilbar war – auch einbezogen war in den Kreis der Arbeiterkinder, die mit der Kinderlandverschickung nach Pommern kamen.

Nach der Schule bin ich also wieder dorthin gefahren und habe mich da an und für sich ganz wohlgefühlt; obwohl zu dieser Zeit schon ins Auge gefaßt war, daß ich den Dachdeckerberuf erlernen würde. Aber mir hat es dort so gefallen, und ich hatte keine Lust zurückzufahren.

Ich habe mich damals sehr für die landwirtschaftlichen

Arbeiten interessiert. Dort war noch ein Knecht beschäftigt, dann war der Opa da, dann der Bauer Streich mit seiner Frau und zwei weitere Töchter. Die Bäuerin hat sich in erster Linie um die Kühe gekümmert. Sie hat selber gebuttert. Damit fuhr sie dann in die Stadt, nach Publitz, um sie zu verkaufen. Ich lag nachts in der Koje mit dem alten Opa in der Nähe des Pferdestalls. Aber ich stellte keine größeren Ansprüche.

Ich war mit dem Pflügen und Eggen beschäftigt. Der Bauer hatte kranke Hände und konnte nur die Getreideaussaat durchführen, so daß die ganze Feldbestellung vom Knecht und von mir gemacht wurde, später von mir allein, auf einem 80 Hektar großen Bauerngut. Nach dortigen Verhältnissen war das ein Großbauer, mit ungefähr 24 Kühen, 8 Pferden und 25 bis 30 Schweinen. Das war schon was. Damit konnte man sich schon gut ernähren, obwohl es sehr bescheiden zuging, was die Versorgung betraf. Der Verkauf von Lebensmitteln, von Getreide, Vieh, von Butter, waren die Haupteinnahmequellen. Wenn man berücksichtigt, daß er sieben Töchter hatte und für fünf bereits die Aussteuer machen mußte, dann hat das an seinem Hof schon gezehrt.

Bei der Getreideernte wurden die polnischen Schnitter stark hinzugezogen, die damals in mehreren Hunderten das Dorf besuchten bei der Einbringung der Getreideernte. Das war damals Roggen und Weizen, aber auch Gerste und Hafer. Alles noch mit der Sense. Ich habe auch mit der Sense gearbeitet. Das ging ruck, zuck. Da mußte man die Schwaden so ranlegen, von früh bis spät abends. Dann wurden damals noch diese Puppen gebaut. Es war nicht so wie die moderne Landwirtschaft von heute. Das war alles noch manuelle Arbeit. Ein Großbauer im Dorf hatte eine fahrbare Dreschmaschine gehabt. Das Getreide stand draußen, wurde trocken und dann in die Scheune eingefahren. Im Winter wurde dann gedroschen. Da gab es besonders gutes Essen, beim Dreschen, und bei der Ernte auch. Auch die polnischen Schnitter lebten nicht schlecht. Wir waren ja gemeinsam auf dem Feld. Das Mittagessen wurde rausgebracht und es gab Frühstück und am Nachmittag noch Kuchen und Kaffee. Da hat man nicht schlecht gelebt, und es hat außerdem Spaß gemacht.

Ich habe dort keine Bezahlung gehabt. Für mich war wichtig, daß ich meine Arbeit mit Freude leistete und gleichzeitig Unterkunft und Verpflegung hatte. Auch die Kleidung wurde vom Bauern gestellt. Allerdings war es so, daß ich, als ich nach zwei Jahren wieder nach Hause ging, voll und ganz eingekleidet wurde und auch etwas Geld mitbekam. Man hat mich dort behandelt wie einen Sohn. Der Bauer hat gehofft, daß ich einmal eine seiner Töchter heiraten werde, aber ich war damals noch zu jung und hatte in dieser Richtung noch keine Bestrebungen.

Der Bauer geriet später in den Strudel des Zweiten Weltkrieges und wurde, wie ich später hörte, umgesiedelt. Mit einer Tochter habe ich mich dann in der damaligen Besatzungszone noch einmal treffen können. Ich hatte gehört, wo sie ist. Sie schrieb, daß sie auch schon verheiratet sei, ihr Mann aber gefallen sei. Sie hatte ein Töchterchen von zehn bis zwölf Jahren. Auf dem Rückweg vom Leipziger Parlament fuhr ich bei ihr vorbei, um mich mit ihr zu unterhalten. Ich habe ihren Weg nicht weiter verfolgen können, denn sie zogen weiter. Vor kurzem bekam ich mal einen Brief von einem Enkel, der mir eine Postkarte von dem Bauernhaus übermittelte und mich gleichzeitig bat, einige Zeilen über meine Erlebnisse dort zu schreiben, über das Leben bei seinen Großeltern und seinen Tanten.

Können Sie sich an Ihre erste Freundin erinnern?

Ich kann mich wirklich nicht entsinnen. Ich war sozusagen ein Spätzünder auf diesem Gebiet. Mich interessierte das politische Leben. Meine erste Liebe war eigentlich in der Sowjetunion.

Politische Entwicklung

Kurz nach Ihrem zehnten Geburtstag, im Sommer 1922, wurden Sie Mitglied der Kommunistischen Kindergruppe in Wiebelskirchen. Können Sie etwas über den Beginn Ihrer direkten politischen Entwicklung berichten?

Das ergab sich schon aus dem Elternhaus. Aufgrund des gesellschaftlichen Lebens dort kam ich praktisch zu der Kinderorganisation, zur Jugendorganisation und dann zur Partei. Meinen ersten Schulungskurs machte ich – das weiß ich heute noch – im November/ Dezember 1929 durch. Das war zur Zeit meines Eintritts in die KPD. Es kam darauf an, daß wir selbst das Leben der Kinder zu gestalten hatten.

Bei der Kindergruppe war es so, daß meistens ältere, pädagogisch schon erfahrene Genossinnen und Genossen die Kindergruppe führten. Die Kindergruppen waren sehr groß. Im Jugendverband gab es wöchentliche Bildungsabende. Es war ein ausgefülltes Leben, das wirklich geprägt war von Kameradschaftsgeist und auch von Kampfgeist. Denn wir hatten ja einen Gegner, und der hat uns zusammengeschlossen.

Wen empfanden sie als Gegner?

Sofort nach Beendigung des Ersten Weltkrieges und nach der Niederschlagung der revolutionären Bewegung schossen die Kriegervereine stark aus dem Boden der Weimarer Republik. Die Nazi-Bewegung begann. Die SA wurde aufgebaut mit ihren Schlägertrupps. Wir hatten viele Auseinandersetzungen mit den politischen

Bewegungen. Ich kann mich erinnern, daß ich bei einer Demonstration in Neuenkirchen durch Gummiknüppel auf dem Boden lag. Aber zum Schluß haben wir doch über die Polizei gesiegt und haben sie zum Teufel gejagt. Natürlich waren die mit ihren Pferden stärker als wir, das Fußvolk. Es gab vielleicht Angstgefühle dabei, gewiß auch bei mir, ich kann mich nicht mehr so genau daran erinnern. Jedenfalls überwiegt in der Erinnerung das Positive.

Nochmal zurück zur Kindergruppe, was machten Sie dort?

Wir sind sehr oft auf Wanderungen gegangen, vom Gebiet Neuenkirchen bis nach Oberstein. Das war eine herrliche Gegend, nach Bad Leuda oder bis zum Ziegenpfälzischen. Das hat ja bekanntlich im Bauernkrieg eine große Rolle gespielt. All das, was wir auf den Wanderungen brauchten, haben wir im Rucksack gehabt. Ich kann mir meine Jugend gar nicht vorstellen ohne Wanderungen. Das Lied »Das Wandern ist des Müllers Lust« wurde praktisch angeregt durch den Touristenverband der Naturfreunde. Es war eine sehr gute Gemeinschaft zwischen Jungs und Mädels.

Können Sie einige Ihrer Lieblingslieder aufzählen?

Das sind eine ganze Masse. Zum Beispiel das Lied von der »Roten Ruhrarmee«. Es gibt sehr viele Lieder von dieser Roten Ruhrarmee. Unser Kampf für ein besseres Deutschland, für ein sozialistisches Deutschland bleibt immer eng verbunden mit den entsprechenden Liedern. Im Lied heißt es: »Im Ruhrgebiet da liegt ein Städtchen, das kennt ein jeder schon, in diesem kleinen Städtchen liegt eine Garnison von lauter Rotarmisten, ein ganzes Bataillon.« Oder ein weiteres Lied, was mir am Herzen liegt, zeigt unsere enge Verbundenheit zwischen Mensch, Natur und dem Kampf für eine gerechtere Gesellschaftsordnung. Es heißt: »Wann wir schreiten

Kommunistische Kindergruppe
in Wiebelskirchen.

Seit' an Seit'«. Dieses Lied haben wir sogar im Zuchthaus
Brandenburg-Görden gesungen, wenn wir dort zu marschieren hatten. Es wurde dann verboten, als man

Erich Honecker erste Reihe,
zweiter von links

merkte, welchen Charakter dieses Lied hatte, weil es, kämpferisch und jung, für das rote Banner des Sozialismus kämpfte.

Sie sagten schon, Sie waren auch Trommler in einer Schalmeienkapelle. Warum gefiel und gefällt Ihnen gerade die Schalmeienmusik so gut?

Aus der Tradition ergab sich das. Es gab keine Blechmusik in der Arbeiterbewegung. Damals waren die Schalmeien üblich. Deshalb bin ich beigetreten. Traditionsbestimmt spielen die Schalmeienkapellen in der Arbeiterbewegung als auch in der Sportbewegung eine interessante Rolle.

Können Sie sich an Bücher erinnern, an Filme, Theaterstücke aus dieser Zeit?

Ja, an einige Bücher, die ich in der Kinderbewegung kennenlernte. Sehr stark erinnern kann ich mich an das Buch von Hermynia Zur Mühlen »Der Spatz«. Das Buch schildert das Leben eines armen Spatzen und ist deshalb so beeindruckend, weil in der Vogelwelt der Spatz der Proletarier ist.

Ich habe später sehr viele Bücher gelesen, vor allem dann in Brandenburg. Was die politische Literatur betrifft: zum Beispiel Bucharin und Sinowjew, die habe ich sehr stark durchgearbeitet.

Es gab auch ein Kino in Wiebelskirchen, aber das war mehr für die Erwachsenen. Was die Kinderfilme betraf, so waren es die sogenannten patriotischen Filme, in die Schulklassen gingen.

Und Theaterbesuche?

Der erste richtige Theaterbesuch war etwa 1930 in der Volksbühne in Berlin. Das war natürlich ein sehr starkes Erlebnis. Ich selbst war auch später auf dem Gebiet des Theaters tätig. Wir haben Theater gemacht für große Veranstaltungen, die die KPD durchführte. Unsere Agitpropgruppe nannte sich »Das rote Sprachrohr«. Wir haben auch ein Theaterstück gespielt, »Cyankali« von Friedrich Wolf. Das ganze Register von Kampfliedern,

Volksliedern und Jugendliedern habe ich auch in der kommunistischen Kindergruppe beim Wickel gehabt. Die war sehr vielseitig, teils mit Wanderungen, teils mit Spielen, teils mit Turnen. Mancher mußte aufpassen, daß er die Schulaufgaben nicht vergaß. Das war damals leichter als jetzt. Jetzt hat man Schulhefte. Damals hatten wir keine Schulhefte, sondern die Schiefertafel.

Können Sie sich an Kinder- und Jugendfreunde erinnern?

Ich kann mich an viele erinnern. Ich möchte hier keinen hervorheben, sondern nur sagen, daß die kommunistische Jugendgruppe in Wiebelskirchen eine sehr starke Gruppe war. Das findet auch seinen Ausdruck in den vielen Bildern, die ich bis heute noch habe oder die mir im Laufe der Zeit übermittelt wurden. Ich war besonders verbunden mit Kurt Zimmermann, mit Fritz Hekla und seinen Brüdern, mit Fritz Bösel und seiner jungen Frau. Es war eine sehr schöne Zeit, die ich dort erlebte. Sie waren Kameraden im gemeinsamen Kampf. Das prägte damals unsere Jugend. Das war damals anders als heute. Wir haben standhaft unsere Auffassung vertreten.

Wie kamen Sie zum Kommunistischen Jugendverband?

Die kommunistischen Kindertruppen wurden später in den »Jungen Spartakusbund« umgetauft. Zum KJVS kam ich nach der Schulentlassung. Mit der achten Klasse traten wir damals aus der kommunistischen Kinderbewegung heraus, und der nächste Anschluß war der Kommunistische Jugendverband. Ich wurde 1926 aus der Volksschule entlassen und war, wie ich mich sehr gut zurückerinnern kann, bereits 1929 Teilnehmer eines Kurses der Bezirksleitung des Kommunistischen Jugendverbandes an der Saar in Dutweiler.

Hinzu kam, daß Genosse Fritz Bösel, der den »Jungen

Spartakusbund« in Wiebelskirchen anleitete und uns nicht bevormundete, sondern zur Seite stand, nachher Bezirksleiter des Jugendverbandes an der Saar wurde und eine große Autorität für uns war. Er hat uns auch in den Bildungsabenden in die theoretischen Grundlagen des Sozialismus eingeführt.

Ähnlich vollzog sich der Beitritt in die KPD. Ich bin gemeinsam mit Fritz Nikolai der KPD beigetreten, und zwar im Dezember 1929. Ich gehörte somit sechzig Jahre meiner Partei an.

Wer waren Ihre großen Jugendvorbilder?

Unser Vorbild an der Saar waren jene Genossinnen und Genossen, die aktiv tätig waren, auch in der Öffentlichkeit. Die Kommunistische Partei hatte die Mehrheit im Gemeinderat. Aber nicht alles, was der Gemeinderat beschloß, wurde durchgeführt, weil der Regierungspräsident die Vollmacht hatte, Einspruch zu erheben. Wir haben natürlich sehr stark Lenin und Radek und verschiedene andere Persönlichkeiten verehrt.

Nach 1924 wurde Thälmann sehr bekannt und als Vorbild betrachtet. Wir waren begeistert von ihm. Ich kannte ihn von zwei Jugendtreffen in Düsseldorf und Leipzig. Wobei ich sagen möchte, daß ich damals zu dem Kreis gehörte, die ihn bei seiner Ankunft auf dem Leipziger Bahnhof zu schützen hatte. Später, auf einer Tagung des Zentralkomitees des Kommunistischen Jugendverbandes, hat unmittelbar nach mir Thälmann gesprochen. Er sagte, nicht nur wir Jungen, sondern auch die Alten werden den Sieg des Sozialismus in Deutschland erleben. Das habe ich nie vergessen.

Haben Sie auf Kundgebungen frei gesprochen?

Ich möchte sagen, daß wir in unserer Jugendzeit groß geworden sind durch die freie Rede. Uns kam niemals in den Sinn, nach Manuskripten Vorträge zu halten. Das kam erst nach 1945, auf Verlangen der Sowje-

tischen Militäradministration. Es gab eine bestimmte
Periode der Zensur. Da hat man sich angewöhnt, aufgrund von schriftlichen Dokumenten zu reden. Aber das
ist ja nicht entscheidend. Bischof Leich bringt das auch
nicht. Der kam an, hat sein Manuskript hervorgezogen
und vorgelesen. Die Predigten werden auch so gehalten.
Die sind sogar schon gedruckt.

Können Sie weitere Vorbilder nennen?

Selbstverständlich möchte ich nicht Karl Liebknecht und Rosa Luxemburg zu nennen versäumen,
unsere großen Vorbilder, später auch Max Hoelz. Es gab
dann eine sehr starke Bewegung, um Max Hoelz zu
befreien. Ich habe zum Beispiel teilgenommen an einer
Versammlung im Eisenbahnerklub. Dort bin ich zum
ersten Mal in meinem Leben aufgetreten in einer öffentlichen Versammlung. Da war eine Riesenbegeisterung.
Max Hoelz ist auch dort aufgetreten, und er hat dann in
seiner Wohnung von seiner Tätigkeit erzählt. Er war für
uns selbstverständlich ein großer Held und Partisanen-
führer. Max Hoelz hat bekanntlich eine große Rolle
gespielt beim mitteldeutschen Aufstand und hat dort
besonders im Vogtland gewirkt, gegen die schwarze
Reaktion. Er wurde verhaftet und zu vielen Jahren
Gefängnis verurteilt, und nur durch eine breite Volksbe-
wegung in Deutschland erlangte er wieder seine Freiheit.
Er hat sich dann aktiv in Versammlungen der KPD
betätigt, bis er bei Zusammenstößen blutig zusammenge-
schlagen wurde. Ich traf ihn später ins Moskau wieder,
noch mit dem Verband um den Kopf, wo er und ich in
einer Versammlung aufgetreten sind und gesprochen
haben vor Moskauer Arbeitern und Angestellten.

**Wie kam es dazu, daß Sie besonders aktiv wurden in
der politischen Arbeit?**

Das ergab sich daraus, daß ich eine besondere
Aktivität zeigte. Dann wurde ich von den Genossen der

Partei gefördert und mit größerer Verantwortung beauftragt. Das war auffällig, auch im Bezirk. Aber es war kein
persönlicher Ehrgeiz meinerseits, sondern es handelte
sich sozusagen um die Durchführung der Aufträge der
Partei. Ich hatte nicht nur ein besonderes Interesse daran,
ich war dazu talentiert. Man ging davon aus, daß ich
charakterlich und geistig dazu geeignet war.

**Worin bestanden Ihre Aufgaben in den ersten Funk-
tionen?**

Die erste Funktion war Gruppenleiter im Unter-
bezirk Neuenkirchen, als Kassierer im Kreis, neben der
Dachdeckerlehre. Nachher die ehrenamtliche Funktion
als Sekretär für Agitation und Propaganda in Saarbrük-
ken. Das war bereits nach meinem Besuch der Leninschule. Das war die erste Zeit vollkommen ehrenamtlich.
Gelebt habe ich von Beisteuerungen meiner Eltern, das
heißt, ich lag ihnen auf der Tasche. Nach der Leninschule
war ich dann hauptamtlich tätig. Es war ja so, daß die
Arbeiterbewegung wenig Geld hatte. Ich kann mich noch
genau erinnern, daß ich im ersten Jahr meiner Tätigkeit
als politischer Leiter überhaupt keine Bezahlung erhielt,
keinen Lohn.

Ich war dann kurze Zeit tätig als stellvertretender
Betriebsleiter der Arbeiter-Illustrierten Zeitung an der
Saar. Von Berlin kamen zur Anleitung und Kontrolle von
Zeit zu Zeit Funktionäre der KPD, die das Sagen hatten.
Ab 1933 begann meine Tätigkeit in der Illegalität in
Deutschland, im Reich, mit einundzwanzig Jahren. Die
erste Fahrt war nach Mannheim, da habe ich den Sekretär
von Ernst Thälmann, der aus dem Gefängnis freikam, mit
seiner Frau ins Saargebiet vermittelt. In Darmstadt hatte
ich Verwandte, da kam ich unter bei meiner Cousine, die
einen Polizeiwachtmeister geheiratet hatte. Morgens war
ich erschrocken, als ich den Helm in der Garderobe sah.
Das war der Beginn meiner Tätigkeit im Dritten Reich.

Das erste Mal in Moskau

Können Sie zunächst etwas über Ihre Ausbildung in der Leninschule in Moskau sagen?

Die Bezirksleitung Saar hatte dem Zentralkomitee der KPD vorgeschlagen, mich als einen lernfähigen jungen Arbeiter zur Leninschule nach Moskau zu entsenden. Ich habe mit meinen Eltern gesprochen, habe meine Lehre als Dachdecker etwas frühzeitiger beendet und fuhr dann im Juli/August 1930 über Saarbrücken und Berlin nach Moskau. In Berlin meldete ich mich nochmal im Zentralkomitee im Karl-Liebknecht-Haus am heutigen Rosa-Luxemburg-Platz. Ich habe kurze Zeit die Rosa-Luxemburg-Schule in Berlin-Fichtenau besucht und fuhr dann mit dem Zug nach Moskau. Das war eine sehr abenteuerliche Reise. Es war immerhin so, daß der Zug durch das faschistische Polen mußte. Damals war dort die Piłsudski-Herrschaft. Man mußte sehr zurückhaltend sein. In Warschau gab es einen kleinen Aufenthalt durch den komplizierten Eisenbahnfahrplan in der damaligen Zeit. Ich habe die Gelegenheit benutzt, um das erste Mal in meinem Leben ein Café zu besuchen. Ich habe schwarzen Kaffee mit Sahne bekommen gegen Reichsmark. Als ich auf den Bahnsteig kam, von dem aus mein Zug weiterfahren sollte, liefen dort sehr viele Leute herum, die Rubel anboten. Ich hatte keine Ahnung und dachte, nun gut, kannst du dir gleich eine Mark in Rubel umtauschen, dann hast du nachher nicht so viel zu tun, wenn du in Moskau bist. Damit hatte ich angeblich als erstes die Gesetze der Sowjetunion verletzt. Das kam mir erst später so richtig zum Bewußtsein. Ich habe mich nachher dessen geschämt, denn später war die Möglich-

Wladimir Iljitsch Lenin

keit gegeben, die Mark entsprechend dem amtlichen Kurs zu wechseln. Dann habe ich zum ersten Mal in meinem Leben einen Rotarmisten gesehen. Die polnische Zugbegleitung sprang ab, der Zug fuhr langsam an, und gleich darauf sprang die sowjetische Zugbegleitung auf. Es war ein Armist mit einem Sowjetstern auf der Mütze. Dann sah ich ein großes Tor. Auf dem Tor stand: »Proletarier aller Länder, vereinigt euch!« Diese Losung begrüßte uns. Ich kam auf dem Belorussischen Bahnhof in Moskau an.

Welchen Eindruck hat damals die Sowjetunion auf Sie gemacht?

Einen ganz großen Eindruck. Wissen Sie, wir waren ja damals nicht dem Konsumdenken verhaftet, sondern vielmehr unserer Idee: der Eroberung der Macht der Arbeiter und Bauern, der Ausübung dieser Macht durch ihre Vertreter, um die kapitalistische Welt in eine sozialistische Welt umzuwandeln. Für mich war entscheidend, daß in der Sowjetunion in allen Städten und Dörfern die Sowjetfahne wehte und man zur damaligen Zeit sehr große Anstrengungen unternahm, um mit einer sehr großen Begeisterung den ersten Fünfjahrplan möglichst in zweieinhalb Jahren zu verwirklichen. Es gab viele Veranstaltungen im Freien als auch im Saal, wo die »Internationale« ertönte. Das war für uns sehr beeindruckend, besonders wenn man berücksichtigt, daß bei diesen Meetings in Deutschland und auch an der Saar die Polizei gegen uns vorging. Das war für uns schon ein Ausdruck dafür, daß das Proletariat in der Sowjetunion die Macht erobert hatte und nicht irgendeine kleine Gruppe von Ausbeutern.

Welche Erinnerungen haben Sie an die Leninschule?

In Verbindung mit der deutschen Sektion der Kommunistischen Internationale, wo ich mich mit Lea Grosse traf, erreichte ich die internationale Leninschule

An der Leninschule in Moskau 1930/31

mit einem Auto aus dem Kreml. Das war für mich ein erhebender Augenblick: die internationale Leninschule! Ich hatte eine Aufnahmeprüfung zu machen und wollte natürlich gut bestehen. Das Thema war die internationale Wirtschaftskrise, die 1929 durch den Börsensturz in den USA ausgebrochen war. Ich habe diese Arbeit geschrieben und mündlich ergänzt. Sie wurde für gut befunden,

und der Weg zum Studium des Marxismus-Leninismus
war für mich eröffnet. Zu meiner Überraschung kam ich
vom Büro in ein Zimmer, in dem bereits ältere Genossen
untergebracht waren. Zum Beispiel traf ich dort Anton
Ackermann. Dann wurden wir später umquartiert in den
Boulevard Arbat, in ein Prinzessinnenpalais. Wir haben
dort alle Hauptrichtungen des Marxismus-Leninismus
studiert, die Geschichte der internationalen Arbeiterbewegung und selbstverständlich auch Vorlesungen gehört
über die schöpferische Anwendung des Marxismus-Leninismus in Deutschland. Zur damaligen Zeit spielte ja die
revolutionäre deutsche Arbeiterbewegung international
eine sehr große Rolle. Aber wir hatten da nicht nur
Theorie, sondern auch Praxis. Wir haben in der Woche
einmal in den Elektrowerken in Moskau gearbeitet.
Dadurch bekamen wir auch enge Verbindung mit den
Arbeitern dort. Ich war als Schweißer tätig, habe an
verschiedenen Versammlungen teilgenommen, und wir
hatten auch Exkursionen, die uns unmittelbar mit der
Moskauer Jugend verbanden.

Es gab damals in Moskau Lebenskommunen, das heißt
der Zusammenschluß von Mädchen und Jungen in einer
Familie, in der die Kinder gemeinsam erzogen wurden.
Durch diese Kommunen sollten praktisch die Grundlagen gelegt werden für das zukünftige Leben im Sozialismus. Das war natürlich, wie die geschichtliche Entwicklung gezeigt hat, ein Irrtum. Man hat das später korrigiert, und die Familie wurde die Grundzelle des gesellschaftlichen Lebens auch in der Sowjetunion. Unter den
damaligen Bedingungen genügte eine Registrierung, daß
man verheiratet ist, und eine Registrierung, wenn man
nicht verheiratet war. Das war sozusagen die freie Liebe.
Aber das gesellschaftliche Leben hat dadurch nicht gelitten. Ich konnte das am Arbeitsenthusiasmus bemerken.
Die Menschen gingen ihrer Arbeit nach und lernten vor
allen Dingen. Es gab große Schichten in Moskau, die
schreiben und rechnen lernten. Man traf dort junge und
alte Menschen auf der Straße, die bei jeder Gelegenheit
gelesen und gelernt haben.

**In Moskau, sagten Sie, hatten Sie Ihre erste Freundin.
Können Sie darüber etwas erzählen?**

Diese Freundschaft entstand dadurch, daß wir
eine Patenschaft zu einem Betrieb hatten. Da besuchten
uns dann in bestimmten Abschnitten die Jungs und
Mädels zu Kultur- und Tanzveranstaltungen. Dadurch
kam es, daß ich mich mit Natascha Grejewna enger
zusammenschloß. Die Beendigung dieser Freundschaft
ergab sich, weil ich praktisch nur ein Jahr in Moskau
weilte, das war natürlich sehr schwer, und dann später
illegal im Widerstand gegen Hitler arbeitete. Es war mir
nicht möglich, sie später wiederzutreffen.

**Können Sie sich noch an Lehrer dort erinnern und
was sie unterrichteten?**

Das ist heute sehr schwer zu sagen. Ich kann mich
noch an Towaritsch Nikitin erinnern. Er war sozusagen
der Kommandant der Schule. Ich kann mich auch erinnern an Fred Oelßner und Erich Wollenberg, die beiden
roten Professoren deutscher Nationalität, die an der
internationalen Leninschule und auf anderen Gebieten
tätig waren. Erich Wollenberg war der Verfasser des
Buches: »Als Rotarmist vor München«, das damals von
der deutschen Jugend sehr stark gelesen wurde.

Gut erinnere ich mich an das Buch »Das ABC des
Sozialismus« von Bucharin. Ich betrachte das als eines
der wertvollsten Werke der Einführung in die sozialistische Theorie und Praxis. Das Buch hat heute noch eine
sehr große Bedeutung. Ich würde es mit Genuß noch
einmal durcharbeiten, wenn man heute in den Besitz
eines solchen Werkes gelangen könnte. Überhaupt habe
ich die ganze Entwicklung der Sowjetunion nie unter
dem Blickwinkel einer Person betrachtet. Sinowjew,
Bucharin, Kamenew, Trotzki fanden in der Leninschule
alle ihren Niederschlag. Sie wurden für mich nie Konterrevolutionäre. Das haben andere getan.

Weimarer Republik, KPD und SPD

In Ihrer Biographie steht etwa: Wir müssen es machen wie Lenin. Es wird gesagt, daß die KPD keine eigene Politik gemacht hat, sondern in Moskau erst von Lenin, dann von Stalin ferngesteuert wurde. War die KPD jemals unabhängig von der KPdSU?

Die Fragestellung ergibt sich aus den Verleumdungen, die man damals gegenüber den Kommunisten ausstreute. Natürlich war die KPD unter Ernst Thälmann sehr eng mit dem Land des Roten Oktober verbunden. Bereits Rosa Luxemburg und Karl Liebknecht begrüßten die Oktoberrevolution. Ich habe gerade in diesem Jahr gehört, daß Lenin damals durch die sowjetische Botschaft eine silberne Uhr an Karl Liebknecht übermittelte mit den besten Grüßen der engen Verbundenheit. Lenin hat viel von den deutschen Linken gehalten. Er war zutiefst erschüttert, als Karl und Rosa von der viehischen Soldateska in Berlin ermordet wurden. Praktisch hat man damit das deutsche Proletariat seiner Führung beraubt, und erst unter Ernst Thälmann nahm die Partei eine stabile Entwicklung und eine große Aufwärtsentwicklung an, die schließlich bei den Wahlen 1933 bis auf sechs Millionen Wähler kam und eine Massenpartei wurde.

Rosa Luxemburg und Karl Liebknecht haben nicht wir allein verehrt. Sie wurden durch die ganze revolutionäre deutsche Arbeiterklasse verehrt, weil sie wirkliche Führer des Proletariats waren. Karl Liebknecht war derjenige, der zuerst seine Stimme erhob gegen den imperialistischen Krieg und dann für die Verweigerung der Kriegskredite eintrat; Rosa Luxemburg, weil sie eine feinfühlige, feinsinnige, ausgebildete Marxistin war, von der

Lenin sprach, daß ein Adler, auch wenn er tief fliegt, immer ein Adler bleibt. Damit hat er eine hohe Wertschätzung zum Ausdruck gebracht, obwohl Rosa Luxemburg mit Lenin in vielen Fragen nicht übereinstimmte. Aber sie stimmte überein mit der Zielstellung der proletarischen Revolution.

Die Komintern hatte einen internationalen Status. Sie war ja die III. Internationale, und natürlich hatten die sowjetischen Genossen innerhalb der Komintern einen Einfluß. Das ergab sich schon allein daraus, weil die Sowjetunion auf einem Sechstel der Erde als erstes Land der Menschheit die Aufgabe in Angriff nahm, den Sozialismus zu erbauen.

War die strategische Orientierung der KPD in der Weimarer Republik, die auf eine sozialistische Revolution abzielte und nicht auf die Vertiefung der bürgerlichen Demokratie, im Prinzip richtig oder falsch, aus heutiger Sicht?

Im Vordergrund stand selbstverständlich unser Ziel der Schaffung einer klassenlosen Gesellschaft über den Weg der proletarischen Revolution. Das bedeutet nicht, daß wir davon ausgingen, daß das schon eine Aufgabe von morgen sei, sondern wir mobilisierten die Arbeiter und Angestellten zur Vertretung ihrer Interessen gegenüber den kapitalistischen Unternehmern, in der Hauptsache Fragen des Kampfes um soziale Zielsetzungen, also Gewerkschaftsfragen, Fragen der Erholung und so weiter. Das heißt, wir waren mit dem gesamten damaligen Gesellschaftssystem nicht einverstanden; im Vordergrund stand allerdings die Vertretung der sozialen Interessen. Die Errichtung einer sozialistischen Gesellschaft aber war etwas, was noch in weiter Ferne lag.

In Ihrer Biographie steht: Wir waren gegen das kapitalistische System, nicht aber gegen die »feinen Leute«. Wie haben Sie sich denn den Weg in die kommunistische Zukunft vorgestellt?

Diese Formulierung sollte nur zum Ausdruck bringen, daß wir gegenüber Bürgern, die in besseren Verhältnissen lebten, persönlich keine Feindschaft hatten, sondern uns ging es um die Veränderung des Systems als solches. Das konnte man nach damaligen Erkenntnissen, wie sie Marx und Engels aufgrund der gesetzmäßigen Entwicklung der Gesellschaft darlegten und wie sie Lenin ausnutzte in der Oktoberrevolution, nur durch einen revolutionären Umsturz erreichen. Deshalb betonte ich: Es ging uns nicht um die Beseitigung der »feinen« Leute, sondern um die Beseitigung der Zustände, in denen die Mehrheit des Volkes schlechter lebte als die Minderheit. Es ging uns darum, daß die Mehrheit des Volkes, die die Reichtümer erarbeitet, daß diese Mehrheit besser leben sollte.

Die Strategie der Kommunistischen Partei während der Weimarer Zeit war doch die Errichtung eines Sowjetdeutschlands oder Rätedeutschlands?

Ja, das war so. Wobei man nicht übersehen darf, daß die Entwicklung der KPD sich ja auf und ab bewegte. Nach der Ermordung von Karl Liebknecht und Rosa Luxemburg war sie fast führungslos geworden, jedenfalls hatte sie ihre Hauptköpfe verloren. Das war ja auch das Ziel der Konterrevolution zur damaligen Zeit. Es kam dann 1920 zu einer großen Einheitsfront in Verbindung mit dem Kapp-Putsch, der Ausrufung des Generalstreiks, wo Kommunisten, Sozialdemokraten bis zu den Christen gemeinsam wirkten und, insbesondere die Gewerkschaft, mit Hilfe des Generalstreiks versuchten, die Kapp-Putsch-Regierung zu stürzen, was ja auch gelang. In Verbindung damit gab es große Kämpfe, weil doch durch den Generalstreik die Volksmassen in verschiedenen

Gebieten Deutschlands die Macht erobert hatten. Es war die Zeit der Roten Ruhr-Armee, die Zeit der Bayrischen Räterepublik, und es gab den mitteldeutschen Aufstand. Das hat sich fortgesetzt bis zu einem erneuten Aufschwung im Jahre 1923, als in Sachsen und Thüringen Arbeiterregierungen gebildet wurden durch die Einheitsfront zwischen Kommunisten und Sozialdemokraten. Diese Arbeiterregierungen, die legal zustande kamen auf dem Wege der sogenannten freien Wahlen, wurden dann wieder gestürzt durch Eberts Befehl zum Einmarsch der Reichswehr in Sachsen und Thüringen und die Übernahme der militärischen Gewalt durch die Reichswehr. Es gab also einen Aufschwung und einen Abschwung. Aber seit 1924, der Zeit des Beginns der relativen Stabilisierung, bekam die Kommunistische Partei Schritt für Schritt wieder einen großen Einfluß und entwickelte sich zur drittstärksten Partei im damaligen Deutschland.

Aber wäre die Einheit gegen rechts nicht die geschichtlich richtige Strategie gewesen? Statt dessen gab es Begriffe wie »Sozialfaschisten« für die SPD, gegen die man den Hauptstoß zu richten habe. Es gibt ebenfalls die Meinung, daß die Errichtung eines Rätedeutschlands damals der falsche Tagesordnungspunkt war. Man hätte durch die Gefahr des Aufkommens des Faschismus stärker auf eine antifaschistische Einheitsfront unter Beibehaltung des kapitalistischen Systems, was ja die Linie der SPD war, orientieren müssen, anstatt sich links noch aufzuspalten.

Mit der Regierungsübernahme durch Hitler gab es eine große Diskussion in unserer Partei, die nicht ganz geklärt werden konnte. Damals gab es eine Auseinandersetzung zwischen der Gruppe um Heinz Neumann und der Führungsgruppe um Ernst Thälmann. Von Heinz Neumann stammte die Losung: Schlagt die Faschisten, wo ihr sie trefft! Das erweiterte man auf die SPD.

Man muß diesen Widerspruch verstehen. Man konnte

sich noch nicht aufschwingen, eine Einheitsfront von oben anzustreben, sondern wollte sie zunächst nur von unten. Die Anstrebung einer Einheitsfront von oben hätte ja bedeutet, daß man sich dabei nur auf einige Schwerpunkte hätte beschränken müssen. Aber es mußte unbedingt in der kommunistischen Bewegung die Auffassung beseitigt werden, daß die Sozialdemokraten »Sozialfaschisten« seien. Das ist keine Erfindung der KPD, denn bereits Lenin sprach zum Beispiel in seiner Schrift »Die proletarische Revolution und der Renegat Kautsky« in begründeter Weise vom sozialen Verrat der Sozialdemokratie in allen Ländern, etwa bei der Bewilligung der Kriegskredite in Vorbereitung des Ersten Weltkrieges. Das setzte sich fort über Stalin und wurde auch von der deutschen Kommunistischen Partei übernommen. Es gab dazu eine ganze Reihe objektiver Tatsachen, die es ermöglichten, zu solchen Auffassungen zu kommen. Man denke dabei auch an die konterrevolutionäre Rolle von Noske und Scheidemann und die Niederschlagung der progressiven Elemente der Novemberrevolution, den Kampf gegen die Roten Matrosen und so weiter. Von Noske stammt ja auch das Wort: »Wenn einer der Bluthund sein muß, dann bin ich es.« Er hat ja auch die Freikorps mobilisiert gegen die deutsche Arbeiterklasse.

Dann kam es zur Absetzung der Arbeiterregierung in Thüringen und Sachsen, zum Blutmai, dem 1. Mai 1929 in Berlin. Dort wurde von der preußischen Regierung der Aufmarsch der Arbeiter in Berlin verboten. Es kam zu dem Polizeiüberfall auf die Anhänger der Mai-Demonstration, den Barrikadenkämpfern am Wedding und von Neukölln; es gab dreiunddreißig Tote auf seiten der Arbeiter, und die Polizei hat ganz wütend um sich geschossen. Diese Polizei stand unter Befehl von Simmering. All das verstärkte diese Kluft zwischen Sozialdemokraten und Kommunisten.

Auf der Tagung des Zentralkomitees des Kommunistischen Jugendverbandes im November 1932 hat Ernst Thälmann die Notwendigkeit der Abrechnung mit der linkssektiererischen Neumann-Gruppe begründet, die in Kurt Müller ihren Repräsentanten fand im Kommunistischen Jugendverband. Aber das Problem bestand darin, daß man sich davon nicht rechtzeitig frei machen konnte in der Gesamtorientierung der Partei. Dies hinderte die breite Entwicklung einer Einheitsfront. Das Problem wurde später auf der Brüsseler Konferenz der Kommunistischen Partei gelöst, oder nach dem 7. Weltkongreß der Kommunistischen Internationale. Aber nicht mit aller Konsequenz, indem man ein solches Herangehen an die Charakterisierung der Sozialdemokratischen Partei verurteilte. Diese falsche Betrachtung der Sozialdemokratie hat natürlich eine Wand aufgebaut gegen den gemeinsamen Kampf zur Verhinderung der Machtübernahme durch den Hitlerfaschismus und konnte zum Teil auch später nicht abgetragen werden.

Aber Sie haben veranlaßt, daß der »Sputnik« verboten wurde, in dem gerade diese Probleme eine Rolle spielten.

Nein. Das Sputnik-Problem, wie ich heute sagen würde, war sehr emotional und nicht getragen von einem Abwägen unserer Politik gegenüber der Sowjetunion und der Tatsache, daß der »Sputnik« immerhin stark verbreitet war. Aber empörend war es, und das finde ich auch noch heute, daß die Kommunisten dort beschuldigt wurden – die doch alles getan haben in der Illegalität, um eine Bewegung zum Sturze Hitlers zustande zu bringen, und die große Opfer erlitten haben – schuld gewesen zu sein am Ausbruch des Zweiten Weltkrieges, am Überfall Hitlerdeutschlands auf die Sowjetunion. Schließlich war ja dieser Überfall durch die Nazis bereits vorprogrammiert. Jeder vernünftige Mensch, der das begreifen will, braucht doch nur nachzulesen in Hitlers »Mein Kampf«, wo er proklamierte, daß die Ostgebiete Lebensraum geben sollten für das deutsche Volk. Unter diesem Gesichtspunkt ist die Behauptung, daß die Kommunistische Partei Deutschlands, weil sie nicht die Einheitsfront zustande brachte, schuld ist am Überfall Hitlerdeutschlands auf die Sowjetunion, eine unerhörte, durch nichts zu begründende Beschuldigung.

Jetzt haben Sie die Frage gestellt, wäre die Strategie der KPD besser gewesen, dann hätte sich die Zukunft vielleicht etwas anders entwickelt. Aber einer revolutionären Bewegung kann man einfach nicht vorschreiben, wann sie sich zu bewegen hat und wann nicht. Das einzige, was man tun kann, ist, daß man im nachhinein Lehren zieht, welche Kräfte sich dabei entwickelt haben in dieser oder jener Richtung. Es gab auch in der Kommunistischen Partei Deutschlands am Vorabend der Machtübernahme Hitlers verschiedene Richtungen, abgesehen von der Gruppe Neumann. Man diskutierte auch, daß Hitler sich in kurzer Zeit abgewirtschaftet haben würde und es vielleicht gut sei, ihn abwirtschaften zu lassen. Solche Argumente gab es ja auch. Und es gab auch eine starke Gruppierung, die auf die Machtübernahme Hitlers unbedingt antworten wollte mit einem militärischen Kampf. Davon hat die damalige Führung der Partei unter Ernst Thälmann abgeraten, weil sich nur so gemeinsam mit den Sozialdemokraten und den Gewerkschaften ein revolutionärer Massenkampf machen ließ, und das war auch richtig.

Aber wir hatten nicht die massenhafte Zustimmung des deutschen Volkes für die Hitlerregierung vorausgesehen. Man muß das ganz offen sagen! Das war selbst bei den Wahlen am 3. März 1933 noch nicht der Fall gewesen. Diese Wahlen, die schon unter dem Eindruck des Geschehens nach dem Reichstagsbrand und des Terrors standen, ergeben noch eine sehr starke Stimmenabgabe von über fünf Millionen für die Kommunistische Partei Deutschlands und sieben Millionen, so weit ich das in Erinnerung habe, für die SPD. Das heißt, über zwölf Millionen Stimmen waren allein in der Linken vorhanden. Hitler und die NSDAP, die alle Register zog, die die führenden Kräfte ihres Gegners, soweit sie ihrer habhaft werden konnte, ermordete beziehungsweise in Konzentrationslager warf, hatte keine Mehrheit im Reichstag,

auch nicht im Bund mit den Deutschnationalen. Es fehlte die Zweidrittelmehrheit zur Verfassungsänderung.

Daß Hitler mit Hilfe von Wahlen an die Macht gekommen sei, ist vollkommener Quatsch. Denn bei den letzten

Machtergreifung Hitlers am 30. Januar 1933

Wahlen im November 1932 war es doch so, daß die Nazi-Partei zwei Millionen Stimmen mit einem Schlag verlor, während die KPD und die anderen Parteien Stimmen gewannen. Die Übertragung der Regierungsgewalt auf

Hitler erfolgte zu einem Zeitpunkt, in dem der Niedergang der Hitlerbewegung offen sichtbar wurde. Um das zu verhindern, hat man Hitler an die Regierung gebracht. Erst durch die Verschwörung Hitlers mit der Reichswehr wurde der Faschismus zu einer solchen Bewegung, die dann auch von den Volksmassen bis zur Arbeiterklasse getragen wurde, weil die Nazis einen Erfolg nach dem anderen an ihre Fahnen heften konnten. Das hat die nationalistische Stimmung geschaffen, die allen den Verstand raubte und dann zu einer massenhaften Zustimmung für die Hitlerregierung führte. Wobei man auch nicht außer acht lassen darf, daß damit die Beseitigung der Arbeitslosigkeit verbunden war und später die Schaffung eines größeren »Lebensraumes« und so weiter. Aber das war bereits die Todesstunde des Hitlerfaschismus und führte zur Niederlage für das deutsche Volk.

In Ihrer Biographie steht: Die Familie der Honeckers widerstand dem Gift des Nationalismus. Sie waren proletarische Internationalisten. Aber haben die deutschen Kommunisten, und auch Sie selbst, nicht immer die Fragen des deutschen Nationalbewußtseins und des Patriotismus, die spezifischen nationalen deutschen Bedingungen unterschätzt?

Meines Erachtens war es kein Kainsmal der KPD, die nationale Frage unterschätzt zu haben. Im Gegenteil. Unter Führung von Thälmann hat das Zentralkomitee der Kommunistischen Partei bereits in den zwanziger und dreißiger Jahren das Programm zur nationalen und sozialen Befreiung des deutschen Volkes ausgearbeitet. Im Widerstand gegen Hitler sind wir entschieden für die Interessen des deutschen Volkes eingetreten. Nach 1945 war die Kommunistische Partei Deutschlands einige der wenigen Parteien, die für die Herstellung einer demokratischen Einheit Deutschlands waren. In der nationalen Frage hatten wir eine klare Position. Das kommt auch im Nachlaß, in den Briefen Ernst Thälmanns zum Ausdruck. Indem die KPD und später die SED den engen

Zusammenhang zwischen Nationalem und Internationalem erkannte, trat sie natürlich sowohl für die nationalen Belange als auch für die internationalen Belange auf. Daß sie die nationalen Belange unterschätzt habe, ist einfach eine Verleumdung oder Lüge. Nicht wir haben später Deutschland gespalten. Deutschland wurde von der Truppe um Adenauer und den westlichen Alliierten gespalten. Das ist bekannt. Dazu bedarf es heute keiner Argumentation. Wir waren vielmehr gezwungen, 1949, als die Bundesrepublik gegründet wurde, zu der Zeit, als Max Reimann im parlamentarischen Rat gegen die Gründung der Bundesrepublik auftrat, aus nationalen Gesichtspunkten die Deutsche Demokratische Republik zu gründen. Wir haben damit auch das nationale Banner in Verbindung mit dem Sozialismus in die Hand genommen. Dies haben wir nie aus den Augen verloren. Von mir stammt bekanntlich der Ausspruch, daß der Sozialismus auch um die Bundesrepublik – geschichtlich gesehen – keinen Bogen machen wird. Da gibt es keine bestimmten Fristen. Aber das ergibt sich aus der historischen Entwicklung der Gesellschaft. Eines Tages wird in dieser oder jener Form der Sozialismus auf deutschem Boden wieder entstehen. Das wird nicht aus einer Unterschätzung der nationalen Frage geschehen, sondern im Gegenteil: aus Verbundenheit mit dem deutschen Volk.

Stellt sich nicht heute, angesichts des Zusammenbruches der sozialistischen Länder heraus, daß die Sozialdemokraten doch recht hatten, wenn sie davon sprechen, man müsse den Kapitalismus sozial zähmen, man braucht ihn nicht revolutionär abzuschaffen, zumindestens nicht in den hochindustrialisierten Ländern, wie es Deutschland war und ist?

Das ist ein großer Irrtum. Und die Geschichte wird das bestätigen. Man kann die Geschichte ja nicht beurteilen nach den letzten vierzig Jahren, nach den Veränderungen, die sich in der Welt vollzogen haben in sozialistischer Richtung, im Ergebnis des Zweiten Weltkrieges und der Nachkriegsentwicklung. Die Geschichte kann man erst nach einem gewissen Zeitraum richtig einschätzen. Schließlich ist es nach wie vor eine Tatsache, daß auf einem Sechstel der Erde die Sowjetmacht besteht und der Sozialismus weiter aufgebaut wird, unter verschiedenen anderen Aspekten als früher, daß aber doch eine sozialistische Entwicklung vorhanden ist. Das gleiche trifft natürlich auf ein solches Land wie China zu mit 1,9 Milliarde Menschen, ganz zu schweigen von Kuba, Nordkorea, Vietnam, Laos und Kampuchea. Man muß auch im Auge behalten, wie die Entwicklung in der Dritten Welt weitergehen wird. Nach meiner tiefsten Überzeugung wird die Dritte Welt eines Tages eine viel größere Rolle spielen als gegenwärtig. Sie kann nicht allein Ausbeutungsobjekt der großen Industriestaaten des Westens bleiben. Die Völker der Dritten Welt werden sich dagegen wehren. Viele von ihnen streben ja bereits ein System an, in dem die soziale Gerechtigkeit die Oberhand gewinnt.

Geht es aber nicht durch sozialdemokratische Politik den Volksmassen in Westeuropa und auf der nördlichen Halbkugel der Erde sehr viel besser, als es der Sozialismus je zu realisieren vermocht hat?

Bei der Beurteilung dieser Frage muß man selbstverständlich davon ausgehen, daß die proletarische Revolution zunächst in wirtschaftlich rückständigen Ländern gesiegt hat. Aus der Tatsache, daß die Sowjetunion zudem mit Krieg überzogen wurde, mit dem Bürgerkrieg, dem Interventionskrieg und schließlich dem Zweiten Weltkrieg, ergibt sich selbstverständlich, daß unter sehr viel schwereren Bedingungen als in industriell entwickelten Ländern die Sowjetmacht ihren Bestand verteidigen und große Mittel für die Rüstung freimachen mußte. Die europäische Arbeiterbewegung aber hat in den Jahren 1933 bis 1945 dagegen eine furchtbare Niederlage erlitten. Man darf diese Zeit nicht vergessen, weil heute die Völker des Westens unter neuen Bedingungen

Fotos der Geheimen Staatspolizei Berlin
nach der Verhaftung 1935

ihr Leben gestalten können. Das verdanken sie in erster Linie den großen Opfern, die die Sowjetunion im Kampf gegen Hitler zur Zerschlagung der Hitlerschen Kriegsmaschinerie bringen mußte. Schließlich hat die Sowjetunion 28 Millionen Menschen – nach neuesten Erkenntnissen – während des Zweiten Weltkrieges verloren. Sie war zerstört bis Wolgograd. Das alles mußte nach dem Krieg erst wieder aufgebaut werden. Natürlich liegt die Sowjetunion dadurch gegenüber den westlichen Industrieländern sehr stark im Rückstand. Im Rahmen der alliierten Fronten hat sie ja doch die Hauptlast getragen für den Sieg über den Faschismus.

Was die Machtergreifung des Faschismus 1933 anbetrifft, warum glauben Sie, war das deutsche Volk in seiner Mehrheit dazu verführbar?

Verführbarkeit zu verstehen, muß man berücksichtigen, daß Deutschland zersplittert war. An die Spitze wurde schließlich von Preußen ein deutscher Kaiser gestellt. Es war, wie man später formulierte, die sogenannte deutsche Lösung von oben. Die Verbindung zu einem Nationalstaat, wie etwa Frankreich und Großbritannien, gab es ja in Deutschland nicht. Das alles gehört natürlich zu einer Betrachtung über die deutsche Geschichte. Ich wollte sagen, das Volk als solches ist selbstverständlich ein großes Volk, ein sehr fleißiges

Volk, und es kann Großes vollbringen. Es kommt selbstverständlich auf die Führung dieses Volkes an. In Verbindung mit der Entwicklung des Faschismus und den sogenannten hervorragenden Siegern glaubten viele an die Unfehlbarkeit des Führers, und das hat sie alle in einen Taumel versetzt. Die Minderheit, die von vornherein dagegen war, wurde unterdrückt. Erst nach der Niederlage durch die Rote Armee in Stalingrad gab es eine bestimmte Kriegsmüdigkeit und einen bestimmten Stimmungsumschwung, der auch zu dem Offiziersputsch vom 20. Juli geführt hat.

Illegale Arbeit

Was haben Sie bis zu Ihrer Verhaftung 1935 gegen die Nazis getan, nachdem Sie aus Moskau zurückgekehrt waren?

Nach der Machtübernahme Hitlers arbeitete ich im Jugendverband Hessen. Es gab dort etliche Treffpunkte wegen Personen, die gefährdet waren und über Saarbrücken ins Exil sollten. Im Spätherbst 1933 wurde ich Mitglied des ZK des Kommunistischen Jugendverbandes Deutschlands, und mein erstes Arbeitsgebiet war das Ruhrgebiet. Da gibt es sehr viele Stationen in dieser Tätigkeit. Wir hatten Stützpunkte in Dortmund, in Essen, in Duisburg und in Oberhausen. Die alte Leitung des Jugendverbandes war verhaftet worden, und unsere Aufgabe bestand darin, dem Bezirk wieder eine Leitung zu geben. Wir gaben verschiedene Betriebszeitungen heraus und veranstalteten Flugblattaktionen. Meine Tätigkeit im Ruhrgebiet wurde dadurch beendet, daß ich beobachtet und vorübergehend festgenommen wurde in Gelsenkirchen, in der damaligen Adolf-Hitler-Straße, und ich hatte ein wertvolles Skript dabei. Ich hatte bei meiner Festnahme im Mantel viele illegale Schriften. Man führte mich auf das Polizeirevier und hat mich abgetastet. Ich habe protestiert gegen diese Festnahme. Man hat mich beschuldigt, ich hätte irgendwo eine Brieftasche geklaut. Da man nichts entdeckte, hat man mich pro forma freigelassen und versucht, mich weiter zu beobachten. Das war die Beendigung meiner illegalen Tätigkeit im Ruhrgebiet unter dem Decknamen »Herbert«. Später wurde die Leitung des Jugendverbandes verraten.

Nach einem kurzen Aufenthalt in Amsterdam ging

meine Tätigkeit weiter als KPD-Berater für die Bezirke Baden, Hessen und Württemberg. In diesem Zusammenhang kam ich mit Heinz Hoffmann, dem späteren Verteidigungsminister der DDR, zusammen, der damals Leiter des Jugendverbandes von Baden war. Das war 1934. Ich traf dort auch zusammen mit dem Parteisekretär von Hessen, den nannten sie damals Kutschi, Kurt Müller, den früheren Vorsitzenden des Jugendverbandes in Deutschland, der später nach dem Krieg stellvertretender Vorsitzender der KPD in der BRD wurde.

Dann wurde festgelegt, daß ich an der Saar bleibe. Ich traf dort auf den neuen Bezirkssekretär Anton Ackermann, er war später im Innenministerium der DDR tätig, ein großer Hamburger und ein Mitkämpfer Ernst Thälmanns. Dann kam das Zusammentreffen mit Wehner, der eine sehr starke Aktivität auf parteipolitischem Gebiet entwickelte, nicht nur an der Saar, sondern auch in den Süd-West-Bezirken.

Zwischendurch war eine ZK-Tagung des KJV in Amsterdam. Dort sprach Genosse Florin zu uns, und was mich überraschte war nicht, daß wir diese Tagung auf einem Schiff hatten, damit die niederländische Polizei uns nicht auf die Spur kam, sondern daß Genosse Florin, der Mitglied des Politbüros unserer Partei war, sehr stark gegen die Saarpartei und auch gegen Hessen auftrat, weil er der Auffassung war, daß es in der jetzigen Situation darauf ankäme, die Sozialdemokratie weiter zu entlarven, weil sie gegen die Einheitsfront war und damit Hitler den Weg geebnet habe. Wir aber hatten schon die Einheitsfront geschaffen zwischen SAJ und KJV an der Saar, in Hessen und im Ruhrgebiet. Wir hatten die Tätigkeit des Jugendverbandes auch schon verlegt in die Sportorganisationen, in die Hitlerjugend, die Arbeitsfront und zum Teil auch in die SA, so daß uns diese Kritik natürlich sehr stark getroffen hat. Aber trotzdem hat uns das nicht davon abgehalten, für die Einheitsfront im Lande einzutreten, sogar innerhalb der christlichen Jugendverbände. Ich selbst hatte im Ruhrgebiet eine starke Verbindung zu einigen Kirchen, und in den Kirchengebäuden beziehungsweise Krankenhäusern haben wir unsere Literatur hergestellt. So kam es zu einer bestimmten Zusammenarbeit mit katholischen Jugendlichen und Organisationen. Das hat auch meine spätere Tätigkeit beeinflußt.

Dann ging es von der Saar nach Paris. Eine kurze Exilzeit, nicht um dort zu bleiben, sondern wegen des 7. Weltkongresses. Ich hatte in Paris ein sehr schwieriges Leben. Ich hatte kaum was zu essen, bis ich Anschluß fand an eine Familie. Anfang August fuhr ich von Paris nach Basel, überschritt die französische Grenze und kam nach Zürich. Dort war ich drei Wochen in einer Pension am Vierwaldstätter See.

Dann kam ich über die CSSR nach Berlin, um meine illegale Tätigkeit als Leiter des Kommunistischen Jugendverbandes zu übernehmen. Bis dahin war Bruno Baum, mein späterer Mitangeklagter, der Leiter gewesen. Ich übernahm die Funktion, und Bruno führte mich in die Arbeit ein. Ich traf dort zusammen mit Kurt Hager. Er war verantwortlich für die Bezirke Brandenburg, Thüringen bis einschließlich Berlin. Ich fuhr dann noch einmal von Berlin nach Prag und wurde dort informiert über die Ergebnisse des 7. Weltkongresses, die Brüsseler Konferenz, über die Beschlüsse und so weiter.

Warum wurde Bruno Baum als Vorsitzender des KJVD durch Sie abgelöst?

Bruno Baum wurde nicht abgelöst. Er sollte sich ins Exil begeben, zumal er in Berlin sehr bekannt war und auch jüdischer Abstammung, so daß ich ihm die besten Grüße von Spangenberg und anderen Genossen aus Prag übermittelte und sagte: »Bruno, jetzt mußt du deine Reise nach Prag vorbereiten. Du wirst im Ausland bleiben.« Der Wechsel kam aufgrund einer besonderen Gefährdung von Bruno Baum.

Warum übernahmen gerade Sie diese Funktion?

Ich wurde vom Zentralkomitee des Jugendverbandes eingesetzt in Übereinstimmung mit dem Politbüro der KPD. Man hat mich offenbar genommen aufgrund meiner großen Erfahrungen in der Illegalität in den Bezirken Hessen, Baden, Württemberg und auch an der Saar. Ich wurde gar nicht gefragt. Das war damals üblich. Man hat einfach gesagt, es sei erforderlich, daß ich in Berlin diese Funktion übernehme und den Gaubezirk Berlin-Brandenburg leite.

Verhaftung und Haft

Wie kam es zu Ihrer Verhaftung?

Ungefähr Mitte November sollte ein Kurier aus Prag kommen, um versprochene Materialien zu bringen. Es fiel der technische Mitarbeiter aus, der vorgesehen war, das Material entgegenzunehmen, so daß mir nichts anderes übrigblieb, da nur ich diesen Treff kannte, selbst zu gehen. Der Kurier war eine Studentin aus Prag, Sarah. Sie gab mir den Gepäckschein für den Koffer, der am Anhalter Bahnhof deponiert war. Wir gingen zusammen essen in die Friedrichstraße zu Aschinger, und sie ging anschließend in den Admirals-Palast ins Kino. Wir hatten noch vereinbart, uns am anderen Tag zu treffen. Ich ging zur entsprechenden Zeit zum Anhalter Bahnhof, um den Koffer zu holen. Während ich wartete, sah ich, daß der Bahnhofsbeamte irgendwie verwirrt war, als er mit dem Gepäckschein auf den Koffer zuging und die Nummern verglich. Er verschwand kurz. Ich sah, daß sich mir zwei Männer näherten, und habe sofort Verdacht geschöpft. Ich habe den Koffer in Empfang genommen, bin hinausgegangen und habe mich gleich in ein Taxi gesetzt. Während der Fahrt habe ich gesehen, daß das Taxi verfolgt wurde. In der Nähe des Bahnhofs Zoo ließ ich halten, gab dem Taxifahrer zehn Mark und bin dann zurückgelaufen, durch die Unterführung der S-Bahn in den Tiergarten hinein. Mit der Zeit habe ich dann bemerkt, daß ich nicht mehr verfolgt wurde, und habe bedauert, daß ich den Koffer im Taxi gelassen hatte, aber mit Koffer wäre ich vielleicht überhaupt nicht weggekommen. Ich fuhr dann vom Tiergarten aus zum Wedding nach Hause und habe noch alles geordnet, was mir an Notizen übergeben worden war, und einen Notizblock, in dem wichtige Instruktionen waren, vernichtet. Am anderen Morgen trat ich aus dem Haus, nach kurzen Schritten war ich umzingelt, und ab gings ins Prinz-Albrecht-Palais.

Was ist Ihnen an wichtigen Eindrücken über Ihren Hochverratsprozeß und Ihre Haftzeit in Brandenburg-Görden in Erinnerung geblieben?

Als Wichtigstes aus dieser Zeit ist mir in Erinnerung, daß man dafür sorgen muß, daß sich solche Verhältnisse, wie sie damals herrschten, nie mehr wiederholen dürfen. Denn schließlich war es doch so, daß Hitler nicht nur den Überfall auf Westeuropa, sondern auf die Sowjetunion langfristig plante. Die Menschen, die sich an diesem Raubzug beteiligten, waren nicht alle dazu gezwungen gewesen. Viele haben diesen Kampf, wie sie sich damals ausdrückten, gegen den Bolschewismus aus eigenem Antrieb geführt. Sie haben bei den Verbrechen an der Sowjetunion und den anderen Ländern, die zwischen dem Deutschen Reich und der Sowjetunion lagen, einen Ausplünderungs- und Ausbeutungsfeldzug ohnegleichen betrieben. Diese Entwicklung wollten wir durch unseren Widerstand verhindern. Aber wir hatten leider nicht die Kraft dazu.

Ich habe diese Woche noch einmal ein Buch gelesen über den Widerstand im Ruhrgebiet. Aus eigenem Erleben kann ich das nur bestätigen, was dort berichtet wird. Ich kenne den Widerstand, den es 1933 dort gegeben hat. Zu meinem Prozeß am 2. Senat des Volksgerichtshofes in Berlin marschierten ja sieben Zeugen aus Essen und dem gesamten Ruhrgebiet auf, um gegen mich auszusagen. Aber der Volksgerichtshof erlebte dort eine Niederlage. Alle Zeugen, die sie gegen mich mobilisiert hatten, auch das kleine Mädel aus Mörs, Unterbezirksleiterin damals, sagten frei und offen: »Das ist nicht der Herbert«, und sie haben sozusagen durch ihre Aussage mit dazu beigetragen, daß die Anklageschrift vom 2. Volksgerichtshof gegen mich persönlich und gegen die ganze Gruppe stark zusammengeschmolzen ist. Allerdings muß man sagen, der Rest hat noch gereicht, um Bruno Baum dreizehn Jahre Zuchthaus zu verpassen und mir zehn Jahre. Ich habe das nicht mit Betrübnis aufgenommen, daß ich zum Beispiel unwürdig war, sowohl im Frieden als auch im Krieg in der deutschen Wehrmacht zu dienen. Das hat man bei mir auch durchgehalten, als man die letzten unter dem Motto »Heldenklau« aus dem Zuchthaus herauskämmte, um sie in »Bewährungsbataillone« zu stecken. Auch da hat man auf meine Teilnahme verzichtet.

In Brandenburg-Görden waren Zuchthausbedingungen, die ich im einzelnen nicht näher zu beschreiben brauche. Die ersten drei Jahre habe ich in Einzelhaft verbracht. Da wurde ich aber gut versorgt durch den Rudi Zimmermann, der später Mitglied der Bezirksleitung der SPD in Berlin war. Der hat zuerst dafür gesorgt, als Ausdruck der Solidarität, daß ich etwas mehr zu essen bekam. Denn ich war durch eineinhalb Jahre Untersuchungshaft bereits schon stark heruntergekommen.

Der Tagesverlauf in der Einzelzelle war so, daß morgens aufgeschlossen wurde, da mußte man melden, ob alles in Ordnung war. Dann wurde nochmal aufgeschlossen, es gab eine Kaffeebrühe und eine Kuhle, wie man damals sagte. Die mußte reichen für den ganzen Tag. Das war so eine Art Schwarzbrot. Mittags bekam man, was man als Essen bezeichnete. Abends gab es dann das Übliche. Keine Butter, keine Wurst, selbstverständlich. Tagsüber war man mit Gemüse aus der Landwirtschaft beschäftigt, weil das dort verarbeitet wurde. Da wurden Gurken abgeschnitten, die kamen säckeweise rein, so daß jeder seine Portion machen mußte, auch in Einzelhaft. Das war so der Tagesablauf. Inzwischen wurde auch mal ausgeschlossen zum Kübeln. Da mußte man den Kübel rausbringen zur Toilette. Alle acht oder vierzehn Tage konnte man sich duschen.

Der Tagesablauf hat sich dann verändert, als ich mit Robert Menzel, später Politchef der Deutschen Reichsbahn und Mitglied des Zentralkomitees, zusammenkam. Ich lernte ihn in der Toilette beim Austreten kennen.

Mein erstes Wort war gewesen: »Nanu, sperrt man jetzt schon Kinder ein?« Er hat mich groß angeschaut. Schließlich hatte er, soweit ich mich jetzt entsinnen kann, dreizehn Jahre Zuchthaus, sein Bruder, der ebenfalls dort saß, fünfzehn Jahre. Aber Robert war jedenfalls kein Kind mehr, er war bloß etwas kleiner geraten. Er arbeitete im Zuchthaus als Kalfaktor und organisierte, daß ich mit ihm die Arbeit verteilte. Das war schon ein Akt der Solidarität. In einem Keller haben wir die Säcke gefüllt. Dadurch lernte ich natürlich auch die anderen Gefangenen näher kennen. Unter anderem auch Girnus, der später im Ministerium für Hochschulwesen der DDR war. Er war auch in der Freistunde unser Vorturner. Das waren täglich zehn bis fünfzehn Minuten. In der Freistunde mußten wir nach den Freiübungen mit in der Kolonne im Karree marschieren. Im Hof war dazu Platz, und dann konnten wir dazu Lieder anstimmen. Wir haben da oft auch Wanderlieder gesungen. Ein paarmal haben wir das Lied »Wann wir schreiten Seit' an Seit'« gesungen. Da haben die gemerkt, was mit der Bande los ist, und haben natürlich eingegriffen. Das durften wir dann nicht mehr singen.

Wie waren die Beziehungen zwischen den politischen Häftlingen, konnten Sie illegal weiterarbeiten?

Ich hatte Glück, ebenfalls vermittelt durch Genossen, ich wurde zeitweise Arztkalfaktor. So habe ich dann alle kennengelernt, die neu ins Zuchthaus kamen, auch Genossen aus Berlin. Ich weiß nicht mehr, wie lange ich dort war, vielleicht zwei Jahre. Dort war ich bei Dr. Müller Arztkalfaktor. Ich mußte die Gefangenen messen, wie groß sie sind, wie schwer sie sind. Dann mußte ich den Wachtmeister begleiten mit den Medizinkästen, wenn Medikamente ausgegeben wurden. Dadurch kam ich auch in das Haus Eins. Dort traf ich eines Tages mit Fritz Grosse zusammen, dem früheren Vorsitzenden des Kommunistischen Jugendverbandes Deutschlands. Er war sehr krank. Durch meine Beziehungen als Arztkalfaktor zur Küche konnte ich dann immer ein paar Lebensmittel für ihn organisieren. Im Haus Zwei war auch Genosse Max Materna, ein früherer Reichstagsabgeordneter. Mit ihm hatte ich ebenfalls guten Kontakt. Wir haben das so gemacht, daß wir einigen Gefangenen sagten, sie sollten sich melden. Dann haben wir sie in die Wartezelle geschlossen und haben sie dem Arzt vorgeführt. So schufen wir eine Möglichkeit, daß sich einige Genossen miteinander unterhalten konnten.

Es war ja inzwischen schon Krieg. Die ersten Flugzeuge lösten Alarm aus in Brandenburg-Görden. Mit der Eröffnung des Luftkrieges, der Bombardierung der Hauptstadt, fuhren wir dann schon nach Berlin, um am Tage die Dächer zu decken, die nachts weggeflogen waren, und zwar auf allen staatlichen Dienstgebäuden. Das Zuchthaus wurde übrigens noch von der sozialdemokratischen Preußenregierung gebaut, und einige Mitglieder dieser Regierung wurden auch später in dieses Zuchthaus eingesperrt. Wir wurden aber Kameraden im Widerstand und haben die alte Feindschaft begraben. Es war ja nicht direkt Feindschaft zwischen uns, es war mehr die Feindschaft zwischen Theoretikern. Wir haben dann sehr stark für die Einheitsfront gewirkt.

Es wurden auch neue Gebäude errichtet für die Rüstungsproduktion, die meisten aus Holz, und die brauchten ein Pappdach. Um dieses Pappdach zu legen, brauchten sie Dachdecker. Es war natürlich im Verlaufe des Krieges sehr schwer, irgendwoher Dachdecker zu bekommen. So kam es, daß ich dort praktisch Dachdeckermeister wurde. Ich bekam noch einige Mitgefangene, die halfen. Wir haben für die Pappdächer einen großen Teerofen gehabt. Der Teer mußte ja gekocht werden. Das war ein sehr großes Glück. Dadurch konnten wir später zur Verbesserung der Verpflegung der Gefangenen beitragen. Und zwar haben wir darauf Kartoffeln gekocht. Einige Leute haben das organisiert. Ich habe den Teerofen auf das Dach gezogen, da konnte kein Beamter hoch, kein Wachhund. So haben wir sie damals genannt. Auf dem Dach waren wir also praktisch freie Menschen.

Und dann haben wir uns aus Kartoffeln und Lauch Kartoffelpürre gestampft.

Wir hatten auch die Möglichkeit, etwas entfernt von Brandenburg-Görden auf einem Staatsgut zu arbeiten. Es hieß Plauer Hof. Dort wurde eine Gefangenenunterkunft gebaut, und auch dort mußte das Dach gedeckt werden. Dadurch kam ich mit der Baukolonne oft raus. Wir hatten dort Unterkunft in einer alten Windmühle. Der Plauer See ging rüber bis Kirchmöser. Während dieser Zeit, die wir dort waren, haben wir natürlich fleißig Kartoffeln organisiert und haben dadurch unsere Verpflegung verbessert. Eines Tages haben wir mal am Wasser einen Rehbock gefunden. Den hatte man erlegt, das Rehwild hat ja die Tendenz, wenn Wasser in der Nähe ist, möglichst dorthin zu laufen. Wir haben ihn mitgenommen und auch in so einem Kessel gekocht und unter uns zu gleichen Teilen verteilt. Wir hatten auch Kriminelle dabei. Zwei Tage später, als wir einrückten, gab es eine scharfe Befragung mit der Androhung, daß wir auch in die Todeszelle wandern könnten, und diejenigen, die den Rehbock genommen hatten, sollten vortreten. Wem der Rehbock gehörte und wer ihn erlegte, weiß ich nicht, jedenfalls gab es einen großen Krach deswegen. Aber es war für uns ja ein guter Beitrag zur zusätzlichen Beköstigung und Gesunderhaltung.

Sie waren zum Schluß dann als Häftling in Berlin?

Inzwischen wurde der Bombenkrieg auf Berlin verstärkt. Wir fuhren täglich mit dem LKW hin und zurück, eine ganze Baukolonne. Da war übrigens auch der Erich Hanke dabei, der später Professor wurde an der Hochschule für Ökonomie in Berlin-Karlshorst, wo die ehemalige Ministerin Christa Luft ebenfalls über die Entwicklung der sozialistischen Planwirtschaft Vorlesungen gehalten hat. Erich Hanke war ein sehr guter Kumpel. Später, als wir in Berlin blieben, weil es sich nicht mehr gelohnt hat und auch die Rückfahrten zu unsicher wurden, da waren wir im Frauengefängnis in der Barnimstraße untergebracht. Das gleiche Gefängnis, in dem auch Rosa Luxemburg eingesperrt war und ihre Juniusbroschüre geschrieben hat. Ich muß sagen, das war eine der furchtbarsten Zeiten, die ich während der Zuchthaushaft erlebte, und zwar durch die laufenden Bombenangriffe. Am Tage kamen die amerikanischen Bomber und nachts die englischen, so daß praktisch immer Luftalarm war. Bei dem großen Angriff, zum Beispiel im Frühjahr 1944, brannte ja praktisch ganz Berlin. Da verwandelte sich die Nacht in den Tag. Ich habe dort im Frauengefängnis Barnimstraße nach einem Volltreffer die Rettung der unter den Trümmern liegenden gefangenen Frauen und der Wachtmeisterinnen mit organisiert. Wir haben unter meiner Leitung dreiundzwanzig Tote rausgeholt, aber wir haben auch sehr viele retten können. Aufgrund dieser ganzen Arbeit wurde damals sogar von dem Generalstaatsanwalt Kolb vom Berliner Kammergericht eine Anerkennung ausgesprochen. Ich ging damals einfach zum Bunker, wo die Leitung des Gefängnisses saß, und habe gesagt, sie sollen mal die Rettungssachen rausgeben. Der Angriff geschah nachts. Das hat man auch gemacht, und wir haben während des Bombenangriffs schon die Rettungsarbeiten begonnen und bis vormittags durchgeführt. Rechts war der ganze Flügel zerbombt. Wir sahen nachts die Christbäume oben am Himmel, das war die Beleuchtung zum Bombenabwurf. Wir spürten die Bombeneinschläge. Das war eine furchtbare Nacht. Einer unserer Kameraden stand in der Nähe der Tür. Dem wurde durch eine heruntergegangene Luftmine die Lunge zerrissen. Er war tot. Neben mir saß ein holländischer Gefangener. Er wurde am Kopf verletzt, und dank meiner guten Verbindung zu der dortigen Wachtmeisterin Charlotte Schanel haben wir ihn auf eine Tragbahre gelegt und ihn in den Bunker Friedrichshain gebracht. Das ist der Bunker gewesen, wo heute der große Berg ist, der Mont Klamott. Er hatte ein Fassungsvermögen für ungefähr 80 000 Menschen mit allen sanitären und sonstigen Einrichtungen. Schade, daß er später gesprengt wurde, den hätten wir gut gebrauchen können. Die SS wollte uns nicht reinlassen. Aber die Charlotte Schanel, sie war dienstverpflichtet und gehörte früher dem Turnverein Fichte an, hat sich da Einlaß verschafft. Wir haben den Verwundeten dort abgegeben. Ihn habe ich in Amsterdam später wiedergetroffen. Nach dem Aufenthalt in der Gestapozentrale in der Prinz-Albrecht-Straße war dieser Einsatz in Berlin die schlimmste Sache, die ich überhaupt je erlebt habe.

Wie haben Sie sich in Brandenburg vor Denunzianten geschützt?

Das ergab sich schon aus unserer konspirativen Arbeit, die gründete sich auf den Erfahrungen außerhalb des Zuchthauses. Wir faßten nur insoweit gegenseitiges Vertrauen, als durch den Bekanntheitsgrad des einzelnen zum anderen ein Netz entstand, das uns vor dem Eindringen von Spitzeln schützte.

Können Sie sich an die schwersten Stunden in Brandenburg erinnern?

In Brandenburg waren alle Stunden nicht leicht. Man mußte auch den schwersten Stunden die besten Seiten abgewinnen. Aber am erschütterndsten war der Beginn der Hinrichtungen in Brandenburg. Immerhin wurden zweitausend Widerstandskämpfer entweder durch das Fallbeil oder durch den Strang hingerichtet, vom Schlosser bis zum Generalobersten der faschistischen Armee im Zusammenhang mit den Ereignissen vom 20. Juli.

Warum, glauben sie, haben Sie Brandenburg überlebt?

Das ist mir vollkommen unbekannt. Ich hätte ebenso wie andere ins Konzentrationslager oder in ein Bewährungsbataillon der Hitlerarmee kommen können. Mich konnte dieses Los ebenso treffen. Niemand der politischen Häftlinge in Brandenburg wußte, was ihm der morgige Tag bringen würde. Aber darüber haben wir uns keine großen Gedanken gemacht. Wir haben die Aufgaben des Tages erfüllt.

Resümee des Widerstandes

**Wenn Sie ein Resümee Ihrer Zeit als Widerstands-
kämpfer ziehen, hatte dieser Widerstand damals
überhaupt Sinn?**

Ich bin, was den antifaschistischen Widerstand
betrifft, zutiefst davon überzeugt, daß der Widerstand
gegen den Hitlerfaschismus im Lande selbst von außerordentlich großer Bedeutung war. Sowohl um unter den
damals äußerst schwierigen Bedingungen den Mut jener
aufrechtzuerhalten, die wirklich Gegner der Hitlerfaschi-
sten waren, und um neue Kämpfer dazuzugewinnen, als
auch, um nach der Befreiung aus der Illegalität jene Kader
zu haben, die Führungspositionen in den Besatzungszonen übernehmen konnten. Man darf nicht vergessen, daß
das nicht nur in der sowjetischen Besatzungszone war,
sondern auch in den drei westlichen. In allen sich bilden-
den Ländern der westlichen Besatzungszone hatten bis
zum Jahre 1947 die Kommunisten Minister. Ich denke
dabei zum Beispiel an Nordrhein-Westfalen. Aber das
war dann mit einem Schlag zu Ende. Es gab damals die
Orientierung durch den amerikanischen Außenminister
dagegen, der für die Errichtung der Bi-Zone und dann
der Tri-Zone war. Es kam die Periode des Marshall-
Planes, die Verschärfung der Gegensätze im Alliierten
Kontrollrat, die Nichtdurchführung der Beschlüsse des
Potsdamer Abkommens und schließlich das Herausdrän-
gen der Kommunisten aus der Regierung in den Ländern
der Bundesrepublik. Das war sozusagen der Auftakt zum
kalten Krieg.

Aber der Widerstand gegen Hitler bezeugte vor aller
Welt, daß es auch ein anderes Deutschland gab. Meine

illegale Arbeit zum Beispiel wurde sehr hoch eingeschätzt von unserer damaligen Parteiführung. Wir beschritten doch den Weg zu einer breiten Einheitsfront zwischen Kommunisten und Sozialdemokraten und lieferten Beispiele erfolgreicher Arbeit in faschistischen Organisationen wie der Hitlerjugend, der Arbeitsfront, zum Teil auch der SA. Wir haben dort Leute für unsere Sache gewonnen. Wir haben Hitlerjungs und Hitlermädels gewonnen, und es gingen welche von uns dort hinein, um dort zu arbeiten. Da gab es Jugendvertrauensleute, die auch von der Arbeitsfront mit unterstützt wurden. Aber es war entscheidend, welche Jugendvertrauensleute wir bei den Wahlen durchbekamen. In vielen Zechen des Ruhrgebietes wurden unsere Jungs und Mädels zu Jugendvertrauensleuten gewählt und konnten aktiven Einfluß auf die Lohn- und Urlaubsregelungen ausüben.

Natürlich soll man die Ergebnisse unserer Arbeit nicht überschätzen, aber auch keinesfalls unterschätzen. Das war die Arbeit einer Minderheit. Aber sie wurde zum Teil von einer großen Sympathie getragen und wäre sonst überhaupt nicht möglich gewesen. Das waren Zeichen dafür, daß andere sagten: Sie sind ja doch noch da, die Roten! Man hat ja alles »den Roten« zugerechnet, ob man nun dem Zentrum, den Sozialdemokraten oder Kommunisten angehörte. Das waren für die Nazis alles »Rote«. Sie wollten doch den Marxismus ausrotten. Wenn rote Fahnen an einem Schornstein gehißt wurden, die man nicht so leicht beseitigen konnte, dann war doch das für viele ein Zeichen dafür, »die Roten sind doch nicht beseitigt«. Ich habe das auch selbst erlebt im Zuchthaus. Der Widerstand ging ja bis 1945. Die Partei war noch stark, und je nachdem, mit welcher Partei die Leute sympathisierten, kamen sie nach der Befreiung wieder zu ihrer Partei zurück, abgesehen von den Gewerkschaften.

Aber war es in der Zeit der Nazidiktatur, angesichts der massenhaften Zustimmung des deutschen Volkes zu Hitler, nicht illusorisch, eine Art Volkserhebung zu erträumen, wie das die Strategie der KPD vorsah?

Ich möchte sagen, das war nicht illusorisch, zumindest für unsere Haltung den Geschehnissen gegenüber. Man konnte und durfte nicht einfach zusehen, wie mit Hilfe des Terrors und der Manipulierung Millionen von Menschen in den Zweiten Weltkrieg hineingezogen wurden. Aus der Verantwortung gegenüber der Geschichte und unserem Volk waren wir doch geradezu verpflichtet zu unterstreichen, daß es auch ein anderes Deutschland gab. Dieses andere Deutschland war das Deutschland des Widerstandes, wie es sich ja auch schon in den Schützengräben Spaniens zeigte. Unter Spaniens Himmel führten wir zugleich einen Kampf gegen das faschistische Deutschland und zeigen damit, daß es zwei Deutschlands gab.

Die Frage zielte auf noch etwas anderes: Sie waren doch eine verschwindend geringe Gruppe gegenüber der großen Masse des deutschen Volkes, die bedingungslos den Faschisten nachgelaufen ist.

Wir waren ja nicht allein im Widerstand. Da waren die früheren Sozialdemokraten, die Gewerkschaftler, die Angehörigen des Zentrums und anderer demokratischer Parteien. Wir waren fest davon überzeugt, daß der Tag kommen würde, an dem es gelingt, den Hitlerfaschismus zu stürzen. Nun, das geschah, wie wir wissen, später nicht aus inneren Gründen, sondern durch äußere Einwirkungen in Verbindung mit dem wahnsinnigen Krieg, der letzten Endes ja auch so schwer das deutsche Volk betroffen hat. Ich muß ganz offen sagen, daß wir stets überzeugt waren von unserem Sieg und unseren Idealen und deshalb auch bereit waren, unser Leben einzusetzen. Ich erinnere mich ganz gut an eine Begegnung mit einer jungen Genossin von Berlin-Tempelhof.

Ich sagte zu ihr: »Hör mal, du hast gehört, jetzt ist auf unsere Tätigkeit die Todesstrafe ausgesetzt. Wenn du zurücktreten willst von deiner verantwortlichen Arbeit in diesem Stadtbezirk, sage es mir gleich, ich will dir das nicht nachtragen, denn es ist natürlich schwer, diesen Weg zu gehen.« Sie hat mir frei und offen gesagt: »Ich werde den Weg weitergehen, den ich begonnen habe, weil es der richtige Weg ist und weil nur auf diesem Weg es möglich sein wird, zu einem anderen Deutschland zu kommen, in dem sich unser Volk besinnen wird auf die ewigen Werte der Menschheit, auf die Gestaltung eines humanistischen, eines demokratischen Deutschlands.« Der Haß auf die Hitlerbande war in unseren Kreisen auch so groß, daß wir zu keiner Minute bereit waren, von unserem Weg abzugehen. Es zeigte sich auch, daß dieser Weg der einzig richtige war. Wir haben noch heute mit Recht die Auffassung, daß wir ein Teil der Anti-Hitler-Koalition waren, die schließlich in der Höhle des faschistischen Löwen den Löwen selbst liquidierte.

Hatten Sie damals niemals Zweifel, daß Sie das nicht schaffen würden?

Ich muß sagen, Zweifel hatte ich da nie, sonst hätte ich von dieser Arbeit abgesehen. Ich hatte noch nicht einmal Zweifel, als wir in die Gestapo-Hölle eingeliefert wurden, in das Prinz-Albrecht-Palais. Das war für uns immer eine klare Sache. Natürlich gab es auch die Stimmung: »Wanderer, wenn du dieses Tor durchschreitest, lasse alle Hoffnungen hinter Dir.« Wir haben aber nicht alle Hoffnungen hinter uns gelassen. Das zeigt auch der anderthalbjährige Kampf mit der Rechtsstaatsanwaltschaft, die uns Handlungen unterschieben wollte, um zu einem Todesurteil zu kommen. Das sind nicht meine Worte, sondern die meines Offizialverteidigers, eines SS-Führers. In einer kurzen Besprechung über die Anklageschrift und in seinem Bestreben, meine Haltung zu charakterisieren, wählte er die Bezeichnung des Altruismus, obwohl ich damals noch nicht wußte, was Altruismus heißt. Ich habe damals nachgefragt. Ich wollte damit nur unterstreichen, bei allem, was wir an Befürchtungen über unsere persönliche Zukunft hatten, wir hatten keine Befürchtungen hinsichtlich der Zielstellung. Wir waren fest davon überzeugt, daß die Hitlerarmee eine Niederlage erleiden würde und der Tag der Befreiung durch den Einmarsch der alliierten Truppen in Berlin seine Krönung finden würde. Man braucht nur die Abschiedsbriefe von jenen zu lesen, die die neue Zeit nicht mehr erleben konnten, weil sie den Weg zur Hinrichtung gingen.

Biographie Margot Honeckers

Frau Honecker, kommen wir vielleicht jetzt kurz auf Ihre Lebensgeschichte zu sprechen. Können Sie etwas über Ihre Kindheit und Jugend erzählen. Wo sind Sie geboren worden?

Ich bin in Halle an der Saale geboren, in einer richtigen Industriearbeiterstadt. Meinen Vater hatte es dorthin verschlagen. Er kam eigentlich aus Schlesien, war dort in der Gewerkschaftsbewegung hängengeblieben und hatte jung geheiratet. Er war Schuhmacher und auf der Wanderschaft nach Halle gekommen. Während meiner Kindheit war er meistens schon arbeitslos. Ich bin 1927 geboren, dann kam die Zeit der Arbeitslosigkeit, und er hat politisch gearbeitet. Nun ja, meine Kindheit habe ich in einer Mietskaserne, Parterre, hinten raus, verbracht.

Wie waren die Wohnverhältnisse?

Es waren so Kammern mit Betten drin, eine kleine Küche und ein Durchgangsraum. Das war's. Klo natürlich außerhalb. Das habe ich alles kennengelernt. Nebenan hatte ein Schmied seine Werkstatt, wo die Mauerwände rausguckten. Da tanzten die Ratten und Mäuse. Mäuse hatten wir immer in der Wohnung, da wir ja den Keller gleich drunter hatten. Wie das so war bei Proletariern, wurde einmal in der Woche gebadet. Alle im selben Wasser. Wir waren aber sauber.

Mutter hat schwer gearbeitet. Sie war Arbeiterin in einer Matratzenfabrik. Vater wurde schon 1933 verhaftet, und die ganze Zeit war die Mutter mit uns beiden Kindern allein. Sie kriegte Sozialwohlfahrtsunterstützung. Das war minimal, nur ein paar Pfennige. Dafür ging sie dann waschen, in so einer städtischen Waschanstalt. Dann hat sie schwarz gearbeitet, damit sie etwas dazuverdienen konnte und wir wenigstens die Miete bezahlen konnten. Damit mußte sie die Kinder großziehen. Ich habe einen drei Jahre jüngeren Bruder.

Vater wurde dann wegen Hochverrat verurteilt. Er war Mitglied der Kommunistischen Partei. 1933 gab es für Hochverrat noch nicht zehn Jahre, sondern drei. Er hat drei Jahre gesessen, kam dann aber nach Buchenwald und hat insgesamt sieben Jahre gesessen. Ganz plötzlich kam er aus Buchenwald wieder, wie viele, die dann entlassen wurden, und mußte anschließend zu den 999. Er kam an die Westfront, damit er nicht überlaufen konnte.

Was sind Ihre ersten Erinnerungen an diese Zeit?

Ich kann mich beispielsweise sehr genau an die Zeit erinnern, als Vater noch nicht verhaftet war, er war ständig unterwegs und untergetaucht. Ich kann mich auch an die Haussuchungen der Gestapo erinnern. Das waren natürlich immer Angstpartien für uns. Ich habe meine Mutter immer wahnsinnig bewundert, die souverän blieb, die diesen Gestapo-Leuten den »Völkischen Beobachter« unter den Stuhl legte, damit die ihre Stiefel nicht auf ihren Küchenstuhl stellten. Das ist mir haftengeblieben. Mutter hat gescheuert und geputzt und gesagt: »Nicht mit den dreckigen Stiefeln da rauf.« Ihre Geistesgegenwart werde ich nie vergessen, als die mit dem Haftbefehl kamen. Mutter wußte, daß Vater kommen wollte, um Geld zu holen. die »Rote Hilfe« hat uns damals unterstützt. Mein Vater wäre glattweg in diese Hausdurchsuchung geraten. Da hat sie die volle Maggiflasche aus dem Küchenschrank gegriffen, ist losgesaust und hat gesagt: »Moment, Moment, meine Kinder müssen was zu essen haben. Von mir aus, suchen Sie!« Sie ist los und hat den Vater noch an der Ecke getroffen und ihm gesagt: »Hau ab!« Er wollte in die ČSR, aber vorher noch bei seiner Mutter vorbei, die in Jelenia Góra, dem damaligen Hirschberg, wohnte, und dort haben sie ihn verhaftet.

Was können Sie über die Charaktereigenschaften Ihrer Mutter und Ihres Vaters sagen? Was haben Sie an ihnen gemocht, oder vielleicht auch nicht?

Fangen wir mal bei der Mutter an, die wir sehr früh verloren haben. Das war ein tiefer Einschnitt. Die Mutter war eine ganz kluge, intelligente Frau, obwohl sie nicht viel Bildung genossen hatte. Sie war klein und zierlich, aber sie hat die größten Lasten auf sich genommen. Das ist mir von ihr immer haftengeblieben. Sie sagte: »Zu einer Überzeugung, zu einer Sache muß man stehen, ob das die Familie ist oder ob das unsere Sache ist. Vor allen Dingen, ihr dürft euch nicht kleinkriegen lassen! Ihr dürft euch nicht sagen lassen, daß Kommunisten schlechte Menschen sind, ihr müßt stolz darauf sein. Und ihr könnt stolz sein auf euren Vater! Er hat das Beste gewollt und nur Gutes gemacht.« Das war tief in mir. Ein Lehrer, den ich absolut nicht mochte, den eigentlich alle nicht mochten, so ein ausgesprochener Nazi, der sogar in SA-Uniform unterm weißen Kittel in die Schule kam und in der Klasse irgendeinen Unterricht neu übernahm, fragte uns: »Wie heißt du, was ist dein Vater?« Alle haben gesagt, ich heiße soundso, mein Vater ist, sagen wir, im Büro. Und ich habe, wahrscheinlich aus einer gewissen Trotzhaltung heraus, gesagt: »Ich heiße Feist, mein Vater ist Kommunist.« Ich habe nicht gesagt, mein Vater ist Schuhmacher, ich habe gesagt, mein Vater ist Kommunist. Also, wenn Blicke töten könnten! Ich glaube, ich habe ein bißchen Angst gehabt. Es ist aber nichts weiter passiert. Ich glaube heute, daß der Rektor an dieser Schule, ein christlicher, der später Neulehrer ausbildete, ein bißchen die Hand über mich gehalten hat. Das gab es auch.

Vater habe ich nicht bewundert wie ein Denkmal, das auf dem Sockel steht. Ich war stolz, daß er ungebrochen wiederkam. Ich hatte schreckliches Mitleid mit ihm, als er aus Buchenwald kam, ein Gerippe mit kahlgeschorenem Kopf und stierem Blick. Er hatte nur eines im Sinn: Warum mußten die anderen dort bleiben! Das hat er wochenlang nicht überwunden. Und dann hat mir imponiert, daß er trotz der großen Gefahr, daß er zu jeder Zeit erneut verhaftet werden könnte, wieder illegal gearbeitet hat, immer unter Beobachtung. Jede Woche mußte er sich bei der Gestapo melden. Trotzdem haben die Genossen gearbeitet! Das habe ich als ganz wunderbar empfunden bei meinem Vater und seinen Genossen. Einer von ihnen ist vor kurzem erst verstorben, Walter Erich. Er gehörte zu dieser illegalen Gruppe. Sie haben mich gleichberechtigt behandelt. Ich war noch ein junges Mädchen. Ich war noch nicht offiziell Mitglied der Partei, aber für sie war ich die junge Genossin! Vater hatte ja wenig Zeit. Aber dieser Genosse hat angefangen, mich zu schulen. Sie werden lachen: Ich habe weder das »Kapital« noch das »Kommunistische Manifest« zuerst gelesen, sondern mit ihm zuerst Darwin durchgearbeitet. Das fand ich furchtbar interessant. Er war der Meinung, daß man über Darwin den Zugang zum Materialismus findet, und hat den Unterricht so angelegt.

Vater war auch sehr streng. Wenn er von der Nachtschicht kam und wir uns so ein bißchen gekeilt haben, mein Bruder und ich, hat er auch schon mal zugelangt, mal eine Schelle gegeben.

Mutter hatte auch eine lockere Hand gehabt, die hat schneller mal zugehauen. Aber Mutter, das sind auch so Kindheitserinnerungen, war immer schrecklich traurig, Weihnachten ganz allein mit den Kindern zu sein. Wie die Deutschen so waren in dieser Zeit. Aber sie hat alles Mögliche zusammengekratzt, damit sie uns zu Weihnachten eine Freude machen konnte, und hat ihre Tränen verdrückt, damit wir nicht traurig waren. Das war Mutter.

Ihr Gefühlsleben damals hatte doch sicherlich viel mit Angst zu tun, schon durch die schwierige familiäre Situation?

Ja, ich muß sagen, durch Mutters gerade, souveräne und mutige Haltung, die sich nie was anmerken ließ, wie schwer ihr das auch fiel, sie war nicht kleinzukriegen, hat sich das auch ein bißchen auf uns übertragen. Sie hat vieles mit sich selber abgemacht, und manches natürlich mit ihrer Großen besprochen, obwohl ich noch sehr jung war. Aber das stärkt ein bißchen fürs Leben. Wir haben uns auch über vieles gefreut. Über ein paar Strümpfe zu Weihnachten, über eine neue, aus einer Margarinenkiste gebaute Puppenstube. Da war auch viel Freudiges.

Aber es klingt, wenn Sie es schildern, etwas sehr glatt, wenn man damals illegal arbeitete, trotz Beobachtung.

Ach, dieses Bedrohliche war ständig um uns. Aber wir haben es schon als etwas Alltägliches empfunden. Wo ich echt Angst hatte, das war in der Zeit, als Vater illegal weiterarbeitete. Ich wußte, er ist zu einem Treff. Mutter lebte schon nicht mehr. Da hatte ich immer eine ständige innere Unruhe, klappt es, oder klappt es nicht. Und dann passierte es eben manchmal, daß er nur den Schlüssel vergessen hatte und klingelte. Dann haben wir gedacht, jetzt sind sie da, jetzt ist die Gestapo da! Dann bin ich raus und habe die Tür aufgemacht, Gott sei Dank, daß es der Vater war! Ich habe ihn schrecklich angebrüllt: »Warum hast du bloß den Schlüssel vergessen?!« Ich war immer ganz ruhig in solchen Gefahrensituationen, aber hinterher, da habe ich mich auf einen Stuhl gesetzt und gebibbert. In dieser Zeit habe ich natürlich auf jeden Laut gehört. Wenn man sich schlafen gelegt hatte, hörte man Schritte. Kommen Schritte die Treppe hoch? Das gab es natürlich auch.

Fühlten Sie sich durch den frühen Tod Ihrer Mutter nicht sehr allein und von allen guten Geistern verlassen, noch dazu in dieser Zeit?

Im November 1940 starb Mutter. Ich mag den November bis heute nicht. Im April kam ich aus der Schule. Sie hatte schon alles für die Schulentlassung vorbereitet. Was mir damals geholfen hat, ein wenig darüber hinwegzukommen, war die Sorge um den Vater. Vater war in dieser Zeit natürlich schrecklich. Er lief nachts durch die Straßen, und ich rannte ihm hinterher aus Angst, er tut sich was an. Das hätte er nie getan, aber diese Angst hatte ich. Und dann hat mir einfach geholfen, und das war vielleicht auch eine Überlegung von den Genossen, ich mußte für Vater sorgen, den Haushalt schmeißen, und in einer Zeit, wo das gar nicht so einfach war, eine kleine Familie ernähren und sauberhalten.

Welche Erinnerungen haben Sie an Ihre Schulzeit?

In die Schule bin ich gern gegangen, sehr gern, und habe gelernt. Die Lehrer waren unterschiedlich. Sie wußten, daß wir Kommunistenkinder waren, und haben sich entsprechend verhalten, manche gemein, manche tolerant. Ich hatte das Glück, die letzten Jahre einen phantastischen Lehrer zu haben. Einen wirklichen Humanisten. Er war zwar NSDAP-Mitglied, aber ein Mensch, der glaubte, daß der Nationalsozialismus, weil auch »Sozialismus« genannt, etwas Gutes ist. Es war ein Lehrer, der mich unwahrscheinlich gefördert hat, dem ich unwahrscheinlich viel verdanke. Er konnte über Goethe, über Schiller, über Malerei reden. Da hat er sein ganzes Herz reingelegt. Da konnten ihm die Tränen kommen. Da ist viel hängengeblieben bei mir. Als ich das erste Mal nach Hamburg zu Bekannten fuhr, ging ich zuerst einmal in die Galerie. Das war ein Lehrer! Er wollte, daß ich auch Lehrerin werde. Das war sein größter Wunsch.

Und haben Sie den Wunsch auch selbst gehabt?

Ja, ich hatte immer eine sehr große Neigung, mit Kindern umzugehen. Das ist so geblieben, ein Leben lang. Deshalb war ich auch immer die beste Gespielin meiner Enkel. Ja, den Wunsch, Lehrerin zu werden, hatte ich.

Mein Vater kam aus Buchenwald zurück und sagte: »Mädchen, du mußt selbst entscheiden. Das heißt, du mußt in die nationalsozialistische Lehrerbildungsanstalt. Man weiß nicht, wann der Spuk zu Ende ist. Du mußt entscheiden, ob du die Kinder in diesem Sinne erziehen kannst, denn das mußt du dann.« Ich habe wirklich nicht lange geschwankt. Das ist nicht nur verklärt in der Erinnerung. Ich habe gesagt, wenn ich wüßte, daß morgen alles zu Ende ist mit dem Faschismus, dann würde ich das mitmachen. Verbieten konnte mir das niemand. Dann habe ich mich dagegen entschieden, zur großen Enttäuschung meines alten Lehrers. Aber später, als er schon sehr alt war, schon weit über achtzig, als er mich nach 1945 in Berlin besuchte, war er ganz glücklich, daß ich es doch mit der Pädagogik irgendwie gehalten habe.

Ihre Erziehung bedeutete doch aber auch, in starkem Widerspruch zu der ganzen Schulbildung zu stehen?

Das war sowieso da. Das hat mich die ganze Schulzeit über immer stolz sein lassen, daß ich anders bin als die anderen. Ich war nie überheblich, auch nach 1945 nicht, als ich mich mit Gleichaltrigen über die Probleme des Faschismus und der Faschismusbewältigung unterhalten mußte. Ich habe immer Verständnis aufgebracht, weil mir klar war, sie hatten nicht das Glück, in einer solchen Familie aufgewachsen zu sein. Daraus ergab sich meine Toleranz, wenngleich ich manchmal ungeduldig war. Man hätte sagen müssen: Ihr habt doch auch was gewußt! Ihr habt doch auch gewußt, daß mein Vater in Buchenwald war. Ihr habt gewußt, was im Konzentrationslager los war! Warum seid ihr jetzt so? Aber wie gesagt, ich habe mich immer gebremst. Ich habe mir immer gesagt: Sie können es nicht anders wissen.

Hat Ihr Lieblingslehrer nicht versucht, Sie irgendwie in den BDM zu bekommen oder Sie von seinem Standpunkt zu überzeugen?

In den BDM wurde man ja eingereiht. Ich bin zwar nie zu einer Veranstaltung gegangen, da mußte man ja auch nicht hingehen. Man wurde eingeschrieben, und das war's. Das war automatisch. Das hat uns nie tangiert, weil dieser alte Lehrer Ahrens nie irgendwie versucht hat, mich zu bedrängen. Er war ja schon ein pensionierter Mittelschullehrer und wurde nur während des Krieges nochmal gebraucht. Nach 1945 wurde er wegen seiner Mitgliedschaft in der NSDAP aus dem Schuldienst entlassen. Er hat mir damals gesagt: »Margot, ich verstehe das nicht.« Und ich habe ihm damals in einem Gespräch gesagt, ich arbeitete schon in der Kreisleitung der FDJ, daß er für mich einer der besten Pädagogen sei, und wenn ich mal einer werden sollte, wäre er immer ein Vorbild für mich, weil er unwahrscheinlich gut auf Kinder einging, gerade in dieser komplizierten Altersstufe, so zwischen zwölf und vierzehn Jahren. Aber ich habe ihm auch gesagt, irgendwo muß ein Schnitt sein. Was wir in Geschichte bei ihm gelernt haben über das »ewig große Deutsche«, über die Sowjetunion, das war natürlich alles nicht wahr! Und irgendwo müssen wir jetzt Schluß machen. Ich war ganz ehrlich zu ihm, warum es eine objektive Notwendigkeit war, daß man erstmal einen Schlußstrich macht und sagt: »Ihr Lehrer bitte nicht!« Obwohl er nur ein kleiner Mitläufer war. Später wurden diese Lehrer wieder eingegliedert. Er hat dann an einer Volksschule gearbeitet und seine beliebten Dia-Vorträge gemacht. Er hat sich trotz seines hohen Alters wieder pädagogisch betätigt. In der Volksschule unterrichtete ein Lehrer praktisch alle sogenannten humanistischen Fächer.

Wie lange sind Sie während der Nazizeit in die Schule gegangen?

Bis 1941. Ich bin dann aus der Schule gekommen. Mein Leben hatte sich sowieso ganz verändert.

Ein Jahr, nachdem mein Vater aus Buchenwald gekommen war, meine Mutter war noch nicht 34 Jahre alt, starb sie. Sie sollte ein Kind bekommen und hat, was eine Proletarierfrau in dieser Zeit gemacht hat, gepfuscht, wie man so sagte, und starb an den Folgen. Dann mußte ich eben für Vater und Bruder sorgen. Vater mußte ja arbeiten gehen. Er hat in der Papierfabrik gearbeitet, eine schlimme, schwere Arbeit, und wurde später, trotz »Wehrunwürdigkeit«, Kommunist und Antifaschist, doch noch zur Wehrmacht eingezogen. Er wurde wieder zur Gestapo bestellt. Das gehört auch zu meinen Kindheitserinnerungen. Ich habe ihn dorthin begleitet und gedacht, dieses Mal behalten sie ihn, denn er hatte ja wieder illegal gearbeitet.

Und Sie waren auch selbst in seine illegale Arbeit einbezogen, als Vierzehn- oder Fünfzehnjährige?

Ich war in die illegale Arbeit nicht nur eingeweiht, sondern ich durfte helfen. Die Genossen meinten, das wäre vielleicht der beste Schutz für mich, wenn ich nicht nur weiß, was da geschieht, sondern eben aktiv etwas mache. Das war dann schon nach der Schulentlassung. Ich habe Kurierdienste vermittelt, Treffs vermittelt und so weiter. Später hat mal ein alter Genosse, der zu der Leitungsgruppe, zum Kopf, gehörte, darüber geschrieben und sich Gedanken gemacht. Für uns war es damals so alltäglich! Ich habe mich nie als Held gefühlt, auch später nicht, im Rückblick. Dieser Genosse hat geschrieben, wenn man sich das heute überlegt, war es eigentlich unverantwortlich, ein so junges Mädchen in die illegale Arbeit einzuweihen. Denn was wäre, wenn? Aber daran hat man damals nicht gedacht. Für mich war es das Selbstverständlichste, das Normalste, das Alltäglichste auf der Welt. Das gehörte zu meinem Leben.

Was haben Sie nach der Schulzeit beruflich gemacht?

Ich habe Stenokurse besucht und Schreibmaschine gelernt. Ich wollte mich auch ein bißchen weiterbilden, und Vater hat mich sehr angehalten, viel zu lesen. Eine große Bücherei hatten wir nicht. Das war eine Kiste, die er zusammengebaut hatte, mit einem Vorhang davor. Da hatten wir unsere Bücher drin. Was habe ich da nicht alles in mich reingestopft! »Cyankali«, »Zement« von Gladkow, »Krieg und Frieden«. Das gab es alles über die »Rote Bücherei«. Und die Gestapoleute, die waren ja so doof! Die hatten die Bücher in der Hand und waren so ungebildet, daß sie gar nicht mitbekamen, daß diese Bücher als verbotene Literatur angesehen wurden. Damals habe ich vielleicht noch nicht alles verstanden, was ich las, aber ich habe das alles mit viel Interesse in mich reingestopft. Ich habe auch Dreigroschenromane gelesen, das habe ich heimlich gemacht. Wenn mein Vater nach Hause kam, und er sah so was, hat er gesagt: »Was ist denn nun los? Vergiß es!«

Mit dem Stenokurs sind Sie bis 1945 gekommen?

Nein, es ging dann so weiter: Vater war weg, ich war mit dem Jungen allein. Ich ging dann mit ihm zur Großmutter nach Schlesien. Sie lebte dort. Vater mußte an die Front. Er schrieb, das wäre so schwer zu verkraften, andauernd Luftangriffe auf Mitteldeutschland. Er schrieb, fahrt dorthin, dort weiß ich euch besser aufgehoben; und wie auch immer, haltet durch, haltet den Kopf hoch, auch wenn ich nicht wiederkommen sollte, sorge für die Jugend. Wir lebten also bei der Großmutter, und ich wurde dort dienstverpflichtet. Es war der »totale Krieg«. Ich hatte Glück, ich mußte nicht in die Munitionsfabrik, ich war irgendwie zu klein und zart. Mich nahmen sie auch nicht als Briefträger, die sie damals brauchten. Ich kam ins Fernamt als Telefonistin. Als solche habe ich dort gearbeitet, und als die Sowjetarmee kam, wurde es kurz darauf polnisch besetztes Gebiet.

Im Mai kam die Sowjetarmee, und im Oktober bin ich dann, nachdem ich meine Großmutter gut versorgt wußte, die mit einer jungen polnischen Arbeiterin in ihrer kleinen Wohnung lebte, mit dem klaren Plan, die Großmutter nachzuholen, mit meinem Bruder nach Halle zurückgetippelt. Drei Tage! Übernachtet haben wir bei Bauern. Bis nach Görlitz liefen wir. In Görlitz haben wir die ersten Panjewagen gesehen von den Sowjets. Wir haben unsere weißen Armbinden abgelegt, die wir als Deutsche im polnischen Gebiet getragen haben, und müssen schrecklich verhungert ausgesehen haben. Mein Bruder konnte nicht mehr laufen, er hatte Blutergüsse, den habe ich halb getragen. Dann haben uns die Sowjets ein Stück Brot gegeben.

Hatten Sie keine Angst vor ihnen?

Nein. Laufend gesprochen haben sie. Für mich gehörte das eben zu den Kriegswirren. Was sollte sein? Jedenfalls sind wir über Dresden nach Halle zurück und hatten natürlich keine Wohnung mehr. Wir waren bei verschiedenen Genossen und haben uns herumgetrieben und übernachtet. Aber von ihnen wurden wir solidarisch behandelt. Ich bin dann in die KPD eingetreten, nun natürlich offiziell.

Vater war noch in Gefangenschaft. Er kam ein, zwei Jahre später. Er war in amerikanischer Gefangenschaft, war aber abgehauen. Nachdem ich in die Partei eingetreten war, habe ich bei der Gewerkschaft als Stenotypistin gearbeitet bei einem unserer Genossen aus der illegalen Gruppe. Damit verdiente ich Geld. Ich hatte auch schon angefangen, ehrenamtlich beim antifaschistischen Jugendausschuß in Halle zu arbeiten. Dann bin ich in die erste Kreisleitung der FDJ gewählt worden, als junge Antifaschistin.

Da waren immer Leute um Sie, die Sie oder Ihren Vater kannten?

Die mich eigentlich kannten. Vielleicht ist es ganz gut, mal an dieser Stelle zu sagen: Meine ganze Entwicklung ist zwar begleitet worden von vielen guten Genossen und Bekanntschaften, aber ich war immer ich selber. Die Genossen der illegalen Gruppe haben mich gleichberechtigt behandelt, wie ich sagte, obwohl sie die Erfahreneren und Wissenderen waren. Das hat mich geprägt. Ich habe nie den Mund gehalten. Meine Meinung habe ich gesagt, auch wenn sie ganz entgegengesetzt war. Wir haben viel diskutiert, schrecklich viel. Es gibt ja auch in der Illegalität ganz banale Organisationsprobleme, ob man alles richtig macht und genügend konspirativ ist. War das zum Beispiel ein Fehler, zurückzufahren in die gleiche Wohnung, obwohl man niemand angetroffen hatte beim Treff? Über solche Fragen wurde diskutiert. Aber es wurden auch große politische Probleme diskutiert. Zum Beispiel haben wir Nachrichten gehört, daß die Deutschen vor Moskau stehen. Da weiß ich noch, daß ich mit dem Walter heftig diskutiert habe. Ich habe gesagt: »Was passiert, wenn es gelingt, Moskau zu nehmen?« Und er hat zu mir gesagt: »Weißt du, darüber kann man nicht diskutieren! Wenn es gelingt? Es darf nicht, es wird nicht!« – »Woher nimmst du diese Überzeugung«, fragte ich. »Man kann doch nicht sagen: ich glaube!« Er hat gesagt: »Zu unserer Weltanschauung gehört auch, daß man glauben muß, an die moralische Kraft der Menschen.« So etwas hat geprägt. Aber wie gesagt, ich habe immer meine Meinung gesagt, ich habe immer meine Meinung sagen können.

Aber zum Beispiel mit diesem Lieblingslehrer, der einerseits Humanist war und andererseits den Glauben an diese Nazis hatte. Gab es da nicht Diskussionen zwischen Ihnen und ihm?

Während der Schulzeit habe ich nicht mit ihm diskutiert. Das wäre nicht möglich gewesen. Er hätte das auch nicht verstanden. Er hätte auch nicht verstanden, wenn ich gesagt hätte, warum ich nicht zur nationalsozialistischen Lehrerbildungsanstalt gehe. Er hat später, nach 1945, gesagt: »Jetzt weiß ich, warum du das nicht gemacht hast.«

Zusammenfassend über die Nazizeit: Was meinen Sie, wie waren Sie charakterlich am Ende dieser Zeit? Was waren Sie für ein Mensch, selbstbewußt oder eher zurückhaltend?

Ich war sehr selbstbewußt. Das alles hatte ja meinen Charakter geformt, meine Anschauungen, meine Überzeugungen. Und es war ja auch deutlich, daß es eine Katastrophe nicht nur für die Völker, sondern eine Katastrophe auch für Deutschland war.

Waren Sie den anderen Leuten gegenüber, den Deutschen, die mitgelaufen sind oder aktive Nazis waren, nach 1945 eher auftrumpfend?

Ich habe doch nur mit solchen gearbeitet. Die Jugend war doch völlig desorientiert, geimpft, völlig! Ich habe mit den jungen Leuten bis in die Nacht hinein diskutiert, und das Argument mußte überzeugen. Das war gleich nach 1945. Während der Nazizeit habe ich wenig Freunde gehabt, Gleichaltrige. Damals waren meine Freunde die älteren Genossen. Aber nach 1945 erinnere ich mich zum Beispiel an einen Neulehrer. Er kam verwundet aus dem Krieg. Er war übrigens später Prorektor an einer Technischen Universität. Das habe ich viel später erst mitgekriegt, als wir in die Stadtteile gingen, in die Wohngebiete, um zu diskutieren. Wir haben ja nächtelang diskutiert. Der hatte immer Fragen. Er ist mit mir immer vom Heim bis zur Straßenbahnhaltestelle gegangen, von der Straßenbahnhaltestelle habe ich ihn zurückbegleitet, weil wir nie zu Ende kamen mit der Diskussion, bis ich ihm einmal gesagt habe: »Nun ist es genug! Beantworte dir mal deine Fragen selber. Das ist zu bequem.« Es war kein Ausweichen. Wir hatten ja schon ein Jahr diskutiert, aber da war dann ein Punkt, daß ich gesagt habe: »Jetzt fang mal an nachzudenken. Das mußt du lernen, deine Fragen selber zu beantworten. Man kann nicht nur fragen.« Das habe ich auch später für mein Leben so gehalten. Man kann nicht nur fragen, man muß sich auch selber Antworten auf seine Fragen suchen, sonst wird nichts! Ich habe ja meine Antworten auf meine Fragen auch selbst suchen müssen. Das gehört zum Erwachsenwerden und zum Erwachsensein. Das muß man schon früh lernen.

Aber manche Fragen bleiben offen, über die muß man immer sprechen, oder?

Ja, es bleiben immer offene Fragen, offene Fragen sind immer da. Der Mensch muß sie begreifen, er muß immer wieder versuchen, sich mit diesen Fragen auseinanderzusetzen, um Antworten zu finden.

Vielleicht nochmal zurück zur Nazizeit. Haben Sie den Sinn des Kampfes unter den Nazis voll akzeptiert, oder auch einmal gesagt, wir schaffen das gar nicht allein, von unten ist der Faschismus nicht zu besiegen?

Wir haben zwar sehr viel darüber gesprochen und haben fest daran geglaubt, daß das, was wir an kleinen Dingen tun dafür, einen Sinn hat. Wir kannten nicht die ganze Größe des gesamten antifaschistischen Widerstandskampfes. Der blieb uns ja verborgen. Davon haben wir erst später erfahren. Irgendwie aber war schon immer klar, daß dieser Krieg für die Faschisten verloren ist. Darauf haben wir eigentlich gebaut, daß sie nicht siegen werden. Was werden wird, und wie sich das alles vollziehen wird, so genau hat man das damals nicht gewußt. Aber daß die verlieren würden und die Sowjetunion siegen wird, das waren die Hoffnung, der Glaube. Daran haben wir uns immer wieder aufgerichtet.

Haben Sie etwas mitbekommen von der Judenverfolgung?

Ja, doch. Wir waren ja damals noch Kinder, als es anfing. Es gab doch diese Juden, die so billig verkauften, auch gerade für die Proletarier. Wir sahen immer wieder, daß sie schon sehr geängstigt waren. Das war mein erster Eindruck. Ich habe dann in Halle die Pogromnacht erlebt. Ich war bei meiner Großmutter und habe meinen Bruder abgeholt, der sich damals furchtbar erbrochen hat. Sie haben die Scheiben dort zerschlagen von den großen jüdischen Kaufhäusern. Sie haben die Juden durch die Straßen gezerrt, blutüberströmt. Es war fürchterlich. Ich glaube, wir beide sind diese Bilder im Leben nie wieder losgeworden, nie im Leben.

Wußten Sie, daß die Juden später vergast und vernichtet wurden?

Wir zumindest haben das gewußt. Es gab ja Nachrichten aus den Konzentrationslagern. Es kamen ja Politische zurück, zum Beispiel mein Vater. Aber wir haben darüber selten gesprochen. Gerade nach Buchenwald kamen ja unwahrscheinlich viele Juden. Und was die Genossen dort an schrecklichen Sachen erlebt haben, wie man den Juden ins Gesicht getreten hat und die Goldzähne eingesteckt hat, sie in die Abfallgruben geschmissen hat, das hat geprägt. Ich habe nie einen Unterschied gemacht, ist einer Jude oder Kommunist, religiös oder nicht.

Für mich war das eine der scheußlichsten Angelegenheiten in der deutschen Geschichte.

Und haben Sie gewußt, daß es Massenvernichtungen gab?

Ich habe es gewußt.

Und wie konnte man damit leben?

Wie konnte man damit leben? – Sie haben die Juden vernichtet, sie haben die Kommunisten vernichtet, sie haben andere aufrechte Menschen vernichtet. Für uns waren es Menschen. Für uns war das schrecklich zu wissen, daß die einen nur wegen ihrer Rasse, die anderen nur wegen ihrer Überzeugung vernichtet wurden. Was macht das für einen Unterschied? Sie wurden vernichtet. Das tat weh und war bitter.

Haben Sie sich Gedanken gemacht, warum das gerade in Deutschland geschah?

Für mich war das die Ausgeburt des Faschismus.

Aber das Volk hat das mitgetragen, warum?

Ach, wissen Sie, das Volk! Was heißt mitgetragen! Das habe ich mich mein ganzes Leben lang und vor allen Dingen damals gefragt. Dieses Volk, das vielleicht nicht alles gewußt hat, über die Judenverfolgungen, über die Verfolgungen der Kommunisten, Sozialdemokraten, der Antifaschisten in den Konzentrationslagern. Warum haben sie überhaupt den Krieg mitgetragen?

Ich erinnere mich an eine einzige Sache, als in Stalingrad oder Wolgograd diese große Niederlage war; das waren ja vorwiegend Armeeverbände, die rekrutiert waren aus diesen mitteldeutschen Gebieten. Da hingen in den Straßen in Halle alles Flaggen mit schwarzen Trauerfloren. Da war irgendwie etwas da. Die Menschen wurden plötzlich sehr still. Man spürte, daß da eine Unzufriedenheit oder Unruhe entstand. Aber gewehrt? Das habe ich nicht erlebt.

Warum war die Mehrheit des deutschen Volkes eine so willfährige Masse?

Das ist schwer zu sagen. Nicht nur das deutsche Volk, man kann jedes Volk manipulieren. Wenn man die

Macht hat und die Mittel dazu. Wobei sicher in jedem Volk viele ehrliche Menschen sind, die sich innerlich dagegen gewehrt haben, die Hilfe geleistet haben, die Juden geschützt haben, die Kommunisten geschützt haben, die Kriegsgefangenen geholfen haben. Das gab es ja auch. Das darf man nicht vergessen. Das war ein gewaltiger Machtapparat. Das ist unvorstellbar.

Der hielt die Leute in Bann?

Ich möchte den Begriff heute nicht so gebrauchen, aber in jedem Haus saßen V-Männer, in jedem Haus wurde kontrolliert, auf Schritt und Tritt war die Gestapo da.

Nun sagen heute viele, es gab da nach 1945 bei uns eine Kontinuität, unter anderem Vorzeichen natürlich.

Ja, und ich glaube, man kann eben nicht einfach vergleichen. Ich wehre mich entschieden gegen die Gleichsetzung von Faschismus und Sozialismus. Das ist nicht nur subjektiv, das ist objektiv ein historisch unmöglicher Vergleich! Die Menschen, die das sagen, wissen nicht, was Faschismus ist, und ich hoffe, daß sie es nie erleben werden.

Aber war es nicht auch bei uns schwer, seine Individualität durchzusetzen angesichts eines übermächtigen Macht- und Geheimapparates?

Nein, ich muß sagen, das wird übertrieben, ganz eindeutig. Wenn jemand direkt und aktiv dagegen gearbeitet hat, dem ist sicher manches geschehen. Aber wenn man heute so viele Stalinopfer macht, die man durch alle Zeitungen zieht, nein, wenn einer wirklich eine Überzeugung und eine Meinung hatte, der hat sie auch sagen und vertreten können. Daß es Dummköpfe gab, sagen wir mal, kleinliches Verhalten und vielleicht auch opportunistisches in dem Sinne, daß man es denen zeigen wollte, sicher, das gab es. Das kann man nicht gutheißen. Das war falsch. Aber heute sind plötzlich so viele Opfer! Sie hätten ihre Meinung sagen können. Es haben viele ihre Meinung gesagt, und denen ist auch nichts passiert.

Aber eine gewisse Kontinuität im Untertanenstaat und Untertanengeist gab es doch, der in den Sozialismus hineingeschleppt wurde. Ein Beispiel: Bei den Pionierorganisationen die Losung »Seid bereit! — Immer bereit!«, eine gewisse militärische Erziehung, wo der schöpferische, kritische Mensch weniger gefragt war als der angepaßte. Das läßt sich doch schwer leugnen.

Das ist eine Konstruktion, meiner Auffassung nach. Es war sicher bequem für manche, das, was man selber wollte, nur nachzuplappern. Es sind heute neue Generationen unter ganz neuen Umweltbedingungen. Manches war psychologisch auch nicht mehr klug, daß es erhalten wurde, daß es fortgesetzt wurde, daß es Tradition blieb. Diese oder jene Tradition hätte man vielleicht psychologisch ganz anders angehen müssen. Aber ich wehre mich eigentlich dagegen, daß man sagt, das deutsche Volk hat immer einen Untertanengeist gehabt. Ich würde sagen: so selbstbewußt, wie das Volk jetzt aufgetreten ist! Vielleicht ist inzwischen manches wieder verschüttet worden, momentan, angesichts dieser großen, mächtigen BRD-Einflüsse. Aber so selbstbewußt, wie dieses Volk aufgetreten ist, da kann man doch nicht behaupten, daß die jungen Leute nicht selbstbewußt seien.

»Wo gehobelt wird, fallen Späne«

Die Nachkriegszeit

1945–1955

Befreiung aus Brandenburg

Wie verlief der Weg von Ihrer Befreiung aus Brandenburg bis zu Ihrer Arbeit als Jugendfunktionär?

Im April 1945 wurden wir vom Frauengefängnis Berlin-Barnimstraße zurückverlegt in die Strafvollzugsanstalt Brandenburg-Görden. In Brandenburg-Görden hatte sich bereits ein Gefangenenausschuß gebildet, dem so bekannte Persönlichkeiten angehörten wie Wilhelm Thiele, Max Frenzel, Gomolla und verschiedene andere. Sie hatten die Zuchthausleitung veranlaßt, daß die Arbeitskolonne, der ich angehörte, im Brandenburger Stahlwerk Reparaturarbeiten durchführen sollte. Wir waren ganz kurz dort, als die Meldung kam: Der erste russische Panzer ist bereits in Brandenburg. Ich habe mich noch einmal bei dem Anstaltsleiter gemeldet und darauf verwiesen, daß ich an und für sich entlassen werden sollte von dem Generalstaatsanwalt in Berlin. Da sagte er mir: »Honecker, was wollen Sie? In Brandenburg kämpft die SS, in Magdeburg die deutsche Wehrmacht. Sie haben überhaupt keine Möglichkeit, hier wegzukommen. Also bleiben Sie noch bitte in der Anstalt.« Kurze Zeit darauf wurden unsere Türen alle aufgeschlossen unter Führung von Kurt Seibt, dem späteren Vorsitzenden der Zentralen Revisionskommission der Partei. Wir wurden aber nochmals eingeschlossen, weil die Gefahr bestand, daß die SS sich wieder des Zuchthauses bemächtigte. Dann, am 27. April 1945, war die Befreiung der Häftlinge endgültig.

Wir machten uns auf nach Berlin. Der Weg war nicht ungefährlich. Aber wir hatten die ganze Zeit gefährlich gelebt.

Sieg der Roten Armee 1945

Alfred Gei war Vertrauensmann bei der Unterkunft.
Seine Frau kannte ich sehr gut, weil sie mich auf einigen
Baustellen in Berlin besuchte, und ich war kurze Zeit bei
ihr untergebracht in Neukölln. Kurz und gut, wir hörten
bald die ersten russischen Laute. Aufgrund meiner man-
gelhaften Sprachkenntnisse glaubte ich doch, daß wir uns
bemerkbar machen sollten mit den wenigen Worten, die
ich beherrschte. Ich habe gerufen: »Towaritsch!« Wir
haben uns gestellt. Es gab eine kurze Vernehmung. Wir
tauchten unter eine Zeltplane. Am frühen Morgen merk-
ten wir, daß wir uns mit einigen Beamten, die auch
geflüchtet waren aus dem Zuchthaus, unter einem Zelt-
dach befanden.

Nachdem ein sowjetischer Übersetzer herangeholt
worden war, eine junge blonde Rotarmistin, wurde klargestellt, daß wir keine Gefangenen sind und mit dem
Gefangenenzug, den die sowjetischen Soldaten begleite-
ten, nach Berlin konnten. Der Leiter des Transports
setzte mich dann noch beim Komsomolsekretär als Hel-
fer ein, und es ging nun über Neukremmen, Reinickeln-
dorf und so weiter nach Berlin. Es kam dann noch der

Durchbruchsversuch der Berliner faschistischen Organisation nach Nordwesten, so daß sich das Feld, auf dem wir uns gerade befanden, eine Waldlichtung, sofort in einen Kampfplatz verwandelte. Aber das war schnell vorbei, so daß wir am 4. Mai in Bernau ankamen. Das war zu dem Zeitpunkt, als Konrad Wolf Stadtkommandant von Bernau war. Ich wußte das nicht.

Ich habe mich gleich auf den Weg gemacht von Bernau über Weißensee. Überall standen Posten. Ich kann mich noch sehr gut daran erinnern. Ich habe allen meinen Wehrausschließungsschein gezeigt. Mein erster Weg war zur Familie Grund, zur alten Oma und ihrer Tochter, die aufgrund der Frauenkriegsdienstverpflichtung im Gefängnis Barnimstraße damals ihren Dienst absolvierte. Von dort habe ich Verbindung aufgenommen zur Kreisleitung der Partei, die schon offiziell gegründet war in der Münzstraße. Das ganze Gebäude und die Zimmer waren rot drapiert mit Losungen. Das war noch vor der Kapitulation.

Ich habe dann mit Hilfe einer Genossin in der Kirchstraße/Landsberger Straße ein Arbeitsbüro eingerichtet. Die Partei war noch nicht zugelassen, und das Arbeitsbüro war eine Tarnung. Wir haben dort gleichzeitig begonnen, den Schutt in den Straßen aufzuräumen und die Dächer in Ordnung zu bringen. Weil Glas nicht vorhanden war, wurden die Fenster mit Pappe zugenagelt.

In der Arbeitsstelle Landsberger Straße tauchte plötzlich ein Auftrag auf, innerhalb von 24 Stunden die Landsberger Straße mit den Fahnen der vier Siegermächte auszurüsten. Das war selbstverständlich eine schwere Sache. Aber es hat sich gezeigt, daß die Berliner damals schon sehr erfinderisch waren, so daß am 8. Mai, als die Kapitulation offiziell in Berlin-Karlshorst erfolgte, die Kolonnen über die Frankfurter Allee durch einen Fahnenwald von alliierten Fahnen fahren konnten.

Kurze Zeit darauf – ich hatte etwas in der Sowjetkommandantur zu tun – traf ich beim Herausgehen aus der Kommandantur Richard Giptner, der mir sehr bekannt war vom früheren Zentralkomitee des Kommunistischen Jugendverbandes. Er lud mich ein zur Prenzlauer Allee, dem Sitz der KPD, dem damaligen Sitz des Zentralkomitees. Ich machte mich auf den Weg und traf dort viele Bekannte wie Hans Mahle, Gretel Kaiser und so weiter. Sie luden mich zu einer Begegnung mit anderen Parteiarbeitern und Genossen ein, die aus den Gefängnissen und Konzentrationslagern entkommen waren. Zum Teil führende Genossen der KPD, und ein Teil war von Brandenburg-Görden. Es kam auch so zu einer Begegnung mit Walter Ulbricht. Das war ungefähr Mitte Mai 1945.

Walter Ulbricht, den ich persönlich bisher nicht kannte, ging von Tisch zu Tisch und wurde begleitet von Waldemar Schmidt. Er kam auch an den Tisch, an dem ich mit einigen Genossen saß, und erkundigte sich nach unserer Vergangenheit, soweit er sie nicht kannte, und welche Pläne wir hatten. Er kam dann mit mir ins Gespräch. Offensichtlich kannte er die Arbeit, die ich im faschistischen Deutschland geleistet hatte, und wußte auch, daß ich zehn Jahre Zuchthaus verbüßt hatte. Er wurde wohl vorher darüber informiert. Jedenfalls fragte er mich, was für Absichten ich hätte, jetzt nach der Befreiung. Ich habe gesagt: »Weißt du, ich möchte jetzt vor allen Dingen zurück nach Hause fahren, ins Saargebiet, um meine Eltern zu sehen und mich dann in die Arbeit der Partei an der Saar einzureihen. Er sagte: »Bleib mal lieber hier. Das Saargebiet bekommen sowieso die Franzosen. Hier kannst du jetzt nützlicher sein, du kannst beim Zentralkomitee der Partei eine gute Arbeit machen. Bist du einverstanden?« Was heißt einverstanden. – Ich habe gesagt, ich bin mit jeder Arbeit einverstanden.

Da ich als Politischer Leiter des Kommunistischen Jugendverbandes Berlin-Brandenburg verhaftet worden war, dachte ich, jetzt kannst du auch hierbleiben, und habe dann als Jugendsekretär des Zentralkomitees der SED gearbeitet, eine Arbeit, die vorher Wolfgang Leonhard machen sollte. Ich habe laufend an den Arbeitsbesprechungen dort teilgenommen und später an den ersten

Sitzungen des Politbüros in der Wallstraße, dem heutigen Sitz des Dietz Verlages. Ich wußte nicht, warum ich dort hinzugezogen wurde.

Anfang Juni kam Wilhelm Pieck. Es war meine erste Begegnung mit Wilhelm Pieck, die ich in meiner Autobiographie beschrieben habe. Wilhelm Pieck war damals verantwortlich für die Entwicklung der Jugendarbeit der KPD. Ich habe deshalb meine Zelte abgebrochen in der Landsberger Straße und bin zur Prinzenallee umgezogen. Im Quartier sollte ich in einer Badewanne schlafen. Das habe ich auch eine Nacht gemacht; am Tag war das mein Büro.

Mit Heinz Keßler haben wir die Jugendausschüsse in Berlin gebildet. Die erste Direktive für die Aufgaben der Jugendausschüsse in den großen Städten der sowjetischen Besatzungszone wurde von mir ausgearbeitet und von Walter Ulbricht kurz verbessert. Zu meiner großen Überraschung erschien sie zwei Tage später in der »Täglichen Rundschau« als Befehl des Marschalls Sokolowski. Dann wußte ich, wie der Hase läuft, und habe im Juli einen Leitartikel über die Jugendausschüsse in der »Deutschen Volkszeitung« und im Herbst wiederum einen Artikel geschrieben, aus dem man heute noch viele Erkenntnisse ziehen kann, wie wir damals an die Arbeit herangingen, damit alle Antifaschisten und Demokraten Hand in Hand arbeiten konnten zum Aufbau Berlins. Wir dachten damals, Berlin wird in Zukunft die Hauptstadt Deutschlands und auch der damaligen sowjetischen Besatzungszone.

So bin ich einfach hineingeschlittert in meine Tätigkeit als Jugendsekretär des ZK der KPD und später als Vorsitzender des Jugendausschusses der sowjetischen Besatzungszone.

Ihre wichtigste Aufgabe bestand wohl darin, eine einheitliche Jugendorganisation zu gründen, deren Vorsitzender Sie später wurden. Wie vollzog sich das?

Die Gründung der Freien Deutschen Jugend war kein leichter Weg. An sich hatten sich die beiden Arbeiterparteien schon geeinigt, eine Sozialistische Einheitspartei zu schaffen. Man brauchte aber noch die Zustimmung der Christlich-Demokratischen Union und der Liberal-Demokratischen Partei zur Gründung einer einheitlichen Jugendorganisation. Die Kirchen hatten bereits die Junge Gemeinde gegründet, und die katholische Kirche hatte verschiedene Organisationen. Wir sind bei den Besprechungen mit den Vertretern der evangelischen und katholischen Kirche davon ausgegangen, daß die Kirchen sowieso eine Jugendarbeit machen, aber diese Arbeit sich ja hauptsächlich innerhalb der kirchlichen Gemeinde, im Pfarrhaus abspielte, so daß wir vorschlugen, sie sollten in die Leitung der Freien Deutschen Jugend je einen oder zwei Pfarrer, verantwortlich für Jugendarbeit, entsenden. Die Kirchen sahen auch darin eine Möglichkeit der Einwirkung auf die Entwicklung der neuen Jugendorganisation. Es gab aber plötzlich die Gefahr, daß alles auseinanderflog. Die kirchliche Seite wollte die Arbeit im Parlament der FDJ einstellen, weil durchgesickert war, daß Gerhard und ein gewisser Bialek den kirchlichen Vertretern erst zusichern wollten, Mitglied des Büros des Zentralrates der FDJ zu werden, sie aber, wenn die Zeit gekommen war, wieder rausschmeißen. Daraus ergab sich die Forderung, wenn das nicht klargestellt und sich entschuldigt wird, dann verlassen die

Kirchenvertreter das Parlament. Es kam zu einer Aussprache sowohl mit Pfarrer Hanisch als auch mit dem Vertreter der Sowjetischen Militäradministration. Wir kamen darin überein, daß die Delegation von Sachsen und Sachsen-Anhalt in dieser Frage eine Erklärung abgeben. Margot, meine spätere Frau, und Gretel Schuster mit ihren Verbindungen sicherten die Mehrheit für den Vorschlag des Zentralrates der FDJ, so daß Gerhard von seinen Funktionen entbunden wurde.

Als Vorsitzender der FDJ

Mußten die sowjetischen Behörden Ihrer Ernennung zum FDJ-Vorsitzenden zustimmen?

Wie Sie wissen, hatten die sowjetischen Besatzungsbehörden ein Interesse daran, daß sich die antifaschistisch-demokratischen Parteien als Massenorganisationen gut entwickelten. Dazu gehörte natürlich auch die Auswahl des Personenkreises. Von diesem Gesichtspunkt aus bin ich durchaus der Meinung, daß sie meinem Einsatz nicht nur zugestimmt hatten, sondern mich auch aufgrund meines früheren Besuches der internationalen Lenin-Schule kannten. Das scheint mir das Geheimnis zu sein, daß ich allen Widerständen zum Trotz ab 1945 in einer ständig steigenden Linie meine Arbeit für die Partei und anfangs im Jugendverband mit Erfolg erfüllen konnte.

Sowjetdeutschland?

Sie wußten aus der Zeit des Faschismus und des Preußentums, daß eine der Grundeigenschaften des deutschen Volkes der Untertanengeist, der Gehorsam und die Disziplin waren. Ist das eigentlich nach 1945 ausgenutzt worden von der SED? Wurden nicht viele Dinge einfach übernommen, Strukturen oder zum Beispiel die Uniformen der NVA mit preußischer Traditionslinie? Warum die Fortführung dieser Traditionen?

Unsere erste Zielstellung 1945 war ja nicht der Sozialismus, sondern die demokratische Umwälzung in ganz Deutschland. Gewiß gab es einige Kräfte, die gleich übergehen wollten zur Schaffung einer sozialistischen Gesellschaft nach dem Vorbild der Sowjetunion. Aber bereits in der Programmerklärung der KPD vom 11. Juni 1945 haben wir verankert, daß es nicht unser Ziel ist, das Sowjetsystem auf Deutschland zu übertragen. Unsere Hauptorientierung war, die Kriegs- und Naziverbrecher zur Verantwortung zu ziehen und gleichzeitig dem deutschen Volke zu helfen, einen demokratischen Weg in die Zukunft zu gehen.

Fragen der Demokratie waren natürlich Fragen, die unter der Jugend nicht unmittelbar auf Verständnis stießen, weil sie keine Begriffe davon hatten. Die Frage des Preußentums hat natürlich auf der Potsdamer Konferenz eine Rolle gespielt. Aber im großen und ganzen gab es in dieser Linie, rein ideologisch gesehen, einen Unterschied zwischen dem, der im Norden Deutschlands zu Hause war, und meinetwegen dem, der sich in Österreich entwickelt hatte. Der Zusammenbruch bei Beendigung des

Krieges hat natürlich ein Volk zurückgelassen, das nicht nur enttäuscht war, sondern in sich zerrissen und keinen Weg mehr in die Zukunft sah. Zur Änderung dieser Situation halfen natürlich die entstehenden demokratischen Parteien. Ich hatte damals die Möglichkeit, alle Besatzungszonen zu besuchen, und in allen war eines typisch: Die früher gewerkschaftlich und parteipolitisch organisierten Menschen ergriffen die Initiative zur Gründung dieser Parteien. Man suchte eine Alternative zu dem, was zurücklag, um den erschütterten Menschen einen Ausweg aus der Lage zu zeigen. So bildeten sich von unten nach oben die verschiedensten Parteien und Massenorganisationen, wobei die KPD und die SPD den Vorzug hatten, daß sie sich überall sehr schnell vermehrten. Das lag weniger an der Rückkehr der im Exil Lebenden, denn diese kamen viel später, sondern an der Tatsache, daß im Widerstand so viele Menschen waren, die die Initiative ergriffen. Nicht zur Verkündung von großen Programmen. Es ging damals darum, daß man für die Menschen Essen besorgen mußte, daß man alles wieder in Ordnung bringen mußte.

Ich denke noch an meinen Artikel, den ich damals für die »Deutsche Volkszeitung« schrieb und in dem ich davon sprach, daß überall ein reges Leben herrschte. Es war das rege Leben. Die Jugend, die auf die Dächer stieg und diese in Ordnung brachte, damit es nicht mehr hineinregnen konnte. Man schuf kommunale Verwaltungen. In Verbindung damit entwickelte sich Schritt für Schritt das politische Leben. Die Verfassung des Landes Hessen zum Beispiel, die ja vor der Bundesverfassung kam, vor dem Grundgesetz, enthielt auch Punkte der Ausrottung der Wurzeln des Faschismus, der Enteignung des Vermögens der Kriegs- und Naziverbrecher, der Verstaatlichung großer wirtschaftlicher Sektionen. Das wurde ja alles später annulliert durch die westlichen Alliierten. Aber der Wille war in einzelnen Ländern in Richtung Sozialismus, wobei als Vorstufe die Demokratisierung galt.

War der angestrebte überparteiliche Charakter der Jugendorganisation wie überhaupt die demokratische Erneuerung nach 1945, rückblickend, nicht nur ein Mittel zum Zweck, um bereits Anfang der fünfziger Jahre den Sozialismus nach sowjetischem Vorbild in der DDR einzuführen und damit die führende Rolle, das heißt die Diktatur der SED zu sichern?

Das kann man keinesfalls sagen. Die demokratische Erneuerung war erforderlich in allen Besatzungszonen. Sie wurde von den Bürgern auch als solche verstanden und unterstützt. Die Hauptfrage, die damals stand, war ja, wie soll es weitergehen. Wobei wir selbstverständlich berücksichtigen müssen, daß sich die demokratische Entwicklung damals noch in sehr engem Rahmen vollzog. Die Mehrheit des deutschen Volkes hat ja die Hitlerbande in ihrem Höhenflug unterstützt und nicht zur Kenntnis genommen, daß aus ihrem Kreis die jüdischen Bürger ermordet wurden. Es gab auch keine große Initiative, um durch eigene Aktionen die Hitlerregierung zu stürzen und damit ein demokratisches, freiheitliches Deutschland zu errichten.

Man muß heute selbstverständlich mit so einer Vorstellung Schluß machen, das deutsche Volk wäre nach 1945 auf die Demokratie vorbereitet gewesen. Im Gegenteil! Wir mußten eine sehr intensive Arbeit leisten zur Aufklärung der ehemaligen Anhänger der NSDAP, die dem Rassenwahn gefolgt waren und der Losung vom »Volk ohne Raum«, in deren Ergebnis die Vernichtung von über 50 Millionen Menschen, darunter auch 6 Millionen Deutsche, erfolgte. Es war eine sehr harte Arbeit, um Verständnis für die Zukunft zu bekommen. Die zu schaffende antifaschistisch-demokratische Ordnung war eine Aufgabe, die sich eine Minderheit stellte, und sie bekam erst mit der Zeit eine breite Basis. Eine Wahl wäre damals ganz unmöglich gewesen. Sie hätten wahrscheinlich noch die alten Gauleiter in den Reichstag gewählt, so war es durchaus verständlich, daß die Besatzungsbehörden in allen Zonen Wert darauf legten, daß erst Landesregierungen gebildet wurden, in denen Kommunisten und Sozialdemokraten mit bürgerlichen Demokraten und Christen zusammenwirkten. Das war bis 1947, wo in fast allen Regierungen Europas und auch in Westeuropa Kommunisten waren. In Frankreich Maurice Thorez, in Italien Palmiro Togliatti. Aber nach und nach flogen die Kommunisten aus allen westlichen Regierungen raus. Das war bestimmt kein Zufall, das war eine organisierte Sache. Der amerikanische und englische Imperialismus hatte Angst, daß sich im Ergebnis des zweiten Weltkrieges überall Regierungen bilden könnten, die ihren Interessen entgegenstanden.

Aber kam nach den demokratischen Ansätzen nicht bald eine Diktatur?

Im ersten Aufruf der Kommunistischen Partei Deutschlands hatten wir ein Minimal- und ein Maximalprogramm. Das Minimalprogramm beinhaltete die Aufgaben, die sofort gemacht werden mußten, um das Leben der Menschen zu sichern. Es waren ja damals überall furchtbare Verhältnisse. Dinge, die man sich heute überhaupt nicht mehr vorstellen kann. Ich bin überrascht, daß man heute davon spricht, nach 58 Jahren Diktatur gäbe es zum ersten Mal Demokratie in der DDR. Das können nur Leute behaupten, die das Jahr 45 nicht erlebt haben, die nicht wissen, daß es einer großen Arbeit bedurfte, um wieder demokratische Verhältnisse zu schaffen. Jene Verhältnisse, die es erlaubten, den Hunger zu überwinden, den Typhus zu bannen, Arbeitsstellen aus den Trümmern wieder herzurichten und damit bessere Lebensbedingungen für das deutsche Volk zu schaffen.

Unser Ziel war zunächst die Schaffung eines einheitlichen demokratischen Deutschlands entsprechend den Grundsätzen des Potsdamer Abkommens. In unserer Erklärung vom 11. Juni 1945 hat das Zentralkomitee der Kommunistischen Partei Deutschlands frei und offen zum Ausdruck gebracht, daß nicht die Absicht bestehe, das Sowjetsystem auf Deutschland zu übertragen. Wir waren bestrebt, eine demokratische Zentralverwaltung zu errichten, eine Regierung, die entsprechend den demokratischen Prinzipien die Arbeit durchführte als Voraussetzung zur Vorbereitung einer Nationalversammlung. Das wurde praktisch durch die Tätigkeit der westlichen Alliierten verhindert. Es kam zum Bruch im Alliierten Kontrollrat, zur Bildung der Bi-Zone und der Tri-Zone, zur Einführung der separaten Währungsreform und damit zur Spaltung Deutschlands. Deutschland hat damals gar nicht mehr bestanden, muß man sagen.

Haben die westlichen Alliierten Ihrer Meinung nach ihr System ganz einfach übertragen?

Daran besteht gar kein Zweifel.

Aber sind die Revolutionen in Osteuropa nach 1945 nicht von oben, aufgrund der sowjetischen Besetzung, erfolgt?

Ich muß da etwas Protest einlegen. Sie haben recht, wenn Sie sagen, daß die westlichen Alliierten ihr System auf ihr Besatzungsgebiet übertragen haben. Man kann aber keinesfalls davon sprechen, daß die Sowjetunion, im Gegensatz zu der Erklärung der KPD, ihr System einschließlich der Wirtschaft auf die sowjetische Besatzungszone übertragen hat. Es wurden bekanntlich Kreisverwaltungen und Länderverwaltungen geschaffen. Es kam ja auch zu den ersten freien Wahlen in der sowjetischen Besatzungszone. Nach der Vereinigung zwischen Kommunisten und Sozialdemokraten stand die neugebildete SED in Konkurrenz zur Liberal-Demokratischen Partei und zur Christlich-Demokratischen Union. Bei diesen ersten freien Wahlen in der sowjetischen Besatzungszone ging die SED mit Erfolg als die stärkste Partei hervor. In den meisten Landtagen besaß sie sogar die Mehrheit.

Aber ist das Gebiet der sowjetisch besetzten Zone, also der späteren DDR, nicht doch nach 1945 einfach »sowjetisiert« worden?

Ich habe Ihnen gegenüber ja bereits betont, daß das Zentralkomitee der KPD bereits im Juni offen erklärt hat, es habe nicht die Absicht, das Sowjetsystem auf Deutschland zu übertragen. Das war keine, wie man zuweilen hört, taktische Erklärung, sondern die Schlußfolgerung nach den Jahren der Hitlerdiktatur, um durch die Vereinigung aller Kräfte für das deutsche Volk überhaupt wieder eine Lebensgrundlage zu schaffen.

Von Stalin stammt ja das Wort: »Die Hitler kommen und gehen, aber der deutsche Staat bleibt.«

In einem Interview während des Krieges soll Stalin Djilas gesagt haben, die Siegermächte werden nach dem Krieg ihr jeweiliges Gesellschaftssystem auf das von ihnen besetzte Gebiet übertragen.

Dazu kann ich selbstverständlich nichts aus eigenem Erleben sagen. Aus den Beschlüssen von Jalta und Potsdam geht eine solche Absicht überhaupt nicht hervor. Es gab vielmehr bei den westlichen Alliierten verschiedene Vorstellungen über das künftige Gebiet, das einst Deutschland hieß. Es gab Pläne der Bildung eines Donaustaates zum Beispiel, unter Einbeziehung Bayerns und Österreichs. Es gab den sogenannten Morgenthauplan, daß auf dem übriggebliebenen Territorium überhaupt keine Industrie mehr aufgebaut werden sollte, sondern nur Landwirtschaft. Es gab weitere Pläne der Zerstückelung Deutschlands, die auch von Churchill ausgegangen sind. Und es ist durchaus verständlich, daß die französische Regierung unter de Gaulle überhaupt nicht einverstanden war mit dem Wiedererstehen eines zentral regierten Deutschlands. So daß ich mir überhaupt nicht vorstellen kann, daß Stalin Djilas gegenüber solche Informationen gegeben hat. Ich kenne das Buch von Djilas. Er schied ja damals aus der jugoslawischen Führung aus. Man darf natürlich nicht vergessen, daß Jugoslawien unter Führung von Tito einen großen Beitrag geleistet hat zur Zerschlagung des Hitlerfaschismus. Tito unterstützte die Schaffung eines einheitlichen, demokratischen Deutschlands. Die Schaffung eines einheitlichen, demokratischen Deutschlands ist ja bekanntlich gescheitert an der Tatsache, daß die Alliierten sich nicht einigen konnten über die Durchführung des Potsdamer Abkommens. Deshalb kam es dann zur Spaltung Deutschlands.

Aber die in den vierziger Jahren bereits getroffenen Maßnahmen, wie zum Beispiel die Enteignungen, die Bodenreform, die Einführung der Planwirtschaft, waren das nicht »Alleingänge« in der damaligen Ostzone, haben die nicht bereits auf Sozialismus nach sowjetischem Vorbild hingezielt und auch Deutschland gespalten?

Nein, das war eine demokratische Umgestaltung entsprechend den Beschlüssen des Potsdamer Abkommens, das ja die Ausrottung des deutschen Imperialismus und Militarismus vorsah. Die Enteignung der Kriegs- und Naziverbrecher war dort eine grundlegende Frage. Sie wurde ernsthaft von der damaligen sowjetischen Besatzungszone in Angriff genommen und unterstützt durch den Volksentscheid in Sachsen, in dem ungefähr 70 Prozent dieser Enteignung zustimmten.

Es wurden doch nicht nur Nazi- und Kriegsverbrecher enteignet, sondern alle Großgrundbesitzer und alle Konzerne, auch viele Mittel- und Kleinbetriebe.

Im Potsdamer Abkommen ging es offensichtlich um diese enge Verbindung zwischen dem Industrie- und Bankkapital, das ja Hitler in den Sattel hob und beim Ausbruch des Zweiten Weltkrieges eine besondere Rolle spielte, sowie den Junkern, die auf den großen Rittergütern saßen. Diese Junker waren schon 1918/1919 Brutstätten der Freikorps. Man wollte von vornherein durch ihre Enteignung verhindern, daß sie diese Rolle erneut spielen konnten. Die zweite Frage war die Bodenreform, die von der sowjetischen Besatzungsbehörde unterstützt wurde, um auch den vielen Umsiedlern die Möglichkeit zu geben, durch die Übergabe von Junkerland in Bauernhand Existenzmöglichkeiten in der Landwirtschaft zu finden. So daß man also keineswegs sagen kann, daß die Enteignung der Kriegs- und Naziverbrecher und die Bodenreform Alleingänge waren, die zur Spaltung Deutschlands führten. Wenn Sie schon wissen wollen, was zur Spaltung Deutschlands führte, dann war es der Wille der westlichen drei Großmächte, die antifaschistisch-demokratische Umwälzung in ihren Besatzungszonen zu verhindern und die alten Besitzverhältnisse wieder herzustellen.

Sie haben über Tito und Jugoslawien geredet. Wie kam es eigentlich zu dieser Distanz zu Tito, die ja bis zur Bezeichnung »Titofaschismus« ging?

Wissen Sie, das sind Probleme, die sich aus der Tatsache ergaben, daß Tito und die hinter ihm stehenden Kräfte nicht gewillt waren, sich Vorschriften machen zu lassen von außen über den Aufbau des Sozialismus in Jugoslawien. Tito hatte damals starke Einwände in bezug auf die Zusammenarbeit mit den kommunistischen- und Arbeiterparteien in Mittel- und Osteuropa; besonders fußten Titos Auffassungen auf dem Aufbau von Selbstverwaltungen, Fragen, die auch in der heutigen Zeit wieder aktuell wurden. Es hat sich aber durch die ganze Entwicklung in Jugoslawien gezeigt, daß das Prinzip der Selbstverwaltungen in der Wirtschaft gescheitert ist, denn die jugoslawischen Völker sind offensichtlich durch den Gang der Entwicklung so enttäuscht, daß gegenwärtig sehr auseinanderstrebende Tendenzen vorhanden sind. Aber wir haben von uns aus diese jugoslawische Entwicklung stets als eine Angelegenheit Jugoslawiens betrachtet. Ich muß sagen, daß ich zu Tito und der ihn

umgebenden Führungsmannschaft von vornherein ein
außerordentlich gutes Verhältnis hatte, weil die ganzen
Erfahrungen gezeigt haben, daß der Bund der Kommunisten doch jene Kraft war, die die jugoslawischen Völker
einigte zum Aufbau einer sozialistischen Gesellschaft,
und daß Tito, aufgrund seiner internationalen Autorität,
eine große Rolle spielte in der Gemeinschaft der nichtpaktgebundenen Länder. Außerdem, und das ist vielleicht die Hauptsache: Tito war von vornherein ein auf-
richtiger Freund der Deutschen Demokratischen Republik. Obwohl Jugoslawien diplomatische Beziehungen
hatte zur Bundesrepublik Deutschland, hat Jugoslawien
diese Beziehungen wieder geopfert aus dem Grunde der
weltweiten Anerkennung der DDR.

Vereinigung KPD und SPD

Ist die KPD, im Unterschied zu den anderen Parteien, nach 1945 von der SMAD besonders gefördert worden?

Natürlich ist es so, daß die KPD seit ihrer Gründung gute Beziehungen zur Partei Lenins unterhielt. Das Bild vom Komintern-Kongreß, auf dem neben Lenin Hugo Eberlein abgebildet ist, brachte das bereits zum Ausdruck. Mit der Gründung der KPD ist gleichzeitig die Grundlage geschaffen worden für die Kommunistische Internationale. Die KPD verfügte seit ihrer Gründung über ausgezeichnete Beziehungen zur Kommunistischen Partei der Sowjetunion. Diese Beziehungen waren gut für die Zeit der Weimarer Republik, insbesondere nachdem Ernst Thälmann die Führung der KPD übernahm und die KPD in der Komintern eine wichtige Rolle spielte. So daß man von vornherein davon ausgehen konnte, daß die KPD aufgrund der guten Beziehungen natürlich auch ihre starke Förderung erhielt nach dem großen Sieg. Das hat die SMAD selbstverständlich nicht davon abgehalten, auch andere Parteien in der sowjetischen Besatzungszone zu fördern, die ihren Beitrag bei der Herausbildung eines demokratischen Deutschlands leisten konnten. Ich denke dabei an die Christlich-Demokratische Union, die sich damals unter Jacob Kaiser herausbildete. Das fand auch seinen Ausdruck in der Förderung der Liberal-Demokratischen Partei Deutschlands mit Dr. Külz an der Spitze, der früher schon mal Reichsminister war, einer der Mitwirkenden bei der Schaffung des Rapallo-Vertrages, und verschiedene andere Persönlichkeiten. Das fand seinen Ausdruck in

der Unterstützung der sich herausbildenden Bauernpartei
sowie später der National-Demokratischen Partei, wo
sehr viele Persönlichkeiten an der Spitze standen, die aus
dem Nationalkomitee Freies Deutschland beziehungsweise dem Bund deutscher Offiziere hervorgegangen
waren und bereits während des Zweiten Weltkrieges der
Hitlerregierung eine scharfe Absage erteilten.

Vereinigung von KPD und SPD.
Wilhelm Pieck und Otto Grotewohl 1946

Man behauptet, daß die NDPD und die Bauernpartei eigentlich die Gründer der KPD gewesen seien, weil deren Chefs, Kurt Goldenbaum und Lothar Bolz, früher Kommunisten waren, vor 1933.

Wissen Sie, es gab schon damals, während der Zeit des Hitlerfaschismus, das Motto: Wer ist schuld an der jetzigen Misere? Die Kommunisten und die Radfahrer! So kann man das natürlich auch heute im nachhinein betrachten. Natürlich war es so, daß die Bauern ein Recht hatten, eine Bauernpartei zu bilden, und es obliegt ja jedem selbst, welcher Partei er beitritt. Bekannt ist, daß Dr. Bolz, der Vorsitzender der National-Demokratischen Partei war, schon lange vorher in der Sowjetunion lebte und nach der Befreiung Deutschlands besondere Beziehungen unterhalten hat zu führenden Offizieren der ehemaligen Hitlerwehrmacht, die in Gefangenschaft lebten. Die haben natürlich diesen Bund gegründet. Wenn Sie schon die Frage stellen, dann möchte ich bloß an Herrn Homann erinnern, der Offizier im deutschen Generalstab war, aus der Gefangenschaft kam und Mitbegründer der National-Demokratischen Partei Deutschlands war und später sogar Vorsitzender der NDPD und stellvertretender Vorsitzender des Staatsrates der DDR. Eine respektable Persönlichkeit bis zu seinem Rücktritt. Wir haben sehr viele Offiziere gehabt. Ich denke hier an Adam, einem Heerführer der Hitlerarmee, den Widerpart von Tschuikow in den Schlachten in der Sowjetunion. Ich könnte noch sehr viele hochgestellte Generäle und Offiziere nennen, die aktiv bei uns mitwirkten, ganz zu schweigen von Generalfeldmarschall Paulus.

Es gibt auch Vorwürfe, daß es damals kein demokratischer Aufbruch war, weil die Startchancen nicht für alle Parteien gleich waren. Das fing mit unterschiedlicher Lebensmittelverteilung an, unterschiedlicher Papierkontingentierung. An zentralen Stellen, bei der Polizei, in den Verwaltungen und so weiter waren immer KPD-Leute eingesetzt.

Also, lassen Sie mal die Greuelmärchen alle weg. Ich möchte Ihnen ganz offen sagen, daß wir, soweit wir aus den Zuchthäusern und Konzentrationslagern sowie aus der Illegalität kamen, natürlich zuerst nur eine Aufgabe sahen: aus den Trümmern heraus dem Volke zu helfen. Wir wollten Lebensmut schaffen und damit eine neue Zukunft. Das, was Sie jetzt sagten, mit unterschiedlichen Lebensmittelbelieferungen, sind Dinge, die erst viel später bei bestimmten Persönlichkeiten eine Rolle spielten, die wir zu dieser Zeit überhaupt nicht hatten. Ich auch nicht.

Das waren auch nicht unsere Ideale. Ich weiß auch nicht mehr, wo damals überhaupt meine Lebensgrundlage herkam. Schließlich wurden nicht gleich am 4. Mai 1945 Lebensmittelkarten gedruckt. Zuerst ging es mal darum, daß die Straßen freigeschippt wurden, daß die Fenster mit Pappe vernagelt wurden, was anderes gab es nicht. Die Dächer mußten wieder in Ordnung gebracht werden, damit es nicht hereinregnete. Wenn ich die Horrorgeschichten vernehme über 40 Jahre SED-Zwangsherrschaft, so möchte ich sagen, daß diese Leute überhaupt keine Ahnung haben, was es bedeutete, nach 1945, bei den Trümmern zum Beispiel hier in Berlin, wieder eine Lebensgrundlage zu schaffen. Von 40 Jahren SED-Herrschaft zu reden ist der größte Quatsch aller Zeiten, weil das, was in der sowjetischen Besatzungszone entstand, nur möglich war durch das Zusammenwirken aller demokratischen Kräfte, um den Menschen Brot zu verschaffen und sie zu ernähren. Hier hat selbstverständlich die Sowjetunion sehr stark geholfen, sogar aus eigenen Beständen. Ich möchte also sagen, daß bis zur Währungsreform auf dem Gebiet der BRD, bis zur Währungsreform in der damaligen sowjetischen Besatzungszone Geld für uns überhaupt keine Rolle gespielt hat, ob ich nun 200 Mark im Monat hatte oder 500 Mark. Wir haben genauso gehungert wie alle anderen. Der einzige Unterschied bestand vielleicht darin, daß wir länger gearbeitet haben wie alle anderen.

Verlief die Vereinigung von KPD und SPD tatsächlich ohne Druck von oben, ohne die sowjetische Militäradministration?

Ich muß sagen, die Vereinigung zwischen Sozialdemokraten und Kommunisten vollzog sich in der sowjetischen Besatzungszone in der Hauptsache durch den Druck von unten. Die, die wir aus dem Zuchthaus oder aus dem Konzentrationslager kamen, beziehungsweise Genossen aus dem Widerstand hatten eine verhältnismäßig starke Bewegungsfreiheit. Wir waren von vornherein der Meinung, daß es notwendig ist, nach dem Sieg über den Faschismus die Einheit der Arbeiterbewegung herzustellen. Seit dem 4. Mai, an dem ich in Berlin eintraf, haben wir keine Unterschiede gemacht zwischen Sozialdemokraten und Kommunisten. Wir haben gut zusammengearbeitet, haben uns gemeinsame Aufgaben gestellt und waren sehr betroffen, daß auf einmal die Losung kam, sowohl von Parteivorstand der KPD als auch vom Parteivorstand der SPD, daß wir uns wieder trennen sollten. Nun gut, wir haben uns getrennt, um später nochmals zu einer Einigung zu kommen. Aber diese Tendenz, das kann ich aus eigenem Erleben sagen, war auch in der amerikanischen Besatzungszone, in der französischen und zum großen Teil auch in der britischen. Ich kam von Berlin oft in das Ruhrgebiet und konnte mich selbst davon überzeugen, daß der Einigungswille trotzdem sehr stark ausgeprägt war. Die Einigung der Arbeiterbewegung und die Schaffung einer einheitlichen Partei der revolutionären Arbeiterklasse wurde in den westlichen Besatzungszonen verhindert durch die Besatzungsmächte, während sie nach dem Dezember 1945 in der sowjetischen Besatzungszone durch den sowjetischen Kommandanten stark unterstützt wurde.

Wurden die KPD und die SPD aber nicht doch mit Hilfe von oben, mit Hilfe der SMAD zwangsvereinigt? Zum Beispiel durch die Verhaftung vieler Sozialdemokraten, die als »Vereinigungsfeinde« angesehen wurden?

Wissen Sie, das ist eines der großen Märchen, die man immer wieder auftischt, ohne überhaupt zu wissen, was am Anfang war. In der Bibel heißt es: Am Anfang schuf Gott Himmel und Erde, und der Geist schwebte über dem Wasser. Nach 1945 war es so. Doch da sah man weder die Schaffung der Welt noch den Geist, der über den Trümmern schwebte. Die Lebensbedingungen zur damaligen Zeit waren so, wie ich sie 1947 noch antraf in den Trümmern Stalingrads. Die Menschen wohnten damals noch in Erdlöchern. Berlin, Magdeburg und Dresden oder andere Städte waren solche Trümmerhaufen, wie man sie sich gar nicht vorstellen kann.

Die Geburtsstunde des engen Zusammenwirkens von Sozialdemokraten und Kommunisten war zu dem Zeitpunkt so, daß man sich unter den Schlägen der SA und der SS darauf besann, wie sich Sozialdemokraten und Kommunisten vor der Naziherrschaft gegenseitig bekämpft hatten und sich dann in den Konzentrationslagern wiederfanden. In der Illegalität wurden die Grundlagen für die Einheit der Arbeiterbewegung herausgebildet. Wer was anderes sagt, der weiß nicht, was es bedeutete, unter den Bedingungen der Gestapoherrschaft einen gemeinsamen Kampf zu organisieren. Natürlich waren nur Sozialdemokraten und Kommunisten in der damaligen Zeit für den Sozialismus. Aber später hat sich gezeigt, daß sogar die CDU, als sie gegründet wurde, mit dem Sozialismus sympathisierte. So ist es in anderen Gebieten auch gewesen, nicht nur in Berlin, davon konnte ich mich später überzeugen, daß Kommunisten und Sozialdemokraten zusammen arbeiteten, als wären sie bereits eine Partei. Wir hatten noch keinen Namen für die Partei, aber wir hatten Arbeitsbüros. Ich war der Leiter eines solchen Arbeitsbüros. Wir gehörten zu einer Partei, die noch nicht genehmigt war. Als ich die Verbindung bekam zum Zentralkomitee, zu Walter Ulbricht und später Wilhelm Pieck, erst dann haben wir uns mit den Vorschlägen dieser führenden Genossen beschäftigt, daß es richtig ist, mit einer einheitlichen Partei zu beginnen. Es wurde dann die Losung ausgegeben, sich zuerst zu trennen und sich dann später zu vereinigen. In Berlin-Mitte haben Sozialdemokraten und Kommunisten bereits gemeinsam gearbeitet. Da gab es keinen Unterschied. Wir waren davon überzeugt, jetzt muß eine einheitliche Arbeiterpartei entstehen. Erst von außen, aufgrund von Beschlüssen des Zentralkomitees der KPD in Moskau und den Beschlüssen der SPD, die sich in der späteren Bundesrepublik unter Schumacher bildete, entstanden auf einmal öffentlich die Kommunistische Partei und die Sozialdemokratische Partei. Am 11. Juni 1945 wurde dann der Aufruf des ZK der KPD erlassen mit einem Minimal- und einem Maximalprogramm. Dafür wurde ernsthaft gekämpft. Es kam zur Aktionsgemeinschaft zwischen Kommunisten und Sozialdemokraten für die Schaffung eines einheitlichen und demokratischen Deutschland und es kam die Entwicklung in den westlichen Zonen der Bildung der Sozialdemokratischen Partei unter Kurt Schumacher. Aber es gab auch viele Querverbindungen zwischen den sozialdemokratischen und den kommunistischen Parteien der Länder.

Ich habe ja ursprünglich die Absicht gehabt, nach drei bis vier Jahren zurückzufahren in das Saargebiet, um auch meine Eltern wiederzusehen. Ich konnte das nur aufgrund eines Parteiauftrages. Das Politbüro unter Wilhelm Pieck und Walter Ulbricht gab mir die Genehmigung, daß ich reisen konnte. Intern wurden die Feierlichkeiten zum 70. Geburtstag von Wilhelm Pieck, am 3. Januar 1946, vorbereitet. Ich erhielt den Auftrag, mich in Frankfurt am Main mit führenden Genossen zu treffen, um ihnen die Einladung zum 70. Geburtstag von Wilhelm Pieck zu überbringen. Außerdem erhielt ich den Auftrag, bei Herbert Wehner vorzusprechen mit der Bitte, mich mit ihm treffen zu können, falls er schon in der britischen

Zone sein sollte. Ich machte mich mit einem großen Ausweis, der von Marschall Tschuikow unterschrieben war, auf den Weg und wollte möglichst schnell nach Neukirchen fahren, mit den Zwischenstationen Frankfurt am Main und Mannheim. Die Züge waren damals überfüllt, nicht nur die Coupés, sondern auch die Dächer. Bei Jüterbog/Zossen muß es gewesen sein, da hielt der Zug und fuhr nicht weiter. Was blieb mir anderes übrig, als in den Gegenzug umzusteigen und nach Berlin zurückzufahren, um am nächsten Tag einen Zug zu finden, der wirklich durchfahren konnte. Ich fuhr zurück, traf mich in der Wallstraße mit Walter Ulbricht, und der sagte: »Gut, daß du zurückgekommen bist, denn es gibt eine Reihe von Fragen, die müßtest du mit den Genossen dort besprechen.« Dann gingen wir in sein Büro, und er sagte: »Weißt du, Erich, wir haben die Schaffung einer organisatorischen Einheit der Sozialdemokratischen und der Kommunistischen Partei besprochen. Das scheint uns akut zu werden im Zusammenhang mit der Entwicklung in den westlichen Zonen, damit nicht ein Graben zwischen den beiden Arbeiterparteien entsteht durch die dortigen Bestrebungen, die abzusehen sind, Zonenregierungen zu bilden und so weiter. Wir werden hier Ausschüsse bilden, das heißt, unser Politbüro bespricht das mit dem Ausschuß der SPD.« Der stand damals unter Führung von Grotewohl, Fechner, Dahrendorf und Palm. »Sage den Genossen, wir halten es für richtig, daß man jetzt die Frage der politischen und organisatorischen Einheit der beiden Parteien stellt«, sagte Ulbricht. Das war für mich selbstverständlich etwas ganz Neues.

Ich bin dann am anderen Tag wieder losgefahren. Diesmal hatte ich Glück.

Wie kam es eigentlich zu dem Namen SED? Bezog sich das Wort »Einheit« auf die Einheit der Arbeiterklasse oder auch auf die Einheit Deutschlands?

Das bezog sich vor allem auf die Einheit der Arbeiterklasse. Und die Partei hatte sich zugleich natürlich als erste die Aufgabe gestellt, die Einheit eines demokratischen Deutschlands herzustellen. Um das Wort Demokratie gab es verschiedenartige Auslegungen. Die westlichen Alliierten waren nicht bereit, wie es im Potsdamer Abkommen vorgesehen war, eine Zentralverwaltung in Berlin zu gründen.

Ist vielleicht die Ursache der Spaltung Deutschlands nicht auch darin zu sehen, daß die Sowjetunion, die KPD und die SED versucht haben, in ganz Deutschland den Sozialismus zu errichten?

Sie sprechen immer von der sowjetischen Besatzungszone − aber niemals von der amerikanischen, französischen und der englischen. In der Politik müssen Sie davon ausgehen, daß beide Seiten dabei zu betrachten sind. Die Hauptursachen der Spaltung Deutschlands lag darin, daß im Alliierten Kontrollrat keine einheitliche Auffassung zustande kam, wie man einen demokratischen deutschen Staat schafft. Es gab ja bekanntlich andere Konzeptionen, wie wir heute wissen. Heute ist doch bekannt − ich habe das vor kurzem in einem Buch von einem Mitarbeiter der Organisation Gehlen gelesen, der später für den sowjetischen Nachrichtendienst arbeitete −, daß in der britischen Besatzungszone aufgrund eines Befehls von Churchill alle Waffen aufbewahrt wurden, um innerhalb kurzer Zeit dort eine deutsche Armee zu bewaffnen und in den Kampf gegen die Sowjetunion zu führen.

Das ist die Kehrseite der Medaille. Sie müssen schon die Dinge unmittelbar in der Nachkriegsentwicklung ewas differenzierter sehen. Das gleiche kann man von der amerikanischen Politik sagen. Es ist eine Tatsache, daß der bekannte Morgenthau-Plan Deutschland in einen Landstrich verwandeln wollte, in dem nur noch Obst, Gemüse und Getreide angebaut werden sollte und alle Fabriken verschwinden. Es gab auch im Kontrollrat eine Auseinandersetzung darüber, welche Staaten eigentlich auf dem Boden des früheren Deutschen Reiches entstehen sollten und welche nicht. Wir haben es besonders der sowjetischen Seite zu verdanken, daß unsere Politik der Schaffung eines einheitlichen, demokratischen Deutschlands von ihnen sehr stark unterstützt wurde, nicht nur in unserem, sondern auch im sowjetischen Interesse, um ein- für allemal die Möglichkeit auszuschalten, daß von deutschem Boden wiederum eine Gefahr für die Sowjetunion und die Völker des Ostens und des Südens ausgeht.

Erinnerung an Wilhelm Pieck,
Otto Grotewohl,
Walter Ulbricht, Anton Ackermann,
Max Fechner,
Wilhelm Zaisser, Rudolf Herrnstadt

Können Sie aus heutiger Sicht die Persönlichkeiten von Walter Ulbricht, Wilhelm Pieck und Otto Grotewohl vergleichen? Worin bestanden ihre Stärken oder auch ihre Schwächen?

Ich habe nicht die Absicht, im nachhinein zwischen diesen Persönlichkeiten, die eine große Rolle spielten in der Nachkriegsentwicklung, zu differenzieren. Natürlich, Wilhelm Pieck besaß eine große Autorität und war auch offensichtlich jene Persönlichkeit, die die Grundlage schuf zu einer guten Zusammenarbeit zwischen dem Zentralkomitee der Kommunistischen Partei Deutschlands und dem Parteivorstand der SPD. Wilhelm Pieck war sehr populär auch unter der Jugend.

Otto Grotewohl, muß ich sagen, gewann mit seiner Feinfühligkeit, seiner klugen Politik und seinem Auftreten sehr rasch die Herzen der Menschen. Ich erinnere hier an die Goethefeier in Weimar. Sein Referat stand unter dem Motto: Amboß oder Hammer sein. Er wollte, daß die deutsche Jugend Hammer ist, die das Glück ihrer Zukunft schmiedet.

Was Walter Ulbricht betrifft, hat sich von vornherein der Haß der ganzen Reaktion gegen ihn gerichtet, schon aufgrund seiner Funktion und seines Könnens politisch und organisatorisch, auch in theoretischer Hinsicht. Ihm fiel die Aufgabe zu, die sowjetische Besatzungszone von dem Mist der faschistischen Pest zu reinigen, die ja in allen Amtsstuben noch vorhanden war, auch noch in den Chefetagen der Konzerne. Ich habe Walter Ulbricht erlebt beim Aufbau zum Beispiel des Berliner Magistrats, der Bezirksverwaltungen in Berlin, bei der Bildung des

Freien Deutschen Gewerkschaftsbundes. Ich muß sagen, daß er eine große Leistung vollbracht hatte, nicht nur in Berlin, sondern in der gesamten sowjetischen Besatzungszone. Aber seine Tätigkeit war nicht nur darauf beschränkt. Damals bestand ja noch eine einheitliche Kommunistische Partei Deutschlands. So wirkte er auch in den westlichen Besatzungszonen. Auch hier hat Walter Ulbricht eine große Tätigkeit entfaltet, ebenso wie Wilhelm Pieck, Otto Grotewohl, später kam Franz Dahlem hinzu, Anton Ackermann und die anderen Funktionäre. Sie haben alle einen großen Beitrag geleistet zur Schaffung eines antifaschistisch-demokratischen Deutschlands. Wenn das nicht möglich wurde, so ist das nicht auf die KPD zurückzuführen, wie man sagt, auf ihre sozialistischen Zielstellungen, sondern einfach auf jene Kräfte, die mit Unterstützung der westlichen Besatzungsbehörden daran interessiert waren, daß die demokratische Umgestaltung sich nicht in den westlichen Besatzungszonen vollzog.

Können Sie etwas über Anton Ackermann sagen und zu den Gründen seiner Absetzung?

Zu Anton Ackermann möchte ich folgendes sagen: Als ich 1930 die Leninschule in Moskau besuchte, wurde ich im Zimmer von Anton Ackermann untergebracht. Er war zur damaligen Zeit auch Student und war einige Wochen dort. Dann wurden wir beide verlegt. Wir bezogen Quartier in dem ehemaligen Palais der Prinzessin der Zarenfamilie. Wir haben uns damals natürlich mächtig was eingebildet, im Verhältnis zur Unterkunft von anderen Studenten. Das Leben brachte es mit sich, daß wir uns dort sehr oft begegneten. Er war in einem 3-Jahres-Studium und ich in einem 1-Jahres-Lehrgang.

Ich traf Anton später erst nach seiner Rückkehr aus der Sowjetunion wieder. Er kam nicht mit der Gruppe Ulbricht zurück, soweit ich mich entsinnen kann, und ging zunächst nach Sachsen. Er kam mit der Gruppe von Matern zurück. Er wollte wahrscheinlich auch in Sachsen bleiben, aber

Politbüro der SED 1950.
Sitzend v.l.n.r.: Franz Dahlem, Walter Ulbricht, Wilhelm Pieck,
Otto Grotewohl, Hans Jendrezky. Hintere Reihe v.l.n.r.:

Rudolf Herrnstadt, Fred Oelßner, Hermann Matern,
Wilhelm Zaisser, Heinrich Rau, Anton Ackermann,
Erich Mückenberger, Erich Honecker

Wilhelm Pieck hat veranlaßt, daß er nach Berlin kommt. Er wurde dann Sekretär für wissenschaftliche Fragen. Das ganze Gebiet der Ideologie und Wissenschaften wurde von ihm bearbeitet. Ich weiß, daß er den Artikel »Der deutsche Weg zum Sozialismus«, der zu seiner Ablösung führte, nicht von sich aus schrieb, sondern im Auftrage des Politbüros, so daß er später die ganze Kritik zu seinem Artikel gelassen auf sich nahm. Das bedeutet nicht, daß ihm diese Kritik gleichgültig war. Er war ziemlich erschüttert und hat eine selbstkritische Position eingenommen, obwohl er diesen Artikel im Auftrage des Politbüros geschrieben hatte. Es war gar nicht alles schlecht, was in diesem Artikel geschrieben stand. Man muß ja sehen, daß wir in der damaligen Zeit bestrebt waren, ein einheitliches, demokratisches Deutschland aufzubauen und auch ein sozialistisches Deutschland. Er hat seine Arbeit danach weitergemacht im Zentralkomitee und der Partei, und ich war sehr oft mit ihm zusammen, weil er die ideologische Arbeit der FDJ angeleitet hatte. Dann wurde er krank und ist langsam ausgeschieden aus dem politischen Leben. Seine Frau hat noch sehr lange an mich geschrieben, und wir haben auch alles getan, um ihn sehr gut zu versorgen.

Was war mit Max Fechner?

Max Fechner wurde ja im Zusammenhang mit dem 17. Juni 1953 inhaftiert. Obwohl ich Kandidat des Politbüros war, hatte ich nie gehört, daß Max Fechner verhaftet und verurteilt worden war und im Gefängnis saß. Zum Erstaunen habe ich das erst vernommen, nachdem Max Fechner nach 1953 aus der Haft herauskam und rehabilitiert wurde. Max Fechner war natürlich durch die Inhaftierung sehr gebrochen und spielte danach keine aktive Rolle mehr im Zentralkomitee der SED, obwohl er nach wie vor noch arbeiten konnte.

Heinz Keßler und ich waren sehr verbunden mit Max Fechner. Unser erstes Zusammentreffen mit ihm war ja noch vor der Gründung der SED im Zusammenhang mit der Bildung der Freien Deutschen Jugend. Wir hatten ein

Gespräch mit Max Fechner im Haus der SPD in der Behrenstraße, früher das Gebäude der Dresdner Bank. Da saß der Parteivorstand der SPD. Er sagte damals, die Parteifreunde der SPD verzichteten auf die Gründung einer eigenen Jugendorganisation. Das gleiche konnten wir sagen vom ZK der KPD.

Max Fechner war praktisch verantwortlich als Vorsitzender der SED für die Jugendarbeit. Wir haben dann mit ihm die Vereinbarung getroffen für die Gründung der Freien Deutschen Jugend, so daß es auch später mit ihm ein sehr freundschaftliches und kameradschaftliches Verhältnis gab. Ich wußte wirklich nicht, warum man solche Repressivmaßnahmen gegen Max Fechner unternahm. Er hatte Parität mit Walter Ulbricht, auf gleicher Position nach der Vereinigung zwischen den beiden Parteien. Beide waren also stellvertretende Parteivorsitzende. Otto Grotewohl und Wilhelm Pieck die Vorsitzenden. Die anderen Paritäten kenne ich nicht mehr so genau. Es waren aber nicht unsere Organe, die bei seiner Verhaftung die entscheidende Rolle spielten. Es waren die Organe der Sowjetunion. Es gab ja verschiedene Festnahmen zur damaligen Zeit von ehemaligen SPD-Mitgliedern.

Hat Ihnen das nicht sehr schwer zu schaffen gemacht, daß ehemals führende Sozialdemokraten wie Max Fechner auf diese Weise behandelt wurden?

Die Umstände, die zur Verhaftung Max Fechners führten, waren, wie ich später hörte, nicht stichhaltig. Es ging, wenn ich mich richtig erinnere, um ein Interview im ND zur Streikfrage. Fechner war ja gleichzeitig Justizminister. Die Verhaftung soll auf Weisung von Zaisser erfolgt sein. Von einem Prozeß gegen ihn war im Politbüro nie die Rede. Das alles vollzog sich außerhalb, auf welchen Wegen, unter welchen Umständen, das weiß ich nicht.

Was können Sie über General Zaisser sagen, dem ersten Minister für Staatssicherheit der DDR?

Nun ja, Zaisser war Minister für Staatssicherheit, vor Erich Mielke und Wollweber. Als solchen lernte ich ihn näher im Politbüro kennen. Ich war ja seit 1950 Kandidat des Politbüros, und Zaisser war bereits Mitglied.

Da sind zwei Episoden, die ich besonders mit dem Namen Zaisser verbinde: Er bat mich eines Tages, einen Kreis von FDJ-Funktionären zusammenzurufen, damit er dort über die Aufgaben der Staatssicherheit sprechen kann, um in Verbindung damit weitere Kräfte und Aktivisten aus der FDJ herauszuziehen zum Aufbau des Ministeriums für Staatssicherheit. Führende Kräfte hatte ich damals verloren als FDJ-Sekretär, sie entbunden, wie zum Beispiel Helmut Hartwig, Gerhard Heidenreich und eine ganze Reihe anderer, auch Bezirks- und Kreissekretäre, die zum Ministerium für Staatssicherheit übergingen. Mielke, den ich damals schon kannte, trat nicht so in Erscheinung.

Zaisser war, wie gesagt, der erste Minister für Staatssicherheit, war General, schon zur Zeit des Spanienkrieges, und aktives Mitglied der Internationalen Brigaden. Für uns eine verehrungswürdige Person.

Obwohl er Ihre Leute abgeworben hat?

Nun ja, abgeworben, es war die Aufgabe der Freien Deutschen Jugend. Die Freie Deutsche Jugend hat ja die Kader gestellt für die Volkspolizei, für den Aufbau der Nationalen Volksarmee und eben auch für das Ministerium für Staatssicherheit. Das war damals ein großer Verlust und führte zur Schwächung der Freien Deutschen Jugend, daß er mir meine Leute wegholte.

Die zweite Episode, die mich besonders an Zaisser erinnert, war folgende: Damals gab es in Magdeburg zwei Betriebsleiter. Die Namen sind mir im Augenblick nicht mehr in Erinnerung. Die waren dort eingesetzt in den früheren Krupp-Betrieben. Jetzt sind das die großen Werke wie der Schwermaschinenbau »Ernst Thälmann«, das »Georgi-Dimitroff-Werk« und so weiter. An der Spitze dieser Betriebe standen zwei frühere bürgerliche Persönlichkeiten. Aber das hatte nichts zu sagen, denn wir hatten in allen Betrieben progressive Menschen von früher, die etwas von den Dingen verstanden. Denn um leiten zu können, muß man ja was davon verstehen. Da reichte das Parteibuch nicht aus. Überhaupt sind wir in solchen Fragen nie vom Parteibuch ausgegangen, sondern, ob diese Leute kompetent waren und leiten konnten oder nicht. Ich habe mir mal erlaubt, zum Zaisser zu sagen: »Ich weiß gar nicht, wie man diesen Betriebsleitern, diesen Leuten den Stalinpreis verleihen konnte.« Darauf sagte Zaisser zu mir: »Du, Erich, sei zurückhaltend, wenn Stalin und die KPdSU diesen Leuten den Stalin-Orden überreichen, dann haben die das auch verdient, und dann ist für uns keinerlei Kritik daran zulässig.« Das war Zaisser und seine Verbundenheit mit der KPdSU. Ich war auch verbunden mit der KPdSU, hatte auch unter Stalin die bekannten Vorstellungen zur damaligen Zeit, aber daß man daran keine Kritik üben durfte, habe ich zum ersten Mal von Zaisser gehört.

Was mir bei Zaisser noch sehr wichtig erscheint, ist, daß er eine Frau hatte, die mit großer Umsicht und Fähigkeit als Minister für Volksbildung arbeitete.

Zaisser selbst war so verbunden mit der sowjetischen Tscheka, daß wir 1953 große Wachsamkeit üben mußten nach dem Tode von Stalin. Wir haben auch eine Begegnung mit Zaisser unmöglich gemacht auf dem Flugplatz von Schönefeld. Da kamen zwei Vertreter von Berija, die ihr Handwerk in der DDR ausüben wollten mit anderen, die schon in der DDR waren, und wir haben sie gleich zurückgeschickt.

Das konnten Sie, obwohl doch Zaisser Minister war?

Ja, das konnten wir. Wir haben ja Zaisser dann auch später abgesetzt.

Was wollten die beiden Berija-Leute mit Zaisser?

Es ging, wie in Ungarn und in der ČSSR, um den Slansky-Prozeß. Es ging dabei praktisch um die Person Walter Ulbrichts. Es bestand die Gefahr, daß, wie die anderen Generalsekretäre, auch Walter Ulbricht in diesen Prozeß einbezogen werden sollte. Wir haben das zum Glück abgewehrt. Das war noch vor dem Tode Stalins.

Aber Walter Ulbricht kam doch aus Moskau.

Ja, schon, aber Slansky war auch in Moskau, und die Ungarn waren auch in Moskau. Es ging damals um die sogenannte Field-Affäre, ein Amerikaner. Ich kann es jetzt nicht mehr so genau sagen. Man müßte nachschauen. Der Amerikaner sollte eine miese Rolle gespielt haben in der Arbeiterbewegung der osteuropäischen Länder. Man bezeichnete ihn als Agenten des Imperialismus und hat dann allen, die mit ihm in Verbindung standen, den Prozeß gemacht. Es war für uns ja abzusehen, daß mit dem Erscheinen der Berija-Leute nun bei uns was passiert. Es waren immerhin die beiden stellvertretenden Minister für Staatssicherheit in der Sowjetunion. Und wir haben gesagt, bei uns nicht! Die wurden also zurückgeschickt. Zaisser wurde abgelöst durch Wollweber, und Walter Ulbricht blieb an der Macht.

Warum blieb Walter Ulbricht an der Macht, trotz der Gefahr, in den Slansky-Prozeß verwickelt zu werden? Hatten Sie damals tatsächlich so viel Kraft, um das zu verhindern?

Das Wort Macht ist überhaupt nicht angebracht in unserem Sprachgebrauch. Ich möchte sagen, daß Walter Ulbricht lange Zeit an zweiter Stelle wirkte im Zentralkomitee der KPD beziehungsweise der SED. Jedenfalls so lange, wie Wilhelm Pieck und Otto Grotewohl Vorsitzende waren. Als Generalsekretär in der Partei war er bestrebt, seine Aufgaben zu erfüllen, wobei selbstverständlich die damalige Zeit unserer Partei Schwierigkeiten brachte im Ergebnis des Krieges und der Nachkriegsentwicklung. Man konnte natürlich nicht mit hochgekrempelten Ärmeln an den Aufbau einer demokratischen Ordnung gehen, an das Ingangsetzen der Betriebe, wenn zum Teil Betriebe nicht nur einmal, sondern zweimal demontiert wurden, wenn gleichzeitig das zweite Eisenbahngleis ausgebaut wurde und über die Elbe nur noch bei Wittenberg eine Brücke führte. Alle anderen lagen doch im Wasser.

Was fällt Ihnen zur Ablösung von Rudi Herrnstadt ein, der ja damals Chefredakteur des »Neuen Deutschland« war und zusammen mit Zaisser aus dem Politbüro und später aus der Partei ausgeschlossen wurde?

Der Ausschluß von Rudi Herrnstadt aus dem ZK erfolgte im Zusammenhang mit den Ereignissen um den 17. Juni 1953. Vor kurzem las ich ein Protokoll einer Aussprache zwischen den Delegationen des ZK der KPdSU und dem ZK der SED. Zur Delegation der SED gehörten Otto Grotewohl, Walter Ulbricht und Fred Oelßner. Inhalt der Gespräche war die Lage in der DDR. Im Verlaufe der Diskussion traten Malenkow und Berija sehr kritisch auf. Berija verstieg sich zu der Forderung, die DDR aufzugeben. Dies bestätigten nicht nur die Mitglieder der Delegation der SED, sondern auch Chruschtschow, der 1963 öffentlich erklärte, Berija habe die DDR als sozialistischen Staat liquidieren wollen und die Anweisung gegeben, auf die Zielstellung des »umfassenden Aufbaus des Sozialismus« zu verzichten. Eben zu dieser Zeit, im Jahre 1953, verfolgte Herrnstadt mit Zaisser das Ziel, Walter Ulbricht zu stürzen, zu einem Zeitpunkt, wo die Partei eine feste Führung benötigte. Nach der Verhaftung Berijas schlug diese Absicht fehl.

Erste und zweite Ehe

Frau Honecker, wie ging es mit Ihnen weiter, als Sie aus Schlesien nach Halle zurückkehrten?

Wir hatten zunächst keine Wohnung. Wir haben immer abwechselnd bei anderen Genossen gewohnt, bis mein Vater wiederkam, da kriegten wir eine Wohnung. Mein Bruder fing an zu arbeiten und mein Vater auch. Ich war bei der Jugend, Vater bei der Gewerkschaft und mein Bruder war bei der Partei. Wir haben uns sehr gut verstanden und uns in vielen Situationen geholfen, aber jeder ist seinen eigenen Weg gegangen.

Sie sind, wenn man so sagen darf, also Funktionärin geworden. Warum sind Sie nicht in einen anderen Beruf gegangen, etwa als Lehrerin?

1945 waren solche jungen Leute wie ich, mit einer solchen Entwicklung, außerordentlich wenige. Es war natürlich klar, ich wollte unwahrscheinlich gern zum Studium gehen. Aber dann sagte die Partei: »Mädchen, hör zu, wen sollen wir nehmen, der die anderen auffordert und überzeugt, zum Studium zu gehen?« Ja, man hat immer gemacht, was notwendig war. Notwendig war in dieser Zeit, mit den jungen Leuten zu arbeiten, sie zu gewinnen mitzumachen, Neues anzupacken, nicht mutlos zu sein. Wenn man das als Funktionärslaufbahn bezeichnen will. Also ein alter Genosse, der immer Verständnis hatte für mich und mein pädagogisches Wollen und Veranlagtsein, der hat immer gesagt: »Nun sei doch mal zufrieden, du bist doch ein Pädagoge, du machst doch laufend pädagogische Arbeit unter der Jugend.« Der verstand den Begriff Pädagogik eben weiter.

Als Vorsitzende der Pionierorganisation
in den fünfziger Jahren

Aber haben Sie darunter nicht gelitten?

Manchmal war ich ein bißchen traurig. Aber gelitten? Man mußte sich ja alles in den 12 und 14 Stunden, die man gearbeitet hat, selbst aneignen. Ich habe an Kursen als Neulehrer in Halle teilgenommen. Da gab es

Sozialdemokraten, alte Pädagogen, die machten Psychologie, ein bißchen Pädagogik, und dann alle Schriften, die herauskamen. Da hast du eben gesessen und hast selber studiert und hast dir viel, viel selbst zusätzlich und mühselig angeeignet. Was ich immer jungen Leuten gesagt habe, war: »Mensch, nutz die Zeit!« Na klar, ein junger Mensch sagt, ach Gott, wozu das alles lernen? Ich habe gesagt, ich habe eine eigene Erfahrung, es ist schwer nachher, wenn man sich hinsetzt.

Das war wohl bei vielen aus dieser Zeit so. Die Partei hat gesagt, wir brauchen dich jetzt an dieser Stelle, und da mußt du deine persönlichen Ambitionen zurückstecken, oder?

Das war für uns eine Selbstverständlichkeit, das stand nicht nur im Statut der Partei. Wer natürlich aus opportunistischen Gründen in die Partei gegangen ist, später, der soll sich heute nicht beschweren! Damals ging man in die Partei, und das hieß nicht, daß man eine Laufbahn eröffnet kriegte oder eine Funktion geschenkt bekam. Das hieß eben doch, sein ganzes Leben einzuschränken, auch sein persönliches Leben.

Sind damals nicht viele einfach umgeschwenkt und haben gesagt, gut, das ist jetzt die neue Ordnung, da werde ich mal versuchen hochzukommen?

Sicher. Ich glaube, wenn es nicht so viele gegeben hätte, wäre manches besser gelaufen. Aber für uns, die wir damals angefangen haben, für uns galt nur folgendes, wenn man schon sagt: Funktionärslaufbahn – ich habe immer weiter das gemacht, was von mir verlangt wurde, mal mit weniger Enthusiasmus, weniger Freude, mal mit mehr. Das ist sehr unterschiedlich gewesen. Aber letzten Endes niemals um einer Funktion willen, niemals, weil mein Vater ein alter Kommunist war und ich dort viele Bekannte hatte oder weil mein späterer Mann eine Funktion hatte. Nein, ich war ich selber! Das wollte ich mir nie nehmen lassen. Wenn andere Leute das manchmal anders gesehen haben – die kannten mich einfach nicht.

Bevor Sie Ihren Mann kennenlernten, haben Sie schon einen festen Freund in Halle gehabt?

Während der Nazizeit hatte ich gar keine Möglichkeit. In der Jugendarbeit nachher habe ich, weil ich vielleicht ein ganz hübsches Mädchen war, viele Verehrer gehabt. Manche haben mir das erst später gestanden. Es gab auch meine erste Liebe. Aber das hielt nicht. Naja, man hat geflirtet, das gab es alles. Aber man hatte eigentlich nie so eine richtige feste Bindung.

Erich war also Ihr erster fester Mann?

Fest ja. Das war zum Beispiel auch so was. Erich war ja schon verheiratet und war ein großer Chef. Ich weiß, als ich damals von Halle nach Berlin geholt wurde, hat Erich mit mir das Gespräch geführt. Da war ich bereits eine sehr aktive, bekannte Jugendfunktionärin aus Sachsen-Anhalt. Dort war ich zu Hause, dort kannte ich alle, auch alle Kreise und Ortsgruppen. Es fiel mir sehr schwer, von Halle wegzugehen. Damals bestand die Notwendigkeit, eine Vorsitzende der Pionierorganisation zu haben. Es war eine relativ selbständige Funktion. Und da hat Erich im Gespräch zu mir gesagt: »Du, wenn du jemanden hast, dann mußt du ihn mitbringen. Es geht nicht, deshalb nicht zu kommen.« Aber da war noch nichts.

Haben Sie sich bereits in Halle kennengelernt, oder wie war das?

Es liegt ja schon eine Weile zurück. An Einzelheiten kann ich mich nicht mehr so erinnern. Aber kennengelernt haben wir uns durch die politische Arbeit. Ich habe in Halle gearbeitet und war dort Mitglied der Landesleitung der FDJ und später im Zentralrat, und wir haben wirklich politische, kameradschaftliche Beziehungen gehabt. Erich war schon FDJ-Chef, und ich war gewissermaßen FDJ-Chef in Halle, und später war ich Vorsitzende der Pionierorganisation. Ich habe Kultur und Propaganda gemacht. Eigentlich näher haben wir uns erst in Berlin kennengelernt, als ich umgezogen und Vorsitzender der Pionierorganisation wurde. Ich muß sagen, wir haben uns erst viel gestritten, und das hat uns unter anderem auch nähergebracht. Ich war nicht immer seiner Meinung. Manchmal war ich im Sekretariat sogar diejenige, die als einzige gegen ihn stimmte.

Was hat Ihnen denn besonders an ihm gefallen?

Ja, was hat mir besonders gefallen? Er war aufrichtig, er war ein guter Kamerad, er war sehr spontan, und er war sehr liebevoll. Ich habe in meiner Jugend viele Entbehrungen in bezug auf Liebe gehabt. Meine Mutter ist ja bereits gestorben, als ich erst 14 Jahre alt war. Ich habe also eine schwere und lieblose Kindheit gehabt und habe bei ihm immer etwas Schutz gefunden. Aber wir haben uns über eine Frage bis zuletzt manchmal gestritten. Mein Mann war sehr gutmütig. Er wollte in jedem Menschen das Gute sehen. Das habe ich mit ihm geteilt, aber er hat manchmal die Menschen zu gut gesehen, er hat dabei die Ecken und Kanten bei einigen nicht gesehen. Ich bin kein mißtrauischer Mensch, aber ich guck mir die Menschen schon an. Ich habe mich immer geärgert und das auch kritisiert, wenn er manchmal zu vertrauensselig war. Er hat nicht immer bemerkt, daß da auch manche Leute ihm um den Bart gingen. Er hat das nicht gemocht, daß man ihm um den Bart ging. Aber er hat das immer als ehrlich angenommen. Darüber haben wir uns oft gestritten, über die Beurteilung von Menschen.

Erich Honecker

Ich möchte dazu sagen, daß Margot vollkommen recht hatte, daß wir uns durch die gemeinsame Arbeit kennenlernten. Zunächst durch die Begegnungen mit ihrer Tätigkeit in Halle. Da möchte ich an eine Sache erinnern, die für mich einfach unvergeßlich wurde und durch die ich Margot richtig schätzen lernte. Wir hatten, lose gesagt, diese Auseinandersetzung mit dem damaligen Bezirkssekretär in der Provinz Sachsen-Anhalt, Gerhard, die ich bereits erwähnte. Er war sehr sektiererisch und hat − wie das bei Sektierern üblich ist − oft nach rechts ausgeschlagen, so daß uns nichts anderes übrigblieb, als ihn in seiner späteren Arbeit im Jugendverband von seinen Pflichten zu entbinden. Dann gab es eine Tagung der Bezirksleitung der Freien Deutschen Jugend. Da waren auch Margot und Gretel Schuster. Wir haben in der Pause nochmal mit Paul Verner gesprochen.

Margot Honecker

Es ging beispielsweise um die Frage, welche Farbe die Fahne der Freien Deutschen Jugend haben soll. Die zentrale Entscheidung war blau. Gerhard wollte uns auf die Linie rot bringen. Bei den ersten Landtagswahlen in Sachsen-Anhalt war unsere Partei auf Liste 1. Wir FDJler sind aber nicht nur für die Liste 1 eingetreten. Da hat mich Gerhard hinterher kritisiert.

Erich Honecker

Bei Zusammenkünften mit jungen Menschen war sein Hauptslogan der des Berufsrevolutionärs. Ich weiß nicht, in welcher Richtung Gerhard Berufsrevolutionär war. Er war ja noch ein verhältnismäßig junger Mensch. Das heißt, seine Orientierung war das Sektierertum, aber auch rechts, und dazu gehörte selbstverständlich die Nichtanerkennung der Autorität der zentralen Leitung und der Autorität zentraler Beschlüsse. Und so haben Margot und ich das erste Mal zusammengearbeitet, um Gerhard von seiner Funktion zu entbinden.

Zurück zum Persönlichen. Was hat Ihnen an Margot gefallen?

Ich war erstens fasziniert, weil sie ein hübsches junges Mädchen war. Ich mußte mir die Frage stellen aufgrund des Altersunterschiedes, ob ich überhaupt Chancen haben würde bei ihr und ob das gut für unsere Zukunft ist. Zweitens hat mich fasziniert, daß sie nicht nur ein hübsches Mädchen war und auch heute noch eine hübsche Frau ist, sondern daß sie in unserer kommunistischen Bewegung, der Partei sowie der FDJ, tätig war und auch eine Basis hatte. Vom Standpunkt der Aktivität in der Jugendbewegung her konnten wir uns ausgezeichnet ergänzen und stimmten vollkommen überein. Sie kam nach Berlin, weil wir alle der Auffassung waren, ich persönlich auch, daß sie sehr geeignet ist, die Pionierorganisation zu leiten. Dabei gab es große Übereinstimmung zum Beispiel mit Wilhelm Pieck. Sie hat bekanntlich, in Verbindung mit seiner Wahl, Wilhelm Pieck gratuliert und im Namen der Jugend einen Blumenstrauß überreicht. Davon gab es auch das bekannte Foto. So daß ich sagen möchte, sie wurde auch seitens der Partei sehr stark gefördert, besonders von Wilhelm Pieck, der daran interessiert war, daß sie zentrale Funktionen einnahm. Sie hat dann mit einem sehr großen Talent den Aufbau und die Arbeit der Pionierorganisation geleitet. Ich war damals noch mit Edith Baumann verheiratet. Ich habe vorhin schon gesagt, daß ich ein Spätzünder auf dem Gebiet der Liebe war. Für mich war das wichtigste nach der Befreiung die politische Arbeit, wobei wir ja damals noch das ganze Deutschland im Blickfeld hatten. Dann kam der Ausspruch von Adenauer: »Lieber das halbe Deutschland ganz, als das ganze Deutschland halb.«

Wann hatten Sie denn Edith Baumann kennengelernt?

Edith Baumann hatte ich, soweit ich mich zurückerinnern kann, 1948 geheiratet. Sie war meine Stellvertreterin im Zentralrat der FDJ. Sie kam von der Sozialistischen Arbeiterjugend. Sie wurde durch den Parteivorstand der SPD in Verbindung mit weiteren Genossen, wie zum Beispiel Theo Wiechert, als Vertreter der SPD in den Zentralrat der FDJ entsandt.

War das eine politische Ehe zwischen SPD und KPD?

Das war keine politische Ehe. Ich war damals sehr anlehnungsbedürftig. Sie hat mir sehr stark geholfen in der politischen Arbeit, und wir haben oft zusammen auch bei ihr zu Hause gesessen und haben Entschließungen verfaßt und Referate ausgearbeitet, ihre oder meine Referate. Sie war auf diesem Gebiet sehr talentiert. Außerdem konnte sie flott Schreibmaschine schreiben. Wir haben gut zusammengearbeitet, aber das hielt nicht lange, und dann kam die Verbindung mit Margot und später die Trennung von Edith. Mit Edith habe ich eine Tochter. Wir haben uns später sehr oft getroffen.

Edith ging von der FDJ weg und arbeitete dann in der Partei. Sie wurde Kandidat des Politbüros und hat die Frauenarbeit gemacht. Aufgrund eines Vorschlags von Hermann Matern wurde sie nicht mehr in das Politbüro gewählt. Später war sie dann im Magistrat von Berlin tätig, und es gab viele politische Berührungspunkte bis zu ihrem Lebensende.

Ich habe auch an der Hochzeit meiner Tochter Erika teilgenommen im Pankower Rathaus. Edith und ich waren nicht böse aufeinander. Wir sind im Guten auseinandergegangen und haben noch zusammen gewirkt. Wir haben uns kameradschaftlich gut verstanden.

Und die Partei, hat die das so hingenommen damals, oder hat sie versucht, Margot und Ihnen Steine in den Weg zu legen?

Es gab einige, die das versucht haben. Aber unsere stärkste Stütze war damals Wilhelm Pieck, soweit das Margot betraf, und Otto Grotewohl, soweit es mich betraf, und auch Walter Ulbricht. Es gab da kaum jemand, der dagegen angehen konnte. Wir erhielten Urlaubsreisen in die Sowjetunion, und von sowjetischer Seite aus gab es mal eine Anfrage. Da hat man gesagt, wenn man die beiden schon in den Urlaub schickt, dann ist die Sache wohl in Ordnung. Was brauchen wir über solche Fragen noch zu sprechen?

Der Leiter des Büros des Politbüros, Otto Schön, war einer der Intriganten, die uns auseinanderbringen wollten. Er hat diese Frage sehr oft im Sekretariat des ZK aufgeworfen, so daß sie eines Tages auf dem Tisch des Politbüros landete. Ich sollte dann als Strafe die Parteihochschule in Moskau besuchen. Ich war nicht gegen den Besuch der Parteihochschule. Das war schon lange mein Wunsch, aber ich bin nur ein Jahr auf die Schule gegangen, sonst wären Margot und ich drei Jahre getrennt gewesen. Margot war auf der Jugendhochschule in Moskau gewesen. Und Sonja, unsere Tochter, war damals 8 Monate alt, und zu dieser Zeit war meine Mutter in Berlin und hat Sonja mitbetreut.

Jedenfalls war es so, daß ich auf dem Erfurter Parlament 1955 entbunden wurde von meinen Funktionen, um die Parteihochschule in Moskau zu besuchen. In der Zwischenzeit war ich ja schon 40 Jahre alt, und es war auch höchste Zeit, aus der Jugendbewegung auszuscheiden. Nachher kam Werner Lamberz zu mir und hat zum Ausdruck gebracht, wie stark er das bedauerte.

Ihre Frau hat irgendwann mal gesagt, es gab nicht nur große und schöne Zeiten zwischen Ihnen, sondern auch dunkle.

Nun, selbstverständlich. Diese Intrigen, die da waren und die ich nicht verhindern konnte, führten dazu, daß in der schönsten Zeit des Zuammenlebens, das heißt mit dem Heranwachsen des Babys, Margot durch einen Beschluß des Sekretariats des Zentralkomitees eben zur Jugendhochschule in Moskau entsandt wurde. Das ist für eine Mutter, ungeachtet der Liebe zu dem Mann, doch eine sehr schwere Zeit, sich von dem Baby zu trennen.

Nachträglich muß ich sagen, daß das schier unmenschlich war. In der Liebe gab es auch später Höhen, und es gab Probleme, wo man sich nicht so verstand. Wir haben uns viel zusammengerauft. Rückblickend kann ich sagen, daß sich unsere Ehe schließlich in einer schweren Zeit bewährt hat. Das ist ja entscheidend.

Mit Eltern und Tochter Sonja
Anfang der fünfziger Jahre

Stalins 70. Geburtstag

Sie beide waren im Dezember 1949 Teilnehmer einer Delegation zu den Feierlichkeiten anläßlich Stalins 70. Geburtstag in Moskau. Können Sie uns Ihre Eindrücke mitteilen, Herr Honecker?

Ja, das war eine sehr schöne Situation in unserem Leben, die Teilnahme einer Delegation der DDR anläßlich des siebzigsten Geburtstags von Jossif Wissarionowitsch Stalin im Dezember 1949. Es gab damals, wie in allen anderen sozialistischen Ländern der Welt, große Vorbereitungen zum siebzigsten Geburtstag Stalins, und die Freie Deutsche Jugend sammelte Unterschriften für eine Grußadresse an Stalin. Diese Grußadresse wurde von Millionen junger Menschen unterschrieben. Es stand dann vor dem Politbüro die Frage, wer teilnimmt an dieser Delegation. Und es gab von Wilhelm Pieck den Vorschlag, die Margot Feist, so hieß sie damals noch, zu entsenden, und dann gab es den Vorschlag, natürlich muß der Vorsitzende der FDJ mitfahren. Man hatte sich geeinigt, wir nehmen beide mit.

So sind wir im Rahmen dieser großen Delegation, der auch Walter Ulbricht angehörte und als Außenminister der jungen Republik Otto Winzer und andere Persönlichkeiten, hingefahren. Es war für Margot und mich ein großes Erlebnis, daß wir die Unterschriften übergeben sollten von der Grußadresse an Stalin. Ich war auf einer anderen Versammlung zu diesem Zeitpunkt, zu einem Meeting, so daß Margot die Grußadresse übergab.

Wir waren sehr tief beeindruckt von der Festveranstaltung im Bolschoi-Theater in Moskau. Damals habe ich Stalin zum zweiten Mal gesehen aus nicht allzu großer

J. W. Stalin

Entfernung. Das habe ich noch heute sehr stark im
Gedächtnis! Auf einmal erschienen Personen auf der
Bühne. In der Mitte war Stalin. Dann kam Mao Tse-tung.
Stalin als Vertreter der Sowjetmacht, der sowjetischen
Streitkräfte im Vaterländischen Krieg, und Mao Tse-tung

als Vertreter der siegreichen Revolution in China! Kurz vorher erfolgte ja, wie in der DDR, die Gründung der Volksrepublik China, so daß wir an dieser Versammlung mit großer Begeisterung teilnahmen. Ich kann mich noch daran erinnern, daß der Vertreter der Volksrepublik Polen seine Glückwünsche zuerst in russisch sprach. Stalin unterbrach ihn, und er sagte mitten in der Festveranstaltung: »Warum kannst du nicht polnisch reden?« Daraufhin haben alle Vertreter der einzelnen Länder, darunter auch Togliatti, in ihrer Muttersprache gesprochen.

Die größte Überraschung war für uns die unmittelbare Geburtstagsfeier im Kreml, das heißt der Empfang im Rittersaal. In ihm sind die ganzen russischen Regimenter der Napoleonischen Kriege eingetragen, die Auszeichnungen erhalten hatten. Wir befanden uns dort an Tischen für die einzelnen Länder. Wir saßen unmittelbar gegenüber dem Präsidium am vierten Tisch. Wir sahen, wie Stalin hereinkam, und in meiner Begeisterung ging ich im Verlauf etwas nach vorn, wurde dann aber an einer bestimmten Linie gebremst. Man merkte natürlich, daß auch die Sicherheit sehr stark war für die Persönlichkeiten, die da im Präsidium saßen. Wir tranken auf das Wohl Stalins, wir tranken auf weitere Erfolge der kommunistischen Weltbewegung. Das war ja alles noch vor dem XX. Parteitag.

Jeder kann verstehen, welche Ziele uns zum damaligen Zeitpunkt bewegten. Wir fühlten die Kraft der Union der Sozialistischen Sowjetrepubliken, wir fühlten die Kraft der kommunistischen Weltbewegung, die gestärkt wurde durch die Bildung der volksdemokratischen Länder in Europa und die siegreiche Revolution in China! Der siebzigste Geburtstag Stalins war ein historischer Augenblick, ebenso wie die Gründung der Deutschen Demokratischen Republik und die Gründung der Republik China.

Wie denken Sie heute über Stalin?

Ich habe ihn nicht persönlich kennengelernt und habe nie ein Gespräch mit ihm geführt.

Da sind Sie ja fein raus.

Was heißt hier fein raus? Ich werde nie leugnen, trotz all der anderen Dinge, die Rolle Stalins im revolutionären Weltprozeß bis zum Sieg im Vaterländischen Krieg und der Befreiung des deutschen Volkes.

XX. Parteitag der KPdSU und Stalinismus

Haben Sie später die Geheimrede Chruschtschows gelesen?

Die Geheimrede habe ich durch die Vermittlung einer Moskauer Genossin gelesen. Walter Ulbricht und Karl Schirdewan, die in Moskau weilten, haben mir nichts davon gesagt, und Werner Eberlein, der als Dolmetscher am XX. Parteitag teilnahm, hat mir später erzählt, daß er empört war, daß Schirdewan überhaupt keine Anstalten machte, mich zu informieren, obwohl ich damals auf der Parteihochschule in Moskau war.

Dann hörten wir damals offiziell in der Parteiversammlung etwas über den Verlauf des Parteitages einschließlich der Geheimrede, so daß, als ich nach Berlin fuhr, um an der 3. Parteikonferenz unserer Partei teilzunehmen, auf der der Bericht über den XX. Parteitag gegeben wurde und die erforderlichen Schlußfolgerungen gezogen wurden für die Politik der SED, ich bereits informiert war. Das führte zu einer so großen Erschütterung bei mir, daß ich ein Bild von Stalin von der Wand herunterriß, was ich später bedauert habe, aber das war sozusagen meine erste emotionale Reaktion.

Man muß verstehen, daß ein sauberes Bild über die Oktoberrevolution und den sozialistischen Aufbau bestand, und das kam damals ins Wanken. Wir waren nicht untreu gegenüber unserer Grundüberzeugung, aber wir waren doch erschüttert von dem, was damals so veröffentlicht wurde.

Wie haben Sie sich die Massenverbrechen unter Stalin erklärt, auch die Prozesse gegen die deutschen Kommunisten und ihre Ermordung? Haben Sie sich jemals irgendeine Erklärung dafür geben können, daß das überhaupt geschehen konnte unter Stalin?

Ich verstehe überhaupt nicht, daß man heute darüber diskutiert. Wir haben darüber nach dem XX. Parteitag diskutiert. Wir haben gesagt, das ist schlimm, aber die Revolution muß weitergehen. Ich habe, wie gesagt, sogar das Bild von Stalin von der Wand genommen, obwohl ich das später bedauert habe. Denn man kann ihn nicht aus der Geschichte nehmen. Ohne Stalin würden wir hier nicht sitzen und diskutieren.

Woher kam aber Ihrer Meinung nach diese Menschenverachtung?

Ich weiß es nicht – vielleicht aus ihrer Mentalität. Bei uns wollten sie das auch tun, aber wir haben das verhindert. Auch mich wollten sie einspannen für ihren Nachrichtendienst. Das habe ich abgelehnt. Das muß mit der Mentalität dieses Landes zusammenhängen. Woher kommt denn auf einmal die SS in Moskau. Erklären Sie mir das.

Wahrscheinlich aufgrund des feudalen Hintergrundes?

Wahrscheinlich. Wo kommen die Pogromsachen dort plötzlich wieder her. Die Juden sind doch Menschen wie alle anderen.

Einzelheiten darüber kamen damals nur als parteiinterne Information, oder? Der »Horizont« hat den Geheimbericht erst jetzt abgedruckt, da haben wir ihn zum ersten Mal gelesen.

Der Bericht ist jetzt nicht das erste Mal erschienen, er wurde auf der 3. Parteikonferenz verlesen durch Karl

Schirdewan und ausgewertet in der gesamten Partei. Es kam der XX. Parteitag der KPdSU. Er wurde ohne ausländische Delegationen durchgeführt auf Chruschtschows Weisung. Das alles war damals sehr beschämend für uns, die wir ja Stalin sehr verehrt haben.

Bekanntlich war dann Chruschtschow in der DDR beliebter als in der Sowjetunion. Er hatte auch eine sehr drastische Sprache und war sehr klug. Ich erinnere mich noch an ein Erlebnis. Unsere Delegation fuhr, wie es so üblich war, Chruschtschow bis nach Frankfurt/Oder entgegen, um die Delegation zu empfangen, die von ihm geleitet wurde. Man fuhr zusammen zum Ostbahnhof. Dort war eine Pressetribüne aufgebaut, damit sich Chruschtschow äußern konnte. Chruschtschow rief als erstes aus: »Es lebe die Weltrevolution!« Damit fand er natürlich die Begeisterung der Berliner. Er wollte uns anfeuern. Allerdings war die internationale Presse nicht so sehr eingenommen von der spontanen und vielleicht sogar unkontrollierten Äußerung, denn er war ja Staatsmann.

Sehen Sie überhaupt, daß es das Problem des Stalinismus in der Geschichte des Sozialismus gab und gibt? Wenn ja, welche Ursachen hat er?

Sozialistische Ideen haben wir schon angestrebt, ohne von Stalin etwas gehört zu haben. Später, in Verbindung mit der Entwicklung des Aufbaus des Sozialismus in der Sowjetunion, trat selbstverständlich der Name in der ganzen Welt und auch in Deutschland in Erscheinung. Von den Feinden des Sozialismus wurde der Sozialismus schon damals als Stalinismus bezeichnet. Darunter verstand man alles, was seit der Oktoberrevolution Fortschrittliches in die Welt gekommen ist. So ist es gegenwärtig sehr schwer, sich mit jenen auf eine Stufe zu stellen, die über Jahrzehnte hinweg den Sozialismus zu beseitigen strebten und sich als antistalinistischer Vortrupp bezeichneten. Selbstverständlich, und das habe ich bereits zum Ausdruck gebracht, haben wir die Beschlüsse des XX. Parteitages der KPdSU beachtet. Ich habe bereits darauf hingewiesen, daß die 3. Parteikonferenz der SED in diesen Fragen voll und ganz den XX. Parteitag der KPdSU unterstützte und damit in Verbindung auch die Verbrechen verurteilte, die im Namen Stalins begangen wurden. Aber ich bin auch heute nicht bereit, damit all das zu beerdigen, was sich an Fortschrittlichem in der Geschichte des Sowjetvolkes und der anderen sozialistischen Länder vollzogen hat. Es war doch auch nicht alles falsch, was wir in den 40 Jahren DDR hervorgebracht haben. Bei der Behandlung dieser Fragen stehen Wahrheit und Dichtung sehr oft im Widerspruch.

In unserem Politbüro zum Beispiel gab es, solange ich drin war – seit 1950 – stets heftige Diskussionen zu den verschiedensten Entwicklungsproblemen der DDR und der Beziehungen zur Sowjetunion, den sozialistischen Ländern, zur Entwicklung unserer Außenpolitik. Wenn wir im Politbüro Probleme hatten, habe ich im Unterschied zu früheren Gepflogenheiten immer zum Schluß meine Meinung gesagt. Derjenige, der das Wort nahm, konnte offen seine Meinung sagen. Meine Meinung kannte man noch nicht. Ich habe immer, mit wenigen Ausnahmen, zum Schluß gesprochen.

Stand der 17. Juni 1953 nicht auch im Zusammenhang mit dem Stalinismus in der DDR?

Die Hauptlehren aus dem 17. Juni 1953 waren, daß man das Besatzungsregime in Deutschland beseitigen mußte. Der Ursprung der außerordentlich miesen Lage in der sowjetischen Besatzungszone lag darin, daß man die ganze Zeit den Kurs durchführte – von der Vermanschung von Marmelade bis hin zur Verteuerung der Arbeiterrückfahrkarten und so weiter.

Aber das war nicht der böse Wille der sowjetischen Besatzungsbehörden, sondern das war im Ergebnis der Tatsache geschuldet, daß die Sowjetunion am meisten unter dem Zweiten Weltkrieg gelitten hatte. Diese Gebiete waren doch am meisten zerstört, ganze Städte verschwunden, Fabriken dem Erdboden gleichgemacht,

Aufstand am 17. Juni 1953

landwirtschaftliche Betriebe ausgeplündert. Sie müssen bei der Beurteilung der ganzen Frage überhaupt davon ausgehen, daß die Sowjetunion bis an die Wolga zerstört wurde, dagegen während des ganzen Krieges auf die USA keine einzige Bombe fiel. Das heißt, die USA gingen gestärkt aus dem Krieg hervor, die Monopole hatten großen Gewinn gemacht. Das gleiche kann man auch sagen von Großbritannien — mit Ausnahme von Coventry und wenigen Einschlägen in London.

»... und dann erfolgt ein Warnschuß«

Als Kronprinz Ulbrichts

1956—1971

Ämter im Politbüro

**Welche Funktionen bekleideten Sie nach Ihrer Rück-
kehr vom Studium in Moskau, bevor sie dann die
höchsten Partei- und Staatsämter übernahmen?**

Sie wissen, zurückgekehrt bin ich 1956 von meinem Aufenthalt in Moskau. Die Studienergebnisse waren
nicht schlecht, denn ich habe mit Auszeichnung abgeschlossen. Diese Zeit meines Studiums in Moskau gehört
überhaupt mit zur schönsten Zeit meines Lebens. Mein
Studium dort legte mit die entscheidende Grundlage für
meine spätere theoretische, politische, ökonomische und
kulturelle Tätigkeit. Am tiefsten beeindruckt hat mich das
Studium des Werkes von Lenin über den Empiriokritizis-
mus, weil Lenin dort nachweist, daß der historische und
dialektische Materialismus die Unendlichkeit der Welt
zum Inhalt hat und jede neue Erscheinung in der Materie
nicht beurteilt werden kann unter dem Blickwinkel der
Auflösung der Materie, sondern der Entwicklungs- oder
Bewegungsgesetze der Materie. Inzwischen ist die Kos-
mosforschung sehr weit vorangeschritten. Sie bestätigte
nicht nur die Richtigkeit des dialektischen, sondern auch
des historischen Materialismus und vermittelt uns zugleich
Kenntnisse über Raum und Zeit, die man zur damaligen
Zeit nur erahnen konnte.

Nach meiner Rückkehr wurden mir vom Politbüro unter
Leitung von Genossen Otto Grotewohl eine ganze Reihe
Aufgaben zugeteilt. Es handelte sich dabei um die gesamte
organisatorische Arbeit der Partei, die Anleitung der Be-
zirks- und Kreisleitungen. Später kam im Auftrage von Walter Ulbricht noch die Anleitung der Abteilungsleiter hinzu
und die Leitung des Sekretariats des Zentralkomitees.

Mit Walter Ulbricht

Ich habe viele andere Gebiete bearbeitet. Ich war verantwortlich für die Arbeit in der Freien Deutschen
Jugend, für die Arbeit des Deutschen Turn- und Sport-
bundes, für die Anleitung der Frauenarbeit, für die Anleitung der Abteilung Sicherheit. – Sie sehen, mein Verant-
wortungsbereich war ziemlich umfassend, so daß mich
Genosse Walter Ulbricht immer mehr mit der Leitung
der Arbeit des Politbüros unserer Partei beauftragte.

Bevor Sie nach Moskau gingen, war das schon klar?

Nein. Ich hatte eine Aufgabe zu erfüllen – in
Moskau studieren, und nach der Rückkehr erfolgte dann
Schritt für Schritt die Übertragung der Verantwortung in
diesen Funktionen.

Bau der Mauer

Ihre wichtigste Funktion war wohl die Übernahme der Abteilung Sicherheit im Zentralkomitee, in der Sie dann später den Bau der Mauer leiteten. Warum?

Als ich 1956 von der Parteihochschule aus Moskau zurückkam, waren Karl Schirdewan und Walter Ulbricht gerade auf dem Parteitag der Kommunistischen Partei Chinas. Das heißt, sie waren weit weg von der Heimat. Ich erinnere mich deshalb daran, weil es ja um meine weitere Tätigkeit ging. Ich kam zurück als Kandidat des Politbüros und habe an der ersten Sitzung nach langer Zeit wieder teilgenommen. Otto Grotewohl begrüßte mich und hat zum Beginn der Sitzung des Politbüros zum Ausdruck gebracht, daß mein weiterer Einsatz hier im Politbüro geklärt würde, wenn unsere beiden Sekretäre wieder zurückkommen.

Ich übernahm dann die Abteilung Sicherheit im Zentralkomitee der SED und machte mich in dieser Zeit mit der im Entstehen begriffenen Nationalen Volksarmee vertraut. Diese Arbeit brachte mich in Kontakt mit dem damaligen Minister für Nationale Verteidigung, Generaloberst Willi Stoph, dem damaligen Minister für Staatssicherheit, Erich Mielke, und mit dem damaligen Innenminister Karl Maron, der für die Einheiten der Deutschen Volkspolizei zuständig war. Sie waren mir sozusagen unterstellt, denn das war mein Arbeitsbereich im ZK.

Die größte Leistung in dieser Zeit war, daß man entgegen allen Angriffen auf die Arbeit des Zentralkomitees der SED und seines Politbüros mit Erfolg die DDR verteidigte und somit eine feste Grundlage legte, um alle Stürme der damaligen Zeit zu bestehen. Man mußte davon ausgehen, daß es damals noch eine offene Grenze gab zwischen der BRD und der DDR, so daß von diesem Gesichtspunkt aus eine sehr verantwortliche Arbeit notwendig war.

Zu einer bestimmten krisenhaften Situation kam es, wie Sie wissen, 1961, die zum Bau der Mauer führte. Der kalte Krieg erreichte seine Spitze. Man organisierte eine Massenflucht aus der DDR. Dann kam es bekanntlich zu der Tagung des Politischen Beratenden Ausschusses des Warschauer Vertrages im Juli 1961 in Moskau. Dort wurde durch einstimmigen Beschluß die DDR beauftragt, die Grenze zur Bundesrepublik als auch zu Westberlin unter Kontrolle zu nehmen. Diese Fragen sind bekannt. Aber ich möchte nur sagen, daß durch die gemeinsamen Aktionen der DDR mit der Sowjetunion und den sozialistischen Ländern diese Aufgabe gelöst wurde.

Mit dem Bau dieser Mauer war unendlich viel Leid verbunden, und sie wurde national und international nie populär. Stellt sich nicht heute heraus, daß sie ein schwerer Fehler war?

Es kam selbstverständlich zu menschlichen Tragödien, aber in der Hauptsache ging es darum, den Frieden zu retten, denn Instabilität in Mitteleuropa bedeutete damals wie heute Gefahr für den Frieden. Soweit wir später gehört haben, waren sogar Adenauer als auch der amerikanische Präsident sowie führende Persönlichkeiten der anderen europäischen Länder erleichtert, daß wir in der Nacht zum 13. August 1961 diese Frage so gelöst haben, um damit einen Beitrag zur Friedenssicherung zu leisten.

Bau der Mauer 1961

Was sagen Sie zum Mordvorwurf im Zusammenhang mit dem sogenannten Schießbefehl?

Ich möchte sagen, daß die Grenzssicherungen zwischen der sozialistischen und der kapitalistischen Welt damals von der Ostsee bis zum Schwarzen Meer die gleichen waren. Bei der DDR wurde sie erst später eingeführt. In den anderen Ländern bestanden sie bereits viel länger. Im übrigen ist es interessant, daß über die Grenzsicherungsanlagen zum Beispiel zwischen den USA und Mexiko weniger gesprochen wird als über die Grenzssicherungsanlagen, wie sie damals üblich waren zwischen der sozialistischen Welt und der kapitalistischen, das heißt, zwischen Warschauer Pakt und der NATO. Es ist ja nicht von der Hand zu weisen, daß im Verlauf des kalten Krieges, sozusagen auf Beschluß des Politischen Beratenden Ausschusses des Warschauer Paktes, am 13. August 1961 die Grenzsicherungsanlagen in der DDR zu Westberlin geschaffen und immer weiter ausgebaut wurden.

Schüsse an der Mauer

Wie lautete der Schießbefehl genau?

Der unterschied sich durch gar nichts vom Schießbefehl des Bundesgrenzschutzes. Das ist im wesentlichen derselbe Befehl, und außerdem war das nichts Geheimes. Es war im Grenzgesetz verankert, wie die Sicherung zu erfolgen hat. Todesschüsse, wie es sie in der BRD gab, waren bei uns überhaupt nicht eingeführt.

Sondern Anruf, oder wie ging das?

Da muß man sich erkundigen nach der Schußwaffengebrauchsordnung. In der BRD ist sie die gleiche wie in der DDR und wie sie gegenwärtig bei der Polizei ist.

Haben Sie darüber nicht immer wieder mit westdeutschen Politikern gesprochen?

Ich hatte verschiedene Gespräche darüber, unter anderem mit Strauß und auch mit sozialdemokratischen Ministerpräsidenten. Ich habe sie gefragt: »Sagen Sie mal, wie es das eigentlich mit der Schußwaffengebrauchsanordnung bei Ihnen?« Da haben sie gesagt, daß verdächtige Personen aufgefordert werden zum Stehenbleiben. Wenn diese Personen flüchten, dann erfolgt ein Anruf: »Stehenbleiben«. Und wenn er dann immer noch nicht stehengeblieben ist, dann erfolgt ein Warnschuß. Das war das gleiche wie bei unserer Polizei in der DDR.

In Verbindung mit der Entwicklung der Beziehungen zwischen der DDR und der BRD war ich bestrebt, soweit wie es möglich war, die Beziehungen auch auf diesem Gebiet zu humanisieren. Es bedurfte eines langjährigen Wirkens, um dahin zu kommen, daß 1986 und 1987 den Angehörigen der Grenztruppen empfohlen wurde, von der Schußwaffe nicht mehr Gebrauch zu machen, es sei denn zur Abwehr des Angriffs auf den eigenen Leib und das Leben, das heißt, die Inanspruchnahme des Notwehrrechtes. Auch Warnschüsse sollten nicht mehr abgegeben werden, damit nicht auf der anderen Seite in bestimmten Medien eine Kampagne gemacht wurde über das Weiterbestehen des sogenannten Schießbefehls. Ab 1986/87 war das unsere außenpolitische Linie. Wir wollten uns nicht mehr stören lassen durch Schüsse an der Grenze. Deswegen hatte ja auch der damalige Verteidigungsminister eine öffentliche Erklärung abgegeben, daß es einen Schießbefehl überhaupt nicht gab.

Tut es Ihnen nicht leid, daß in etwa 200 Menschen getötet worden sind an der Mauer?

Mir tun unsere 25 Genossen leid, die meuchlings an der Grenze ermordet wurden. Entsprechende Ersuche von uns an die damalige Regierung der Bundesrepublik, diese Leute an uns auszuliefern, wurden negativ beantwortet.

Es sind viele Menschen aus sehr persönlichen oder wirtschaftlichen Motiven geflohen. Und dann haben sich viele gefragt, blieb da die Verhältnismäßigkeit der Mittel gewahrt, um sie von einer Flucht abzuhalten?

Ich will nichts dazu sagen. Wenn die DDR zugrunde geht, ich bitte Sie, was spielt das für eine Rolle? Es wird immer solche Leute geben. Natürlich hat mir das leid getan.

War Ihnen klar, daß für viele Menschen die Mauer eine moralische Bankrotterklärung des Sozialismus war, weil er anders die Menschen nicht halten konnte?

Was heißt für viele Menschen. Die Errichtung der Grenze war in der Zeit des kalten Krieges eine Notwendigkeit gewesen. Wir haben damit das Ausbluten der DDR gestoppt. Man muß sich wirklich an das halten, was im Beschluß der Teilnehmer des Warschauer Vertrages steht. Es war ja im Interesse der Gewährleistung des Friedens und der Sicherung des sozialistischen Aufbaus. Wir wurden verpflichtet, diese Sicherungsmaßnahmen durchzuführen. Das war richtig gewesen. Es war auf jeden Fall richtig gewesen. Denn man hatte sich doch schon in der Bundesrepublik Deutschland, wo eine sehr starke NATO-Konzentration vorhanden war, auf den Einmarsch in die Deutsche Demokratische Republik vorbereitet. Man hat zwar der Sowjetunion Aggressionsabsichten unterschoben gegen den Westen, aber zugleich hat man sogar den Einsatz der Atombombe geplant. Aber die westlichen Leute konnten hier einreisen.

Die Mauer war aber auch dazu angetan, unsere Leute davon abzuhalten, in den Westen zu kommen.

Natürlich, das war ja der Sinn, das habe ich ja gesagt.

Haben da nicht die Moral des Sozialismus und seine Überzeugungskraft bereits versagt?

Ja, das ist die bürgerliche Argumentation. Aber ein System, das es nötig hat, sich in die Angelegenheiten anderer Länder einzumischen, sie zu unterminieren, wie sich das jetzt herausstellte, einen Ätherkrieg zu führen auf »Deubel komm raus«, ist das moralisch in Ordnung?

Ablösung Willi Stophs

Sie haben noch vor dem Bau der Mauer Willi Stoph als Verteidigungsminister ablösen müssen. Wie kam es dazu?

Ich schneite also nach meinem Studium an der Parteihochschule in Moskau einfach in das Politbüro hinein und war plötzlich verantwortlich für die Abteilung Sicherheit, und dann kam die Entbindung Willi Stophs als Verteidigungsminister.

Das sind Dinge, die ich nicht gern an die große Glocke hänge. Es kam, weil in der Westpresse eines Tages eine Veröffentlichung erfolgte über einen Artikel von Willi Stoph in seiner früheren Regimentszeitung vor 1945, dem Regiment, dem er während der Hitlerzeit angehörte. In diesem Artikel hatte Willi Stoph geschrieben, daß sein größtes Erlebnis war, an der Parade zu Führers Geburtstag teilzunehmen. Dieser Artikel ist natürlich erschienen zur Diskreditierung der Person von Stoph. Wir alle wußten das nicht. Nach dem Erscheinen dieses Artikels begab sich Willi Stoph sofort zum Generalsekretär der Partei, Walter Ulbricht, und sagte ihm, daß der Artikel stimme und daß er das in seinen Personalakten verschwiegen habe. Ulbricht möge nun beurteilen, ob seine weitere Arbeit noch im Politbüro möglich sei.

Walter Ulbricht sagte, daß das selbstverständlich eine sehr miese Angelegenheit sei. Ich weiß nicht, mit welchen Bemerkungen sie auseinandergegangen sind. Jedenfalls hat mich unmittelbar danach Walter Ulbricht angerufen und gesagt: »Du, Erich, komm mal her, der Willi Stoph war eben bei mir, und es hat sich eine solche Lage ergeben. Selbstverständlich kann er aufgrund dieser

Situation, das sind wir schon den Freunden in der Sowjetunion schuldig und auch der eigenen Partei, nicht Verteidigungsminister bleiben. Es ist deine Sache, wie du das mit ihm besprichst. Ich habe den Vorschlag, weil Otto Grotewohl als Ministerpräsident ja krank ist, daß man ihn ohne viel Aufsehen von seiner Funktion als Verteidigungsminister entbindet und ihn einsetzt als Ersten Stellvertreter des Ministerrates. Damit ist er aus den Reihen der bewaffneten Kräfte heraus und auch aus der Verbindung mit den entsprechenden militärischen Stellen in der Sowjetunion.«

Das war natürlich für mich ein Hammerschlag, und ich habe auch nicht weiter gefragt hinsichtlich der Vergangenheit von Stoph. Mir war Willi Stoph, bevor er Verteidigungsminister wurde, bereits bekannt als Abteilungsleiter für Wirtschaft im ZK. In dieser Funktion besprach ich mit ihm auch mal den Bau der Jugendhochschule am Bogensee, der früheren Goebbelsschen Besitzung. Wir haben uns das Baugelände angesehen. Wir hatten im Zentralrat eine Vorstellung von einem Bau, der etwa 5 Millionen Mark kostete. Aber Walter Ulbricht hatte eine Vorstellung von 25 Millionen Mark, und Willi Stoph war beauftragt, das Bauwerk entsprechend zu besichtigen und die Grundlage zum Bau einer Jugendhochschule zu schaffen. Das heißt, es verband mich mit Willi Stoph während dieser Zeit ein gutes Verhältnis, und für mich war es nun schwer, mit ihm über diese Fragen zu sprechen.

Aber aufgrund seines Geständnisses bei Walter Ulbricht wurde das etwas erleichtert.

Ich habe gesagt: »Willi, hör mal her, es gibt da eine solche Frage, die zusammenhängt mit deinem Artikel in der Regimentszeitung, in dem du Adolf den Großen verherrlicht hast. Wir wissen natürlich nicht, wie sich das ausweiten wird, das gesamte Ding, aber als erstes schlagen wir als Übergang vor, daß du deine Arbeit aufnimmst als erster Stellvertreter von Otto Grotewohl, Otto ist ja oft sehr krank. Das ist dir ja nicht unbekannt aufgrund deiner früheren Tätigkeit.« Und damit war seine Ablösung als Verteidigungsminister und die Aufnahme seiner neuen Tätigkeit entschieden. Gleichzeitig führte ich eine Besprechung mit Heinz Hoffmann, um den Vorschlag vorzubereiten, daß Heinz Hoffmann Verteidigungsminister wird.

Ich möchte noch hinzufügen, daß die Zusammenarbeit mit der Armee unter Leitung von Willi Stoph sehr gut war. Wir waren oft gemeinsam unterwegs bei der Vereidigung der Truppen auf die Fahne der DDR, auch im Norden, bei Eggesin und so weiter. Ich fuhr auch mit ihm zum ersten großen Manöver der Nationalen Volksarmee im westlichen Teil der Republik, im Harz, bis runter nach Eisenach. Das war eine sehr interessante Periode. Willi Stoph trug die Uniform eines Generalobersten, und die Bauern riefen ihren Leuten zu: »Kommt mal raus, jetzt kommen unsere Soldaten!« Wenn man rein äußerlich die Uniform vergleicht mit der früheren Wehrmacht, kann man auch sagen, daß von den alten Zeiten etwas übrigblieb bei diesen Dingen.

Die Soldaten wurden gut aufgenommen von den Bauern. Sie bekamen eine gute Beköstigung, Brot, Butter, Wurst und auch verschiedenes andere. Die Verpflegung war während der Manöver ganz gut. Zum Abschluß der Manöver fanden in fast allen Orten zum ersten Mal wieder Manöverbälle statt. Das hat natürlich die Bevölkerung sehr stark mit unserer Armee verbunden. Willi Stoph hat eine sehr große Arbeit geleistet im Zusammenhang mit der Aufstellung der Armee.

»Der Chef kann nicht alles wissen«

Als Partei- und Staatschef
1971—1989

Ablösung Ulbrichts

Wie verlief die Ablösung Ulbrichts durch Sie? War das ein innerparteilicher Putsch?

Einen innerparteilichen Putsch gab es durchaus nicht in der bisherigen Politik des Zentralkomitees unserer Partei und seines Politbüros; daß man hinter dem Rücken bestimmter Personen eine Fraktion bildete und so überraschend vor die Frage gestellt war, abzutreten. Der Übergang von Wilhelm Pieck zu Walter Ulbricht war bedingt durch die Erkrankung Wilhelm Piecks. Es wurde vorher alles freundschaftlich zwischen ihnen vereinbart. Das heißt, Walter Ulbricht wurde Generalsekretär und Otto Grotewohl Ministerpräsident und Wilhelm Pieck Präsident der DDR.

Beim Übergang von Ulbricht zu mir war es so, daß Kurt Hager und ich sehr oft mit Walter Ulbricht gesprochen haben, ob es aufgrund seines Alters und seines Gesundheitszustandes nicht besser wäre, seine Funktion zu verteilen. Es gab nicht sofort die entsprechende Einsicht bei ihm. So kam es zur Diskussion im Politbüro. Walter Ulbricht fühlte sich irgendwie übergangen. Er stellte im Politbüro die Frage, ob es nicht zweckmäßig sei, mich als seinen Stellvertreter abzulösen, weil eine Meldung auf dem Gebiet der Sicherheitspolitik, die noch nicht mit ihm abgesprochen gewesen wäre, über das Radio gekommen sei. Abgesehen davon, daß es an jenem Morgen eine solche Meldung über den Rundfunk gar nicht gegeben hatte, waren alle Mitglieder des Politbüros in dieser Sitzung dagegen, daß man etwas veränderte. Nur mußten wir bestimmte Fragen viel intensiver in unsere Hände nehmen, da sich im Jahre 1970 bereits schon starke Disproportionen in der Volkswirtschaft und Engpässe in der Versorgungswirtschaft offenbarten.

Ich habe damals zuvor im Staatsrat im Arbeitszimmer von Walter Ulbricht die Lage in der Partei erläutert. Er hat sich das angehört und gesagt: »Stelle diese ganzen Fragen im Politbüro.« Das habe ich auch getan. Das Politbüro legte fest, daß auf der nächsten Tagung des Zentralkomitees diese Probleme behandelt werden sollten. Das war, wie ich mich noch heute entsinnen kann, die 14. Tagung des Zentralkomitees. Paul Verner wurde beauftragt, den Bericht im ZK vorzulesen. Dieser Bericht führte zu einer großen Diskussion, fand aber die allgemeine Zustimmung. Wir hatten dabei eine sehr starke Unterstützung durch Hermann Matern, Friedrich Ebert und Albert Norden und andere Mitglieder des Politbüros.

Es gab auch verschiedene Aussprachen zu dieser Frage in Moskau, weil wir bei den damaligen Verhältnissen den steten Kontakt hielten. Schließlich erhielt ich Anfang März 1971 von Walter Ulbricht aus der Sowjetunion einen Anruf, und er sagte zu mir: »Erich, ich habe es mir überlegt, wir werden es so machen, wie Kurt Hager und du es mir vorgeschlagen habt.« Ich habe ihn nach seiner Rückkehr von der Kur auf dem Flugplatz empfangen, und wir haben uns ganz kurz unterhalten.

Man kann sagen, daß dann der VIII. Parteitag der SED vorbereitet wurde, der im Mai 1971 stattfand. Walter Ulbricht nahm die Lösung der Fragen seiner Ablösung sehr umsichtig in Angriff. Er schlug im Politbüro vor, Anfang Mai 1971, ihn aus Alters- und Gesundheitsgründen von seiner Funktion als Generalsekretär zu entbinden und Erich Honecker als Generalsekretär zu wählen. Er selbst wollte zum Ehrenvorsitzenden bestimmt werden. Das war zwar im Statut der Partei nicht vorgesehen, aber der kommende Parteitag konnte ja diese Entscheidung treffen.

Zum VIII. Parteitag erstattete ich dann den Bericht, und Walter Ulbricht hielt die Eröffnungsrede. Das heißt, beides geschah mit seiner Mitwirkung. Das unterstreicht die politische Kultur der damaligen Zeit im Zentralkomitee unserer Partei. Es war nicht zu vergleichen mit dem, was sich auf dem 9. und 10. Plenum 1989 unserer Partei zutrug.

War aber die Ablösung Walter Ulbrichts, was die Darstellung in der Öffentlichkeit anbetraf, nicht auch sehr hart, zum Beispiel nach dem VIII. Parteitag, nachdem er vorher jahrzehntelang so hochgelobt wurde?

Das kann man nicht sagen. Der Vorschlag, ihn von seiner Funktion als Generalsekretär zu entbinden, kam ja von ihm, und wir haben unsererseits vorgeschlagen, daß er weiterhin der Vorsitzende des Staatsrates bleibt und Ehrenvorsitzender der Partei. Das war sogar ein Musterbeispiel, wie man ältere Genossen, die große Leistungen vollbracht haben, achtet und gleichzeitig ihren Erfahrungsschatz weiter nutzen kann für die Entwicklung der gesamten Partei. Wenn ich die Dinge sehe vom Standpunkt, was mit mir geschah, so hält das überhaupt keinem Vergleich stand. Außerdem, wir haben damals diese Kampagne wegen Privilegien, Amtsmißbrauchs und was nicht alles nie begonnen, sondern das war ein sehr kulturvoller Übergang von einem Älteren auf einen Jüngeren. Und wir haben auch weiterhin gut zusammengearbeitet.

Neue Politik

Kommen wir nun auf Ihre Regierungszeit als Partei- und Staatschef der DDR zu sprechen. Worin lagen Ihrer Meinung nach die Stärken, aber auch Schwächen Ihrer Politik?

Ich möchte sagen, man kann von meiner Politik überhaupt nicht sprechen, sondern nur von der Politik des Politbüros des ZK und des Ministerrates der DDR.

Wir waren zu Beginn der siebziger Jahre zu der Auffassung gelangt, daß es erforderlich sei, den Kurs der DDR zu korrigieren, und zwar in Richtung zunächst einer Konsolidierung der DDR, und dann zu einem neuen Aufschwung des wirtschaftlichen und sozialen Lebens zu kommen. Die wichtigste Frage bestand aufgrund einer gründlichen Analyse darin, daß wir unsere Politik enger mit dem Fühlen und Denken der Massen verbanden. Damals gab es eine sehr starke Kritik an der Förderung der halbstaatlichen Betriebe. Ein Teil dieser Betriebe führte sich wie Millionäre auf, während die Arbeiter an uns die Frage richteten, ob wir ein Arbeiter-und-Bauernstaat seien oder nicht. Eine der ersten Maßnahmen, die wir durchführten, diente der Rolle der Gewerkschaften. Wir haben bekanntlich den Gewerkschaften sofort Interhotels zur Verfügung gestellt. Das hat nicht wesentlich die Kapazität der Ferienplätze erweitert, aber doch einen Schwerpunkt unserer Politik, und zwar einer wirklichen Arbeiterpolitik, deutlich gemacht.

Das wichtigste war, daß wir in Verbindung mit der angestrebten Leistungsentwicklung unserer Volkswirtschaft zum Ausbau unserer Sozialpolitik übergingen. Man mag das heute beurteilen wie man will, niemand

Offizielles Bild als Partei- und Staatschef

kann jedoch aus der Welt schaffen, daß es uns möglich war, in der Zeit von 1979 bis 1989 über 3,4 Millionen Wohnungen neu zu bauen beziehungsweise zu modernisieren, mit einem hohen Komfort, der früher nur in Bürgerwohnungen vorhanden war. Dieses Wohnungsbauprogramm ist einzigartig in der Geschichte des Volkes. Natürlich hat das etwas gekostet. Wir haben über 360 Millionen Mark für den Wohnungsbau eingesetzt.

Hinzu kam noch der gewaltige Ausbau unserer Möbelindustrie von 3 Millionen Mark auf 8 Milliarden Mark. Das erwähne ich nur, damit man eine Vorstellung hat von den Leistungen, die in dieser Zeit geschaffen wurden.

Selbstverständlich konnten wir in dieser Frist nicht alle Wohnungen modernisieren, insbesondere nicht in den Klein- und Mittelstädten. Ich habe immer zu unseren Genossen im Politbüro gesagt: »Genossen, wir müssen Bedingungen schaffen, damit sich das örtliche Bauwesen stärker entwickelt unter Hinzuziehung des Geldes derer selbst, die Wohnungen bauen wollen.«

Wenn von der Bundesrepublik gegenwärtig gekräht wird über den Zustand der Bausubstanz in der DDR, verschweigen die Herren aus wohlverstandenen Gründen, daß es dort allein über 900 000 Obdachlose gibt und nach jüngsten Erhebungen des Mieterverbandes über eine Million Wohnungen fehlen.

Ich bin auch heute noch stolz, daß durch die FDJ-Initiative und einen großen Teil der Werktätigen praktisch drei neue Stadtteile in Berlin entstanden sind: Berlin-Marzahn, Berlin-Hohenschönhausen und Berlin-Hellersdorf, ganz zu schweigen vom Allende-Viertel und den anderen Vierteln. Den Prenzlauer Berg wollten wir nun in Angriff nehmen. Bei allem Geschrei über die Herrschaft des alten Politbüros bringen es die Leute nicht mal fertig, die Baupolitik zu stabilisieren, so daß der Wohnungsbau bis jetzt über 20 Prozent zurückgegangen ist und Arbeitslosigkeit vorhanden ist.

Offensichtlich war diese Sozialpolitik nicht so mies, sonst brauchten heute nicht die Bürger der DDR ihre sozialen Errungenschaften zu verteidigen.

Wohnungsbau

War Ihr Wohnungsbauprogramm tatsächlich so erfolgreich? Kam es dadurch nicht auch zum Verfall der Altbausubstanzen?

Gewiß, es sind dabei bestimmte Altbausubstanzen auch dem Verfall preisgegeben worden, wie im Prenzlauer Berg, in Leipzig, in Mittelstädten. Es kommen jetzt im Rahmen von Patenschaften aus der Bundesrepublik Baukolonnen, um zu helfen, die Altbausubstanz zu retten. Einverstanden, das ist ein gutes Unternehmen. Aber ich frage mich, wieso bauen die nicht Wohnungen für die Obdachlosen, die es in der Bundesrepublik Deutschland gibt? Da könnten wir doch auch Patenschaften organisieren, damit sie nicht unter Brücken schlafen und in Hausfluren. Auch dort brauchte man ein großes Wohnungsbauprogramm.

Man hat jetzt die sogenannten freien Wahlen durchgeführt, und die Bundesprominenz ist eingeflogen. Sie hat große Versprechungen gemacht. Aber nach den Wahlen, die für viele überraschende Ergebnisse zeitigten, setzte ein großer Katzenjammer ein. Es wurde vielen immer mehr klar, daß freie Marktwirtschaft gleichzeitig Arbeitslosigkeit beeinhaltet. Wir hatten immer zu wenig Arbeitskräfte. Nun sagt man, die DDR-Betriebe gehörten zu einer maroden Wirtschaft. Ich stelle bloß die Frage, was die Leute unter einer maroden Wirtschaft verstehen. Jedenfalls hatten wir seit 20 Jahren eine aufblühende Wirtschaft. Das drückte sich in der Steigerung des Nationaleinkommens aus, in der Steigerung des Außenhandels, in der Finanzwirtschaft, sowohl innen als auch im äußeren. Jetzt wird auf einmal ein Betrieb nach dem anderen stillgelegt, oder es werden Arbeiter — wie man sagt — freigesetzt. Es entsteht ein Arbeitslosenheer. Das schlimme dabei ist, daß eine Reihe Bürger sich das früher gar nicht vorstellen konnten, in die Arbeitslosigkeit gestoßen zu werden, hoffnungslos, was die Zukunft betrifft. Besonders die jungen Menschen, die betroffen sind und nun keine Lehrstelle erhalten, die ihnen früher gesichert war. Was also jahrzehntelang bei uns ein Fremdwort war, ist jetzt, was die Menschen nicht zur Ruhe kommen läßt.

Aber Ihre Sozialpolitik hatte doch zwei Seiten. Auf der einen Seite war sie, was die soziale Sicherheit anbetraf, sicherlich erfolgreich, andererseits verhinderte sie doch auch, effektiver und leistungsbewußt zu arbeiten. Nehmen wir die billigen Mieten. Trugen sie nicht auch zum Verfall der Städte bei?

Also ich möchte sagen, das ist ein Märchen. Man macht gegenwärtig eine große Propaganda darum. Ich habe mir das im Fernsehen angesehen. Eine hessische Baufirma bringt in Thüringen jetzt ein paar alte Häuser in Ordnung. Damit ist aber diese Frage nicht gelöst. Man muß doch davon ausgehen, daß wir in einer verhältnismäßig kurzen Zeit für 9 Millionen Menschen neue Wohnungen geschaffen haben beziehungsweise modernisierte Wohnungen, in denen man gut leben konnte, in denen ein Bad und hygienische Einrichtungen vorhanden waren. Man kann also sagen, daß die Wohnbedingungen äußerst günstig waren, zumindest für 9 Millionen Bürger der DDR. Das haben wir mit Hilfe des Arbeiter-Wohnungsbau-Programms getan, mit einer bestimmten Kreditgebung auf seiten des Staatshaushaltes, und das hat sich auch bezahlt gemacht. Aus der Geschichte der DDR kann man das Wohnungsbauprogramm nicht streichen, das besonders seit 1971 ganz umfassend in Angriff genommen wurde. Allein in Berlin-Stadtmitte werden gegenwärtig immerhin Wohnungen für 15 000 Bewohner geschaffen, in einem solchen Stadtzentrum, wo man glaubte, da könnte man nicht mehr viel Wohnungen bauen.

Die zweite Frage ist die Vernachlässigung bestimmter Stadtkerne. Ich habe das selbst erlebt. Ich kenne Leipzig. Wenn man vom Flugplatz kam, da hat man das gesehen, als wenn gerade erst das Artilleriefeuer des Zweiten Weltkrieges vorbeigegangen ist. Es gab nur zwei Möglichkeiten: entweder die Häuser zu restaurieren oder sie abzureißen. Das ist die Frage, die zu entscheiden war, und der Bauminister war öfter in Leipzig und hat dort diese Fragen besprochen. Aber offensichtlich hat er nicht die Entscheidungen getroffen, die notwendig waren, um diese Dinge vorwärtszubringen.

Auf der anderen Seite kenne ich den Aufbau in Halle, sowohl die neuen Stadtteile Halle-Neustadt und andere. Natürlich kenne ich auch die Hemmnisse, die manchmal vorhanden waren, allein schon aus Verordnungen, daß man wegen eines Hauses, das unter einem bestimmten Schutz stand, aufhörte, die ganze Straße fertigzumachen und durchgehend zu bebauen. Also, es gibt da sehr verschiedene Momente. Es ist jetzt wichtig, daß man das in Angriff nimmt. Das ist keine Neuigkeit. Wir haben in den letzten drei Jahren den Innenaufbau einiger Stadtkerne in den Mittelpunkt gerückt, wobei man nur das machen kann, wozu man leistungsfähig ist. Wenn man für die anderen 7 Millionen Menschen jetzt auch noch neue Wohnungen schafft, ist die Frage gelöst. Aber wie ich jetzt gehört habe, ist die Wohnungsbauproduktion doch erheblich gesunken.

Ist nicht vorwiegend nur in Berlin viel gebaut worden?

Da möchte ich protestieren. Das ist Zweckpropaganda. In Halle wird, wie gesagt, viel gebaut. Oder nehmen wir Magdeburg. Magdeburg war doch ein Trümmerhaufen. Es ist vollkommen neu erstanden. Nehmen wir Neubrandenburg, Neustrelitz, Schwerin, sogar Dresden. Manches wurde dort kritisiert. Auch hier hat das

Bauministerium geholfen, wenn es konnte, auch die Deutsche Bauakademie. Aber es ist natürlich notwendig, daß man neben dem Gesellschaftsbau auch dem Wohnungsbau und der Modernisierung oder der Renovierung die entsprechende Aufmerksamkeit schenkt, also dem Erhalt der Bausubstanz. Wir legten mehr Wert auf die Modernisierung, und zwar deshalb, damit man gänzlich andere Wohnverhältnisse hat, so daß das Plumpsklo der Vergangenheit angehört und auch der Bottich, wo man sich mal baden konnte.

Wirtschaftspolitik

Viele sind heutzutage der Meinung, daß die Wirtschaftspolitik die eigentliche Ursache für das Scheitern des Sozialismus auf deutschem Boden ist. Günter Mittag ist besonders mit der Wirtschaftspolitik in der DDR verbunden. Er hatte mit Erich Apel bereits unter Ulbricht versucht, das ökonomische System des Sozialismus zu reformieren. Warum hat Apel sich eigentlich damals erschossen?

Ich habe nicht die Absicht, Aussagen zu Personen zu machen, insbesondere, soweit sie belastend wären.

Das neue ökonomische System wurde damals ausgearbeitet unter der Leitung von Walter Ulbricht, unter Hinzuziehung von vielen Fachleuten, einschließlich von Erich Apel, der vor Mittag Sekretär für Wirtschaftsfragen beim ZK war. Günter Mittag war lange Zeit Abteilungsleiter im Zentralkomitee. Das neue ökonomische System hatte sich nicht bewährt. Es gab jedoch die Grundlage für die spätere wirtschaftliche Entwicklung. Ich selbst habe an den verschiedenen Diskussionen teilgenommen, zum Beispiel noch mit Chruschtschow, Breshnew, Kossygin, Podgorny und so weiter, zur günstigsten Wirtschaftsorganisation des Sozialismus. Natürlich mußte man sehen, daß die Sowjetunion größer ist als die DDR, und sie hatte eine hocheffektive Wirtschaft auf dem Gebiet der Verteidigungsindustrie. Man war der Auffassung, daß der Übergang zu Kombinaten günstiger wäre; Kombinate, ähnlich den kapitalistischen Konzernen. Sie sind es ja auch wirklich unter sozialistischen Bedingungen. Diese Wirtschaftspolitik wurde letztendlich doch kollektiv ausgearbeitet, zumindest aber kollektiv bestätigt. Etwas anderes ist die Durchführung dieser Politik auf einzelnen Gebieten. Apel ist praktisch gescheitert an der Ausarbeitung eines 7-Jahr-Planes auf dieser Grundlage. Das hat er aufgrund der Aufgabenstellung nicht hingekriegt. Die Tatsache, daß er Selbstmord verübte, ist bis heute noch nicht ganz geklärt. Wir haben damals den Bundespräsidenten Lübke sehr stark angegriffen, weil unter seiner Leitung zur Hitlerzeit Baracken gebaut wurden für Fremdarbeiter. Dann erschien in einer Westberliner Zeitung eine Mitteilung, daß das alles über Lübke ja nicht stimme, man könne sich auch bei Erich Apel erkundigen, der ja eng mit ihm zusammengearbeitet habe. In der Tat, Erich Apel war tätig gewesen in Peenemünde beim Bau der Raketen V 1 und V 2. Peenemünde wurde verlegt in das Harzgebiet. Im Lager Dora war Erich Apel einer der Leiter von Dora. Befürchtungen brauchte er deshalb nicht zu haben, denn das war alles aktenkundig. Er gehörte zu jener Gruppe von Wissenschaftlern, die von Peenemünde in die Sowjetunion gingen. Braun ging in die USA, andere gingen in die Sowjetunion. Sein Tod mag auch in seinem persönlichen Leben begründet sein. Ich habe damals selbst eine Aktendurchsicht vorgenommen, weil ich für die Kaderfragen verantwortlich war. Ich habe auch am Schicksal von Erich Apel großen Anteil genommen. Wir haben sehr gut zusammengearbeitet. Er hat mir in meiner Funktion damals sehr viel geholfen, indem er mich in wirtschaftliche Prozesse einführte. Wenn ich in einen Bezirk ging, war ich von ihm gut vorbereitet; ich hatte von ihm kurz die wichtigsten Daten der ökonomischen Entwicklung in diesem Bezirk bekommen, die positiven wie auch die negativen. Es gab auch gar kein ungünstiges Verhältnis zwischen Apel und Mittag. Am Abend zuvor haben sie noch zusammen getrunken bei einem Kameradschaftsverband.

Die Wirtschaftspolitik wurde sehr stark nach unseren Gesichtspunkten ausgearbeitet, nachdem es sich zeigte, daß wir uns nicht weiter auf die sowjetischen Erfahrungen stützen konnten. Wir gingen tatsächlich zur Bildung von Kombinaten und zu einer höheren Selbstverantwortung der Kombinate über. Das war vollkommen im Gange. Was die Wirtschaftspolitik betrifft, so ist es natürlich so, die kann man nicht irgend jemandem einfach überlassen. Damals gab es einen staatlichen Plan. Der Jahresplan wurde in der Volkskammer von den Ausschüssen beraten, und er wurde zum Gesetz. Mittag als stellvertretender Vorsitzender des Ministerrates, das war er ja drei Jahre lang, hatte auch als Sekretär für Wirtschaft beim ZK eine bestimmte Verantwortung für die Durchführung der Pläne.

Das Verhältnis von Mittag zu den Kombinatsdirektoren sowie allen Personen, die ihm unterstellt waren, soll nicht sehr demokratisch, sondern sehr autoritär gewesen sein. Stimmt das?

Man sagt im Deutschen, wo gehobelt wird, da fallen Späne. Manchmal war das Verhältnis nicht gut zwischen ihm und den einzelnen Kombinatsdirektoren, wie sich nachträglich herausstellte. Aber auf der anderen Seite war es doch so, daß durch eine gute Zusammenarbeit zwischen ihm und dem Leiter der Staatlichen Plankommission sowie den anderen Ministern und Kombinatsdirektoren wir doch eine solche Entwicklung hatten, die Jahr für Jahr einen Zuwachs zwischen drei bis vier Prozent erbrachte. Das betraf das Nationaleinkommen als auch die industrielle Warenproduktion. Dieser Zuwachs wurde in der Hauptsache erreicht durch Investitionen. Rund 50 Prozent der Grundfonds der DDR waren nicht älter als fünf Jahre, aber auch durch die Senkung der Selbstkosten, das heißt durch eine höhere Arbeitsproduktivität.

Unerläßlich war, den Kombinatsdirektoren wirklich die Eigenverantwortung zu übergeben und die Kontrollen durchzuführen. Die muß man ja haben in einem Land mit einer solchen Industrie. Sie sollten durch die Banken und das Finanzsystem kontrolliert werden.

Außerdem hatten wir ein Zentralinstitut für sozialistische Wirtschaftsführung unter Leitung von Koziolek.

Man muß sagen, daß dieses Institut innerhalb der sozialistischen Länder führend war. Dort wurden Methoden der Wirtschaftsleitung ausgearbeitet und Marketing für unsere Bosse der Konzerne und Betriebe trainiert. Außerdem war es ja so, daß ein Kombinatsdirektor zwar Direktor seines Kombinates war, aber die Einzelbetriebe innerhalb eines Kombinates juristisch selbständig waren, obwohl es auch Verstöße dagegen gab.

Ich habe dieses System mal Mittag erläutert anhand eines Konzerns der Bundesrepublik, dessen Ausstellung wir noch unter Leitung von Walter Ulbricht auf der Leipziger Messe besuchten. Ulbricht ging runter in die Kabine, um mit Wolff von Amerongen einige Fragen zu besprechen. Ich habe zu Mittag gesagt: »Nun schau doch mal an, Günter, wie der Wolff-Konzern aufgebaut ist. Jeder Betrieb ist extra aufgeführt. Das heißt, die Konzerne haben für bestimmte Gebiete ihre eigene Verantwortung.«

Beim Rundgang auf der Leipziger Messe durch das Ringmessehaus haben wir die schönsten Sachen der Welt gesehen, Damenbekleidung, Unterbekleidung, Kinderbekleidung, Sportbekleidung und so weiter. Ich habe das vorher gar nicht gewußt, daß das in der DDR hergestellt wird. Nachher habe ich nachgeforscht und herausbekommen, daß das alles für den Export war. Das haben unsere Leute nicht bekommen. Nachher, als ich verantwortlich wurde für die ganze Sache, sind wir nicht mehr ins Ringmessehaus gegangen. Ich habe mir gesagt, was nutzt das, das würde nur die Bürger gegen mich aufbringen. Das können sie sich ja gar nicht kaufen. Deshalb haben wir die Aufgabe gestellt, keine Produktion nur für den Export, sondern immer auch für die eigene Versorgung der Bevölkerung. In diesem Fall für unsere Frauen und für unsere Mädchen. Das gleiche traf selbstverständlich auch für die Herrenbekleidung zu.

Aber nun gibt es eine Frage, die wir dabei berücksichtigen müßten. Für bestimmte Produktionen braucht man Importware, Seide, Baumwolle, andere Erzeugnisse, die oft schwer zu haben war. Wir haben baumwollartige

Gewebe entwickelt, damit wurde die Versorgung auf dem Markt auch besser. Was die Jeans betrifft, so haben wir jetzt eine Produktion, um Millionen davon jährlich herzustellen, einschließlich derer, die so aussehen, als wären sie gewaschen. Aber wir konnten ja die Betriebe, die aufzubauen sechs Jahre dauert, nicht in sechs Monaten aus dem Boden stampfen. Wir haben sehr auf die Eigenproduktion der Jeans gedrückt, auch weil uns der Import zu teuer wurde. Sie wurden durch Flugzeuge herangeschafft, und wir haben eine Million Stück verkauft. Jetzt produzieren wir sie selbst. Und trotzdem, da verändert sich ja auch die Mode sehr schnell.

Mußten denn wirklich solche Kleinigkeiten im Politbüro entschieden werden?

Man muß sich mal vorstellen: Niemand von uns hatte Ahnung. Es gab zum Beispiel lange Zeit für Damen keine Schlüpfer zu kaufen, nicht in Berlin, nicht in der Republik. Ich habe das gehört und habe das im Politbüro aufgerollt. Da sagte die Inge Lange: »Na, weißt du das nicht, wir geben jetzt vom Frauenbund heraus, wie man sich einen Schlüpfer nähen kann.« Das ist doch ein Skandal, so was! Ein Land mit einer großen Textilindustrie und mit einem Riesenexport kann nicht genug Damenschlüpfer produzieren. Bloß um das mal herauszugreifen. Das heißt, es gab auch eine bestimmte Trägheit in diesen Dingen.

Aber alles kann nicht in der Schuld der zentralen Planung liegen, das kann natürlich auch an der Entwicklung generell liegen. Die Betriebe sind ja eng verbunden mit den Außenhandelsorganisationen und dem Binnenmarkt. Auf der Leipziger Messe wurden die Verkäufe getätigt, und das war das Sachgebiet von Jarowinsky. Damit hatte Mittag überhaupt nichts zu tun. Es lag bei Jarowinsky, und die haben ihre Arbeit eben vernachlässigt.

**Haben Sie die Fähigkeiten von Mittag nicht über-
schätzt? Die anderen Mitglieder des Politbüros hatten offensichtlich auch etwas gegen Günter Mittag,
sie wählten ihn ebenfalls ab.**

Margot Honecker

Er war nicht beliebt, auch bei einem großen Teil
der Minister nicht, weil er offensichtlich eine Art hatte,
nicht mit seinen Leuten zurechtzukommen.

Erich Honecker

Nun ja, er hat vorbeiregiert an verschiedenen
Sachen. Man hätte verschiedene Fragen im Politbüro
stellen müssen oder im Ministerrat. Das kommt nach-
träglich heraus. Aber er hat natürlich auch in dieser
Arbeit große Verdienste. Zum Beispiel in der Frage der
Kombinatsbildung, der Mikroelektronik und so weiter.
Er hat auch zum Beispiel die ganze Umstellung unserer
Stahlindustrie auf Edelstahl geleitet. Das gab es in keinem
sozialistischen Land. Wir haben das alles beherrscht. Wir
hatten 80 Prozent Edelstahlproduktion.

Ökologie

Auf dem Gebiet der Ökologie gab es gewaltige Versäumnisse in der DDR. Warum wurde hier so wenig getan?

Was die Ökologie der DDR betrifft, so weiß ich von vielen Staatsmännern, daß auf diesem Gebiet Beispielhaftes in der DDR geleistet wurde. Wir hatten lange vor der BRD ein Umweltschutzministerium. Es hat in den letzten Jahren Milliarden eingesetzt, um bei der Ökologie weiter voranzukommen. Verschiedene hochrangige Besucher aus der BRD, mit denen ich einige Straßen der DDR passierte, konnten nicht umhin festzustellen, was wir auf dem Gebiet der Wasseraufbereitung taten, auf dem Gebiet der Verkehrswege, daß wir das Fällen von Chausseebäumen unterließen, und was wir auf dem Gebiet der Landschaftsgestaltung machten, das war geradezu vorbildlich.

Selbstverständlich war in jenen Gebieten, in denen die Chemie konzentriert war, das Luftverhältnis sehr schlecht. Aber wir hatten gerade in der letzten Zeit eine Reihe Abkommen, die dazu beitragen sollten, die Schadstoffemissionen zu verringern, um sie entsprechend der Wiener Umweltkonferenz um 50 Prozent zu reduzieren, so zum Beispiel in Elektrokohle Berlin.

Selbstverständlich ist noch viel zu tun.

Ich möchte die Gegenfrage stellen. Wie konnte in der BRD die Bewegung der Grünen eine so starke Kraft werden? Doch nur, weil für den Umweltschutz verhältnismäßig wenig getan wurde im Verhältnis zur Industriekapazität, die dort vorhanden ist.

Aber versuchen Sie jetzt nicht, dieser Fragestellung auszuweichen? War und ist die DDR nicht eine der größten Umweltverschmutzer in Europa, schon aufgrund der Braunkohlen- und Chemieproduktion, die zum Teil außerordentlich veraltet ist?

Einige Beispiele, wie schwierig die Lösung ökologischer Fragen bei uns gewesen ist: Es ging um die Petrol- und Karbolchemie. Die Karbolchemie hatte ihre Traditionen in Deutschland und dann auch in der DDR. Sie wurde, wie die Leuna-Werke, nach 1945 zum Teil demontiert für Reparationsleistungen und dann wieder von uns aufgebaut. Das war dann eines der wichtigsten und einträglichsten Unternehmen der DDR. Auf der anderen Seite war natürlich die Petrolchemie moderner und effektiver und auch von den verschiedenen spezifischen Erzeugnissen ertragreicher. Aber die Petrolchemie ist natürlich abhängig von Erdöl. Erdöl konnten wir nur durch andere Länder beziehen, bei uns gibt es bekanntlich kein Erdöl. Nun hatten wir Möglichkeiten, Erdöl sowohl aus den sozialistischen Ländern zu beziehen, aus der Sowjetunion zum Beispiel, als auch von den Staaten der Dritten Welt oder den nichtpaktgebundenen. Ich denke dabei an Iran, an Libyen und so weiter. Aber das hängt auch alles zusammen mit den entsprechenden Kalkulationen. Als auf einmal ein Stop der Lieferung von Erdöl innerhalb von 14 Tagen von 19 Millionen Tonnen auf 17 Millionen Tonnen eintrat, da stellte sich die Frage, was weiter. Was hat man gemacht? Man mußte zur höheren Braunkohleproduktion übergehen. Dadurch entstanden auch die Braunkohleheizkraftwerke mitten in einem Naturschutzgebiet. Und hier wurde die Luft verpestet.

Oder nehmen wir die Frage der Eisenbahn in diesem Zusammenhang. Nach der Steinkohle hatten wir sie auf Diesel umgestellt. Wir mußten zur gleichen Zeit das Einschienennetz, das noch übriggeblieben war nach 1945, ergänzen durch ein Zweischienennetz, damit sich der Durchgang etwas schneller vollzog. Aber dann, nach der

Erdölkrise, mußten wir die Eisenbahn umstellen auf Elektrifizierung. Das hat natürlich Riesensummen gekostet. Dann mußten die Eisenbahnschwellen durch andere Schwellen ersetzt werden, weil die neuen Alkalischwellen, mit denen der Erfinder, glaube ich, sogar einen Preis bekam, nicht mehr tragbar waren. Betonschwellen, die alkalihaltig waren, gingen durch schnelle Erosion kaputt. Es trat ein Sicherheitsrisiko der Eisenbahn auf. Sie mußten wieder für 7 Milliarden Mark umprofiliert werden auf andere Schwellen. Der Arbeiter an den Schwellen hat natürlich gesagt, die da oben sind doof. Aber in Wirklichkeit waren es jene Wissenschaftler, die die Alkalischwellen erfunden haben. Aber man sagte, es liegt nicht an der Erfindung der Alkalischwellen, sondern an der Atmosphäre bei uns. Das hätten natürlich auch jene Leute wissen müssen, die erst die alkalihaltigen Schwellen bei uns produziert haben und dann eingebrochen sind, so daß für 7 Milliarden Mark falsche Investitionen getätigt wurden.

Oder nehmen wir ein anderes Beispiel. Vor kurzem hat ein sehr schlauer Reporter, der von der IG Wismut überhaupt nichts versteht, in seiner Reportage geschrieben, daß im Zuge der Abrüstung auf atomarem Gebiet die Sowjetunion nicht mehr so viel Uran benötigt und sich angeblich zur Vermeidung von Kosten genötigt sah, nicht mehr so viel Uran abzunehmen, dadurch brauche sie nicht mehr Millionen in den Uranbergbau der gemeinsamen Gesellschaft Wismut zu stecken. Dieser Mann hatte überhaupt keine Ahnung. Wir, die DDR, hatten seit Jahrzehnten mit Milliarden, finanziert durch den Staatshaushalt der DDR, diese Gesellschaft aufrechterhalten, nach dem Krieg bis jetzt. Jetzt haben wir das zurückgedrückt auf eine Milliarde. Diese sogenannte deutschsowjetische Gesellschaft, die Wismut AG, hat zum übergroßen Teil auf Kosten der DDR gelebt. Dort wurden und werden mit Recht höhere Löhne bezahlt, weil dort das Arbeiten sehr gesundheitsschädigend ist. Ein Hauer bekommt ungefähr 2000 Mark auf die Hand. Es wurden auch extra Erholungsheime zur Verfügung gestellt. Aber wir haben begonnen, dieses Sonderregime zu beseitigen, besonders die Handelsorganisation Wismut. Die Arbeiter konnten dort alles kaufen, und die anderen hatten Lükken im Angebot. Wir haben gesagt, das ist unerträglich, und lösten die Handelsorganisation Wismut auf.

Dann traten immer wieder Lücken in vereinbarten Lieferangeboten, zum Beispiel bei Steinkohle, auf. Wir waren sehr stark orientiert auf die Lieferung von Kohle, die die Sowjetunion über Polen an uns geliefert hat. Aber sehr oft blieben diese Lieferungen, insbesondere bei Streiks in der Volksrepublik Polen, aus. Was aber willst du machen, wenn du keine Kohlen hast? Wir haben schnell angerufen beim Saarbergbau, zu dem ich ja besondere Beziehungen hatte, und die haben geliefert, auch vom Ruhrbergbau. So war die verhältnismäßige Selbständigkeit der Betriebe natürlich dabei immer ein großes Problem.

Ich will damit nicht sagen, daß das auf allen Gebieten so war. Es gab auch Gebiete, wo wir selbständig werden konnten, sagen wir mal im Kalibetrieb. Wir haben hier die Produktion auf 2,3 Millionen Tonnen im Jahr gesteigert und hatten auf dem Weltmarkt eine gute Position auf diesem Gebiet. Das war unser weißes Gold. Den Kalibergbau haben wir ausgebaut.

Jetzt wird herausposaunt von der neuen Regierung als großer neuer Schritt, die Produktion von Braunkohle von 300 Millionen Tonnen auf 190 Millionen Tonnen zu senken. Man bringt das Beispiel des Zittauer Gebietes. Aber was das Zittauer Gebiet anbetrifft, habe ich gerade im Politbüro darauf gedrungen, eine neue Konzeption für die Elektroenergieversorgung der DDR auszuarbeiten, um zu verhindern, daß weiterhin ganze Dörfer verschwinden. Das war schon in Gang. Wir haben die verantwortlichen Stellen dazu gezwungen, davon abzugehen, daß es im Jahre 1990 in diesen ganzen Gebieten keine Dörfer und Städte mehr gibt. Auch in Leipzig haben wir Schluß gemacht, obwohl unter Leipzig so viel Kohle liegt. Man hätte dann ganz Leipzig beseitigt. Es gab solch unvernünftiges Herangehen. Deshalb muß man sagen, daß schon zu unserer Zeit den zuständigen Stellen gesagt wurde, so geht es nicht, wir müssen uns nach anderen Energiequellen umsehen beziehungsweise sparsamer sein im Energieverbrauch.

Aber im Energieverbrauch liegen wir mit an der Spitze in Europa.

Margot Honecker

Das alles sind objektive Probleme, die bei schlechter Leistung, auf welcher Ebene auch immer, nicht durchschaubar wurden für die Brigaden, für die Künstler und so weiter. Dafür haben wir nicht genügend Öffentlichkeit hergestellt. Nicht mit Rücksicht auf die Oberen hier, sondern manchmal auch wegen internationaler Verflechtungen, mit Rücksicht auf die Freunde in den Nachbarländern. Das hätte als Kritik aufgefaßt werden können. Es gab viele Empfindlichkeiten in dieser Beziehung. Aber das war meiner Ansicht nach nicht das Hauptproblem. Ich glaube, wenn wir diese Dinge, wie man heute sagt, transparenter gemacht hätten, wenn die Arbeiterklasse, die Ingenieure, die Wissenschaftler in dem Moment gewußt hätten, es geht um die Wurst, dann hätten sie sich wieder was Neues einfallen lassen. Hier wurde eben manches nicht genügend im Sinne der Herausforderung gemacht, diese Probleme als eigene Probleme anzusehen und sich damit auseinanderzusetzen. Das ist nicht aufgegangen. Das ist natürlich für einen Arbeiter, der einen Beruf erlernt hat, den er jahrzehntelang ausübte, der nun umlernen muß, der sich trennen muß, nicht so einfach. Ich glaube, auch diese Psychologie ist nicht immer genügend berücksichtigt worden. Da hätte behutsam und einfühlsam vorgegangen werden müssen. Das entscheidende war letzten Endes, nicht für irgendwen, sondern auch für die Arbeiter eine hohe Arbeitsproduktivität zu sichern. Wie macht man das verständlich, wie behutsam, wie einfühlsam, wie regt man zum Mitdenken an?

Arbeitsproduktivität

Lenin hat gesagt, das Entscheidende in der Auseinandersetzung der beiden Gesellschaftssysteme sei die Frage der Arbeitsproduktivität. Jetzt hat sich der Kapitalismus letztlich als stärker erwiesen. Ist, Herr Honecker, der Sozialismus nicht an seiner ungenügenden Arbeitsproduktivität gescheitert?

Wissen Sie, das Wort »letztlich« würde ich in diesem Zusammenhang nicht gebrauchen. Es stimmt, Lenin hat zum Ausdruck gebracht, daß die Arbeitsproduktivität letzten Endes entscheidet über den Sieg der neuen Gesellschaftsordnung. Insgesamt möchte ich sagen, daß das selbstverständlich ein langwieriger Kampf ist, eine solche Arbeitsdisziplin zu gewährleisten, die in jedem Fall das Streben nach einer höheren Produktivität sichert. Wir haben, um das Ziel zu erreichen, schon seit langer Zeit den Leistungslohn eingeführt. Wenn man heutzutage sagt, in der DDR habe es keinen Leistungslohn gegeben, das Leistungsprinzip wäre nicht erfolgt, so stimmt das überhaupt nicht. Das stimmt vielleicht für einige Betriebe oder Betriebsteile, für einige Arbeitsgebiete. Aber insgesamt ist es doch so, daß wir einen Leistungslohn hatten. Das sieht man allein schon daran, daß man die Entlohnung nach Normen übernommen hat. Ich war nie dafür, die Sache »Normen« zu nennen. Ich kenne das noch aus meiner Zeit, als ich Dachdecker war. Da war es so, daß man für 30 Quadratmeter soundso viel Geld bekam, und für mehr hat man den entsprechenden Lohn gehabt. Das war natürlich der Anreiz überall. Ich habe mal mit einem Maurer zusammengearbeitet. Wenn die mal etwas gebummelt haben, hat der Polier entschieden: »Du gehst raus aus der Kolonne, du hemmst die Kolonne, geh nach Hause.« Und dann kommt ein anderer dazu.

Natürlich gab es den Leistungslohn auch in der DDR. Aber nicht überall wurde in dem Maße die Leistung stimuliert, damit es wirklich zu einer höheren Effektivität kam. Aber immerhin war es so, daß wir im Durchschnitt Jahr für Jahr zwischen 3 und 4 Prozent die Arbeitsproduktivität in den letzten 10 Jahren steigerten. Das war eine gute Entwicklung. Allerdings können wir uns nicht vergleichen mit dem kapitalistischen System. Das ist dort kein Leistungsprinzip, sondern Ausbeutung. Dank der gewerkschaftlichen Errungenschaften, die erzielt wurden, ist zwar oft ein gutes Lohngefüge vorhanden, aber was im Betrieb erarbeitet wird, davon bekommt der Arbeiter nur einen Teil. Marx hat mit Recht auf die gesellschaftliche Produktion und die private Aneignung hingewiesen. Aber immerhin ist das Prinzip dort so stimulierend, daß, wenn man seine Sache nicht so bringt, man weniger Lohn hat oder aussortiert wird und in das Heer der Arbeitslosen geht. Dieses Arbeitslosenheer drückt sehr stark auf die Leistungen in den Betrieben. Jeder wird seine Aufgabe erfüllen, damit er seinen Arbeitsplatz erhält und in Verbindung damit auch seinen Lohn.

Wurde aber bei uns das Leistungsprinzip nicht fortlaufend verletzt und unterschätzt? Man brauchte relativ wenige Mittel, um seine Grundbedürfnisse zu befriedigen, durch niedrige Mieten, kostenlosen Schul- und Arztbesuch, billige Grundnahrungsmittel und so weiter. War das nicht ein Hemmschuh für die Steigerung der Arbeitsproduktivität?

Sie haben vollkommen recht, daß sich der Sozialismus natürlich vom kapitalistischen System unterscheidet wie Tag und Nacht. Wir haben vor allem die soziale Basis gesichert für das Leben der Menschen. In der Beziehung waren wir von Anfang an für eine Produk-

tionssteigerung, um in Verbindung damit das Sozialnetz
stärker auszubauen. Sie haben auch vollkommen recht,
bei uns brauchte keiner zu hungern, jeder hatte die
Möglichkeit, eine Wohnung zu bekommen zu einer
geringen Miete, bei uns gab es billige Transportmittel und
so weiter. Das alles sind diese Fragen, die gegenwärtig
unter dem Gesichtspunkt soziale Errungenschaften in der
öffentlichen Diskussion eine große Rolle spielen.

**Materiell konnte doch aber der Sozialismus keine
wirkliche Alternative zum Hochkapitalismus entwikkeln. Sonst wären doch nicht so viele Menschen heute
für die Marktwirtschaft, oder?**

Die imperialistischen Länder basieren materiell
auf dem Neokolonialismus. Das ist nicht eine Weisheit
der Kommunisten, daß die Entwicklung in Europa und
der Lebensstandard der Menschen hier zu einem großen
Teil auf die Ausbeutung der Dritten Welt zurückzuführen ist, insbesondere ihrer Rohstoffe, aber auch wegen
der sogenannten Billigproduktion. Unter diesen
Gesichtspunkten hat der Kapitalismus in den westlichen
Ländern eine sehr starke Basis zur Erhöhung der Effektivität der Arbeit, weil bestimmte Waren, die den Reichtum dort ausmachen, aus der Dritten Welt kommen.
Gegenwärtig ist man dabei, auch die ehemalige DDR zu
einem Billigland zu machen, die jetzt schmerzlich vor
ihrer größten Enttäuschung steht. In diesem Zusammenhang möchte ich noch einigen eine Abfuhr erteilen, für
die die Entwicklung der mikroelektronischen Basis in der
DDR eine Fehlentscheidung war. Es ist doch ganz offensichtlich, daß eine Land, das nicht bestrebt ist, Hochtechnologien zu beherrschen, zurückbleibt und praktisch ein
Kolonialland für jene Staaten wird, wie Japan und die
USA, die auf diesem Gebiet über eine ungeheure Leistungskraft verfügen.

Sie glauben also nicht, angesichts der Tatsachen, daß der Sozialismus auch ökonomisch eine Fehlkonstruktion der Geschichte war?

Ich glaube, daß ich das ja bereits im Verlaufe unserer Unterhaltung erläutert habe. All jene, die von einer Fehlkonstruktion sprechen, müssen sich überlegen, ob sie nicht fehlkonstruiert sind. Wer heute noch nicht begriffen hat, warum die fünf europäischen Länder geopfert wurden zugunsten einer Politik des europäischen Hauses, dem kann man einfach nicht helfen! Selbst wenn man davon ausgeht, daß die Theoretiker des europäischen Hauses eine solche Entwicklung nicht vorausgesehen haben.

Wir waren fest davon überzeugt, daß bei einem Erfolg einer gesamteuropäischen Entwicklung natürlich die unterschiedlichen Gesellschaftssysteme sich behaupten und friedlich zusammenwirken könnten. Aber es hat sich gezeigt: In dem Augenblick, wo die Länder Westeuropas sehr stark bestrebt waren, die nationalen Grenzen zu überwinden, die Vereinigten Staaten von Europa zu schaffen, wie es eine USA gibt, so haben die folgenden nationalistischen Bestrebungen bis jetzt den Beweis erbracht, daß die alte Vergangenheit noch nicht begraben ist und im Zentrum Europas der Nationalismus neu belebt wurde. Allerdings glaube ich nicht, daß er eine Zukunft hat. Die Welt geht in Richtung der Überwindung nationaler Grenzen. Das ergibt sich allein schon aus der Entwicklung der Produktivkräfte. Ich war mir stets bewußt, daß der Nationalismus der stärkste Feind der sozialistischen DDR war! So war es für uns schon ein Kunststück, bei der Entwicklung der Beziehungen zwischen der DDR und der nationalistischen Politik seitens der BRD stets das richtige Maß zu finden. Aber wir haben alles getan, auf sozialpolitischem Gebiet – vom Kindergarten bis zur Universität – den jungen Menschen die Möglichkeit zu geben, sich mit der neuen Gesellschaftskonzeption vertraut zu machen, die wir aus der schöpferischen Anwendung des Marxismus-Leninismus herleiteten. Dies war um so wichtiger, als die Entwicklung der BRD zeigte, daß große Teile der Jugend durch die herrschende Arbeitslosigkeit keine Zukunft hatten, daß ihr Leben zerstört wurde, das Leben von Millionen.

Bildungspolitik

Frau Honecker, Sie waren lange Jahre für die Bildungspolitik verantwortlich. Was sagen Sie zur Jugend dieses Landes, die durch das sozialistische Bildungswesen hindurchgegangen ist und schließlich den Aufbruch gewagt hat und entscheidender Initiator der Revolution wurde?

Über das Wie kann man diskutieren, über das Was läßt sich streiten. Es gibt ja noch keine wirklich historische Analyse der Zusammenhänge, und nun müßte man sagen, die anderen Völker sind ja auch aufgebrochen. Das ist ein weites Thema, und ich würde mir eine Analyse nicht anmaßen. Aber ich will mal sagen: Leute, die ihre Meinung hatten, mit denen ich mich streiten konnte, waren mir immer angenehm. Mit jungen Leuten habe ich wahnsinnig gern diskutiert, und es gab viel zum Nachdenken, zum Überlegen, was müßte, was könnte man anders machen.

Das Weltbild, das über die Pioniere oder über das Bildungswesen vermittelt wurde, hat den Sozialismus sehr harmonisiert und eine schöne Welt vorgegaukelt. Die Wirklichkeit im Alltag verlief anders. Bedeutete das nicht eine ungenügende Erziehung zur Konfliktfähigkeit?

Erziehung zur Konfliktfähigkeit, darüber kann man diskutieren. Aber wozu sollten wir denn den Sozialismus schlechter machen als den Kapitalismus? Ich halte nichts davon, daß man eine Sache nicht wissenschaftlich lehren soll in der Schule, Kreatitivität und Konfliktfähigkeit kommen doch nicht nur von Diskussionen und vom Andersseinwollen, sondern die kommen natürlich auch vom Wissen. Die Schule hatte natürlich in dieser Beziehung eine wichtige Funktion: Wissen, Wissen, Wissen zu vermitteln, damit man sich erst auseinandersetzen kann. Natürlich, man zeige mir einen Lehrer in der Welt, der wirklich ein pädagogischer Meister ist. Natürlich, es gibt welche. Das ist auch eine Frage von Können.

Viele unserer Lehrer haben es gekonnt, sich mit diesen jungen Leuten auseinanderzusetzen, weil sie selber jung waren, weil sie durch diese Schule gegangen sind, weil sie viel wußten, weil sie Gefühle hatten für das, was die Jüngeren empfanden. Also man soll das nicht so pauschalisieren.

Sie werden es erleben, Schule in der anderen Gesellschaftsordnung vermittelt weniger Wissen. Das ist nämlich eine Grundbedingung, um konfliktfähig zu sein. So kreativ ist das auch nicht, wenn man nur diskutieren kann.

Ich glaube, daß viele Probleme besser gelöst hätten werden können. Wir hatten viele Probleme. Wir sind aber nie stehengeblieben. Wir haben doch nie gesagt, daß der Sozialismus das Ende ist. Das war eine noch unvollkommene Gesellschaft, sie war noch nicht fertig. Man muß was machen, man muß ändern, man muß sich einbringen.

Ja, reden kann man viel, wenn wir es nicht im Alltag erfahren, sondern jeden Tag etwas anderes erleben. Aber eine Schule allein erzieht nicht die Kinder. Es ist auch die Frage, wie es in der Familie zugeht. Mich hat die Schule nicht umgekrempelt. Ich war konfliktfähig zum Faschismus, weil ich eine Familie hatte, in der man gedacht und in der man dazu beigetragen hatte, daß ich eine Persönlichkeit wurde. Deshalb soll man das jetzt nicht alles auf die Schule abladen, Sie müssen auch die Familie fragen. Jeder hat seine Verantwortung. Sind nicht gerade die jungen Leute am kritischsten gewesen? Und woher? Das wollt ihr der Schule jetzt abstreiten? Da sagt ihr plötzlich, das war nur die Familie. Nein, nein, das war auch die Schule. Die haben sehr viel gewußt, die jungen Leute.

Das ist richtig. Aber eine selbstkritische Einschätzung zu Ihrer Arbeit haben Sie sicherlich auch?

Aber natürlich. Ich mache jetzt keine Nachhineinbetrachtung. Da muß man viel analysieren. Aber ich bin auch manchmal ein bißchen verstimmt. Es gibt Leute, die unterstellen bestimmte Dinge und waren so intolerant, nicht mal zu lesen und mitzukriegen, was zu bestimmten Fragen gesagt und worauf orientiert wurde. Nehmen Sie den Pädagogischen Kongreß, diese Einschätzung der politischen Situation. Darüber wäre zu diskutieren, ob sie richtig war oder nicht, alle die Probleme, die wir dort aufgeworfen haben aus pädagogischer Sicht: zur Zensierung, zur Prüfung, zu Fragen der Moralerziehung, zur Art und Weise des Pädagogischen. Es galt, auf die jungen Leute zuzugehen, zur Geschichte, zur Gesellschaftskunde haben wir offen alle Probleme gestellt. Das stand alles in der Zeitung. Bloß lesen wollten es einige nicht. Warum eigentlich nicht?

Es ist die Frage, was davon im Alltag angekommen ist.

Das konnte ja noch gar nicht angekommen sein. Das waren die Ergebnisse wirklich vielfältigster Analysen von Leuten, die in der Praxis und in der Wissenschaft tätig waren. Das basierte auf Zuschriften von Kirchen und Gruppen. Das ist ja nicht so, daß wir das nicht zur Kenntnis genommen hätten. Wenn man das heute aufmerksam liest, wird man sagen, hier ist was eingegangen, dort was eingeflossen von alldem. Wir haben sehr stark die Fragen der humanistischen Erziehung gestellt. Wir haben gesagt, es gibt keinen Widerspruch zwischen sozialistischer Moral und allgemein-menschlicher Moral. Wir müssen den Fragen der allgemein-menschlichen Moral mehr Aufmerksamkeit schenken. Damit waren wir natürlich noch nicht durch in der Praxis.

Als Ministerin für Volksbildung

Müßte es nicht sogar ein Primat der humanistischen Erziehung gegenüber der technischen geben, um wirklich selbständige Persönlichkeiten heranzubilden?

Das ist auch so eine oberflächliche Einschätzung der Sache. Es gab kein Primat der Naturwissenschaft/ Technik. Außerdem – Marx und Engels haben immer den Standpunkt vertreten, daß die Naturwissenschaften unwahrscheinlich viel zur humanistischen Bildung beigetragen haben. Nehmen Sie heute bloß die globalen Probleme in Beziehung zum Humanismus. Es gab kein sozialistisches Land und schon gar kein kapitalistisches, in dem bis zur 10. Klasse Kunsterziehung und Musikerziehung gelehrt wurden. Reden wir mal nicht über die Qualität. Es gab viele Probleme, erkannte und nicht erkannte. Aber niemals hat Naturwissenschaft/Technik überwogen.

300

Woher kommt dann das Defizit an emotionaler Erziehung? Warum hatten doch letzlich so wenig junge Leute eine dauerhafte Bindung an diese Weltanschauung?

Das, glaube ich, ist nicht nur eine Frage der Fächer. Ich habe diese Auffassung immer vertreten.

Das ist eine Frage des »Rüberbringenkönnens«, des Pädagogischen und des Psychologischen. Hier hatten wir ein Defizit. Pädagogisches und psychologisches Eingehen auf verschiedenste Altersstufen, auf die verschiedensten Individuen ist eine der schwersten Sachen überhaupt. Da wurde eben oft über die Köpfe hinweggeredet. Da war oft zu wenig Persönlichkeit. Ich möchte da nicht pauschalisieren. Wir hatten sehr viele Lehrerpersönlichkeiten, die das konnten. Aber das ging nicht bei allen. Das sind natürlich auch Probleme der Zeit, die da in einer Schule stehen. Deshalb sage ich immer wieder, in der Gesellschaft gab es natürlich diesbezüglich auch Defizite. Wir haben uns bemüht, daß viele Kräfte aus der Gesellschaft stärker mitwirkten. Ich habe beispielsweise diesen ganzen Freizeitbereich als zunehmend bedeutenden betrachtet. Wir haben viele Versuche gemacht. Es ging aber nicht so ganz auf, noch nicht.

Eine andere Frage: Haben Sie sich jemals Gedanken gemacht, ob Sie, die Volksbildungsministerin, und Ihr Mann, der Generalsekretär der Partei, nicht so eine Art Familienbetrieb waren?

Um das mal ganz klipp und klar zu sagen: Ich war immer ein Partei- und Staatsfunktionär, unabhängig von meinem Mann. Als ich ins Ministerium kam, war er überhaupt noch nicht Generalsekretär. Da habe ich dort gearbeitet, von der Pike an. Ich war Abteilungsleiter, stellvertretender Minister und so weiter. Als ich als Minister berufen wurde, war das eine Notwendigkeit der damaligen Situation. Ich habe allerdings, als mein Mann Staatsratsvorsitzender wurde, darum gebeten, mich doch von meiner Funktion zu entbinden, weil ich da ein Problem sah. Ich wollte nie First Lady werden. Ich bin es, glaube ich, auch nie gewesen. In der Öffentlichkeit nie, nur wenn ich mußte. Das war für mich immer eine schreckliche Sache. Aber damals habe ich ernsthaft darum gebeten beziehungsweise verlangt, daß, wenn ich schon meine Funktion ausüben muß, bitte, nicht diese andere Funktion auch noch.

Und damit das auch noch klargestellt wird, daß ich mich nicht davongeschlichen habe: Ich habe bereits vor dem 9. Plenum des Zentralkomitees, bevor mein Mann zurücktrat als Generalsekretär und Vorsitzender des Staatsrates, darum gebeten, mich als Minister für Volksbildung zu entbinden, und zwar mit der Begründung, daß ich, obgleich ich nie mit der Förderung meines Mannes gearbeitet habe, kritischer behandelt werde als alle anderen. Ich wollte das, um der Volksbildung den Rücken freizuhalten, da man sie doch in Verbindung bringt mit meinem Namen. Ich habe um meinen Rücktritt gebeten, damit das Volksbildungsaktiv frei von dieser »Last« die Wende vollziehen konnte. Das war meine persönliche Entscheidung. Sie wurde nicht gebilligt im persönlichen Gespräch. Aber ich habe mich entschieden und das so gemacht. Zu Hause, wenn der Mann nach zwölfstündiger Arbeit zurückkam, hatte der den Kopf so voll mit großen Problemen, da konnte ich höchstens manchmal noch ein bißchen stänkern, über das, was ich wußte aus dem Alltag. Aber ihm noch irgend etwas über die Volksbildung zu erzählen, das wäre unmöglich gewesen. Mit meinem Kollektiv konnte ich alles diskutieren.

Es heißt, viele Ergebnisse der Forschung seien nicht zu Ihnen gelangt, sondern in die Panzerschränke, zum Beispiel Forschungen von Bildungssoziologen.

Es gab auch zwischen den Wissenschaftlern wissenschaftlich nützlichen Streit, aber auch Ambitionen, Sympathien und Antipathien. Das ist eine Geschichte für sich. Ob da mal was nicht zu mir gekommen ist

– durchaus möglich. Zu mir ist sicher manches nicht gekommen. Aber man hat sich auch sehr viel erzählt, was alles für Studien vorlagen, die nicht zur Kenntnis gebracht wurden. Jeder wollte ein bißchen seine Haut retten, manchmal auf Kosten derer, die ohnehin dran waren.

Nochmal zur Schule zurück. Die Förderung von Arbeiterkindern, die es ja wohl bis in die siebziger Jahre hinein gab mit dieser Prozentregelung, daß 40 Prozent Arbeiterkinder auf die Universitäten sollten, ist dann fallengelassen worden. Warum?

Das entsprach nicht mehr den ganzen Entwicklungen.

Aber ist damit nicht die Brechung des Bildungsprivilegs zurückgenommen worden, brauchten solche Kinder nicht weiter eine Sonderförderung?

Nein, es wurde darauf geachtet, daß unbedingt Arbeiterkinder gewonnen wurden. Aber wir sind natürlich davon ausgegangen, daß wir Angestellte haben, die man nicht so unterscheiden kann von Arbeitern, das hat ja Marx auch nicht gemacht.

Wurde damit die vorhandene Sozialstruktur nicht immer wieder nur reproduziert, und der Abbau der Klassenunterschiede fand über das Bildungswesen nicht mehr statt? Wurde das mal recherchiert?

Ich weiß nicht, was die Soziologen da für Untersuchungen haben. Aber im Grunde genommen ließ sich das über das Bildungswesen nur bedingt steuern. Die Brechung des Bildungsprivilegs wird sogar wieder eine hochaktuelle Frage werden. Aber nach 45 gab es eine spezifische Förderung der Arbeiter- und Bauernkinder. Das wurde natürlich dann zurückgenommen, als alle die Möglichkeit hatten, schon allein mit dem Ausbau unseres ganzen Vorschulsystems. Die Chancen waren doch dadurch für alle viel gleichmäßiger.

Kommen wir einmal auf den neuralgischen Punkt Ossietzky-Oberschule. Wissen Sie, wie das ablief? Haben Sie damals Einfluß darauf genommen, daß die Jugendlichen von der Schule gehen mußten?

Ich habe mich voll zu der Verantwortung bekannt, was damals war. Aber das würde ich hier nicht noch einmal aufwärmen wollen. Da waren so viele Verstrickungen und Verzwickungen. Das waren ja nicht nur ein paar Partyschülerchen, nicht nur ein paar andersdenkende Schüler, sondern die sind von anderen etwas mißbraucht worden.

Stehen Sie heute noch zu der Entscheidung?

Gut, man hätte das anders machen können, sicher.

Der Sohn von Egon Krenz war auch an der Schule.

Ja, der hat sich auch damit auseinandergesetzt. Das war ja schon in dieser Zeit, wo alles ein bißchen deutlicher wurde, daß das auf Konfrontation hinauslief und der eigentliche Grund nicht dieses Andersdenken war. Dort kam keine Ruhe mehr an diese Schule. Das war nicht mehr normal. Die anderen Eltern waren gar nicht mehr einverstanden, daß dort nur noch diskutiert wurde. Es wurde ja keiner in dem Sinne bestraft. Es war eine normale Schulorganisation.

Vielleicht ein letzter Punkt. Viele Kinder und Jugendliche sind unter das Dach der Kirche gegangen, um dort zu diskutieren und sich selbst politisch zu organisieren. Deutet das nicht doch darauf hin, daß dies in der Pionierorganisation, in der FDJ, in der Schule nicht genügend gegeben war?

Wir haben ständig mit der FDJ und der Pionierorganisation darüber in Diskussion gestanden, auch wenn das heute ganz anders dargestellt wird. Das ist für mich kein Thema. Es ging um die Frage, wie kommen wir stärker an die eigentlichen Probleme, an die Interessen der jungen Leute ran. Und wir hatten Pläne, wir hatten nicht wenig Pläne. Zum Beispiel an der Schule hatten wir vor, ein breites Spektrum fakultativer Kurse ab 7. Klasse einzurichten, nicht so sehr in Form von Unterricht, sondern zu den verschiedensten Wissensgebieten, interessanten und übergreifenden Gebieten. Ich hatte sogar schon bestimmte Schritte eingeleitet dazu, weil das die Lehrer hätten besser bewältigen müssen. Zum Beispiel wurde eine Religionsgeschichte für die Lehrer ausgearbeitet, damit in der Lehrerweiterbildung so etwas gemacht wurde.

Aber Schülerparlamente, etwa eine stärkere Einflußnahme der Schüler, Lehrlinge, Studenten auf den Unterricht, waren nicht geplant?

Hoffentlich geht es auf mit den Parlamenten. Denn die Möglichkeit, sich zu äußern — darauf kam es an —, war gegeben. Eine andere Frage ist, ob ein Lehrer so souverän war, sich das anzuhören und anzunehmen oder nicht. Aber die Möglichkeit dazu war doch da. Viele Lehrer haben es ja auch gemacht und haben diskutiert. Nur irgendwann hatten ja die Lehrer auch mal nach sechs, sieben Stunden Unterricht genug. Ich glaube, daß hier viele Probleme waren, wo man hätte gründlicher nachdenken müssen.

Rockkonzerte sind wunderbar, aber ich habe immer

den lieben FDJlern gesagt, das ist nicht die ganze Freiheit. Wir brauchen anderes, mehr Möglichkeiten, über die verschiedensten Sachen zu sprechen. Das ist nicht gelaufen.

Darin sehen Sie vielleicht die große Schwäche, daß es zu wenig offene politische Diskussionen gab?

Da sehe ich eine große Schwäche, daß es uns nicht gelungen ist, in diesen riesigen Freizeitbereich einzudringen. Vieles war ja als Grundlage gegeben, vieles war angefüttert, was nicht in einer Stunde, an einem Schultag oder in einer Schulwoche in der Schulzeit ausdiskutiert werden konnte. Dieses immer mehr wachsende Bedürfnis war da zu einer doch mehr gebildeten und empanzipierten Jugend, um in der freien Zeit etwas damit anzufangen, aktiv zu sein, nicht bloß etwas aufzunehmen, sondern sich auch zu beteiligen. Darüber haben wir sehr viel diskutiert. Aber das lief noch nicht.

Auch in Umwelt- und Friedensgruppen?

Alle möglichen Sachen, von Touristik bis was weiß ich, alles, was noch nicht da war.

Was waren Ihrer Meinung nach die Hauptursachen für die Zählebigkeit, so etwas rechtzeitig durchzusetzen?

Manche Dinge müssen natürlich auch erst reifen. Manche reiften vielleicht schneller, als man Entscheidungen traf. Viel ist natürlich auch von Bedingungen abhängig. Du brauchst Leute, die das machen, Menschen, die das können. Solche Menschen, die am jeweiligen Ort das hätten auf anderem Niveau machen können und machen müssen. Ich glaube, da war ein erheblicher Mangel.

Lag es nicht vielleicht auch daran, daß in der Ausbildung der Lehrer, Erzieher und so weiter zu wenig gelehrt wurde von westlicher Wissenschaft und Pädagogik?

Ich würde sagen, die Geschichte der Pädagogik in der Lehrerausbildung war unbedingt verbesserungswürdig. Wir haben gerade begonnen, in den letzten Jahren das aufzuarbeiten, etwas aus der Reformpädagogik, aus der progressiven Pädagogikgeschichte. Wir hatten begonnen, uns mit diesen Fragen auseinanderzusetzen, was uns die Reformpädagogik heute noch geben kann. Aber das hat in der Lehrerausbildung noch nicht gefruchtet. Wie überhaupt unser Hauptproblem in der Pädagogik in der Ausbildung lag. Die Pädagogikausbildung hatte große, große Schwächen. Die Psychologie hatten wir schon ein bißchen angehoben, aber Pädagogik, Psychologie, das ging noch nicht so recht zusammen, das war unser größtes Sorgenkind, die pädagogisch-psychologische Ausbildung. Das war bekannt, aber es war sehr schwer. Das war das Hauptproblem, wenn ich Wissen vermitteln will, dann genügt mir nicht nur, eine hohe Kenntnis zu haben. Ich muß etwas über der Wissenschaft stehen und muß methodisch etwas können, aber nicht nur kurzschrittig. Daran wurde gearbeitet. Viel zu lange ist das nicht auf das Niveau gekommen. Auf dem Gebiet hatten wir gute Wissenschaftler, aber das waren zu wenig.

Aber war die sogenannte klassenmäßige Erziehung nicht letztlich eine Erziehung zur Intoleranz und zur Abschottung von der Wirklichkeit?

Will ein Marxist nicht dem Marxismus abschwören, kann er nur davon ausgehen, daß diese Welt bei allem, was an Neuem hinzugekommen ist an globalen Problemen, an Problemen der wissenschaftlich-technischen Revolution und ihrer Meisterung, immer nur vom Klassenstandpunkt aus gesehen werden kann. Klassenstandpunkt heißt ja nicht, nur die engen Interessen einer

Gruppe zu vertreten, sondern Klassenstandpunkt heißt, daß wir in Theorie und Praxis die Interessen aller Werktätigen und aller Schichten vertreten. Ich glaube, daß wir von dieser Sicht her nicht mit diesem leeren Begriff, mit dem jetzt alle operieren, Demokratie, Moral, so leichtfertig umgehen können. Man darf den Inhalt dieser Begriffe nicht vergessen, ihn aber nicht so eng fassen. Nehmen wir das Beispiel Moral. Es gibt eine Klassenmoral, eine Sittlichkeit, die davon ausgeht, für das Wohl, für das Recht aller Menschen einzutreten. Wobei ja nicht zu übersehen ist, daß unsere ehemalige Partei verstärkt deutlich gemacht hat, daß das, was wir unter Klassenmoral verstehen, wie Toleranz, gegenseitige Achtung, Anstand, Begriffe sind, die beispielsweise auch im Christentum eine Rolle spielten. Sie sind doch nicht im Widerspruch zu dem, was wir unter Moral verstehen. Ob das in der Praxis immer so von jedem einzelnen, oben oder unten, verstanden und praktiziert wurde, ist eine ganz andere Frage. Ich glaube aber, das ist ein gewollter Erziehungsprozeß gewesen, der aber nicht voll gegriffen hat.

Und Sie meinen nicht, daß durch diese Erziehung Untertanengeist fortgeschrieben wurde?

Ich würde meinen, es gab ja Kontrollmechanismen dafür. Wenn zum Beispiel ein Schulrat so gehandelt hat, dann wurde er dafür auch kritisiert. Aber die Frage ist, warum haben so viele Leute schöngefärbt? Das sind Fragen, die ich mir selber nicht beantworten kann, weil es ja nicht gewollt war. Wenn man dieses Beispiel der Zensuren im Staatsbürgerkundeunterricht anschneidet. — Wir haben Mechanismen außer Kraft gesetzt, die dazu hätten verführen können. Wir haben diese Fragen, die eine Masse von Deutschen bewegt hat bis in die Familie hinein, offen gestellt, ganz offen, zum Beispiel auf unserem letzten Pädagogischen Kongreß, sehr kritisch, mit aller Härte, Schärfe und Konsequenz. Wir sind nur nicht mehr dazu gekommen, so zu handeln. Es sollten ja die Diskussionen weitergehen. Warum die Leute heute sagen, das war alles Mist, das war alles nichts, das gab's alles nicht, das halte ich jetzt für Opportunismus. Das ist doch auch Opportunismus, wenn man jetzt plötzlich alles verdrängt.

Wir hatten immer den Eindruck und die bitteren Erfahrungen, daß kritische, problemorientierte Erkenntnisse von Wissenschaftlern und Künstlern wenig gefragt waren in der Politik der Partei- und Staatsführung. Wie sah das konkret aus, was bedeuteten Ihnen diese Hinweise, Herr Honecker?

Wir haben der Wissenschaft stets eine große Aufmerksamkeit geschenkt. Allerdings muß man davon ausgehen, daß im politischen Leben ja unmittelbares Handeln erforderlich war und unmittelbare Entscheidungen. Man kann von allen führenden Genossen sagen, daß sie die Fragen der Philosophie, der Ökonomie, der Entwicklung der Kultur intensiv studiert haben, daß sie sich stützten sowohl auf eigene Kenntnisse bei der Entscheidung als auch auf Beratungsgremien. Ich kann mich ganz gut erinnern, daß Otto Grotewohl, Wilhelm Pieck, auch Walter Ulbricht, sehr stark Ratschläge von Wissenschaftlern einholten. Allerdings waren die Ansichten der Wissenschaftler zu einigen Fragen natürlich sehr unterschiedlich.

Wir wissen von vielen soziologischen Untersuchungen, die abgeblockt wurden auf mittlerer Ebene und nicht nach oben weitergegeben wurden. Andererseits gab es in der DDR keine breite Demoskopie, wie sie im Westen üblich ist und zum Teil veröffentlicht wird. Die dortigen Politiker stützen sich aber häufig darauf. Wie hat man denn eigentlich im Politbüro erfahren, wie die Stimmungen und Meinungen im Volke sind?

Ab einer bestimmten Zeit hat Ulbricht großen Wert gelegt auf Meinungsumfragen. Aber oft kam die Auswertung der Arbeit dieses Instituts nicht zu uns und nicht zu Ulbricht, weil man keinen Wert darauf legte. Warum? Es war klar, daß es vor allen Dingen darauf ankam, unserer Sozial- und Wirtschaftspolitik und damit dem geistig-kulturellen Leben eine Basis zu geben. Ohne die Entwicklung der Produktion ist eine Förderung des gesellschaftlichen Lebens, wie das erforderlich ist, nicht möglich. Daß junge Menschen nicht nur gut essen möchten, weiß man von vornherein, da brauche ich niemanden zu fragen. Daß sie sich gut kleiden möchten, ist eine Selbstverständlichkeit. Und daß mit dem Aufkommen von Rock und Roll die erforderlichen Saalkapazitäten da sein müssen, weiß man auch. Auch auf kultureller Strecke konnte sich nur etwas entwickeln, wenn ökonomische Voraussetzungen dazu geschaffen wurden. Und wir waren ja zur damaligen Zeit bestrebt, die ökonomischen Voraussetzungen auf diesem Gebiet stärker zu schaffen. Aber man konnte sich nur nach der Decke strecken, wie sie war. Natürlich gab es immer eine gewisse Unterschätzung wissenschaftlicher Einsichten und wissenschaftlicher Erkenntnisse. Aber uns war von vornherein klar, daß ohne eine breite Entfaltung der Produktivkräfte es nicht möglich sein wird, das materielle und kulturelle Leben des Volkes in dem Maße zu entwikkeln, wie es erforderlich war. Bei dieser ganzen Frage muß man überhaupt berücksichtigen, daß die DDR bis in die sechziger Jahre praktisch sehr isoliert in der Welt dastand, wenn man absieht von ihrem Einbau in die sozialistische Gemeinschaft. Erst in den siebziger Jahren kam die völkerrechtliche Anerkennung und in Verbindung damit die Entwicklung des Handels. Es entstanden neue Möglichkeiten auf kulturellen und sonstigen Gebieten.

Das scheint man heute vergessen zu haben.

Man kann heute sehr schön sprechen über diese ganzen Probleme, aber es gab doch einen Boykott der ganzen imperialistischen Welt gegen die DDR. Der Handel betrug

1970, soweit ich mich entsinnen kann, nur zwei Milliarden Mark. Dieser Boykott wurde erst zu Beginn der siebziger Jahre aufgehoben.

Und wurden Sie nicht wenigstens vom Ministerium für Staatssicherheit informiert, wie die Leute wirklich dachten?

Ich möchte sagen, daß ich fast alle Informationen des MfS gelesen habe, auch hinsichtlich der ökonomischen Entwicklung, der sozialen Entwicklung, bis hin zur Kohlenhaldenentwicklung. Die Berichte vom MfS, soweit sie nicht unter Geheimhaltung standen und auch nicht nur mir zugänglich waren, vor allem, wenn es die westliche Seite betraf, erschienen mir immer wie eine Zusammenfassung der Veröffentlichungen der westlichen Presse über die DDR. Das sage ich hier in aller Offenheit. Ich selbst habe diesen Berichten wenig Beachtung geschenkt, weil all das, was dort drin stand, man auch aus den Berichten der westlichen Medien gewinnen konnte. So zuverlässig waren die Informationen des MfS für die Partei- und Staatsführung der DDR überhaupt nicht. Und wenn man sich die Berichte bis zum Sommer des vorigen Jahres ansieht, hatte sich an ihrem Charakter diesbezüglich nichts geändert. Das Lauschsystem, das sie dort aufgebaut haben, fand kaum Niederschlag in den Berichten des MfS. Das ist eine Selbstüberschätzung, eine Beweihräucherung vom MfS, wenn man nachträglich solche Äußerungen macht, daß wir gewarnt wurden.

Wenn Sie sagen, diese Informationen vom MfS glichen den Westzeitungen, dann zeichneten sie doch ein sehr schlimmes Bild von der Situation in der DDR.

Ja, das war ein schlimmes Bild. Und wir sind davon ausgegangen, daß der Gegner uns nicht lobte, sondern Interesse hatte, uns mieszumachen, so daß wir uns von diesem Gesichtspunkt aus an den Brechtschen

Ausspruch hielten: Klassenkampf ist natürlich Klassen-kampf. Heute ist es offenbar, daß die imperialistischen Staaten, besonders die USA, auch Großbritannien und die BRD, eingesetzt wurden zur Untergrabung der Positionen der sozialistischen Länder. Die Lauschzentralen dort hatten zumindest den Umfang vom MfS innerhalb der DDR, wie sich das heute herausstellt. Im übrigen war man von dieser Seite selbst überrascht von der Entwicklung, die gar nicht vorauszusehen war.

Woher haben Sie denn nun Ihre konkreten Informationen bekommen, um zu wissen, was los ist im Lande, um in einzelnen Bereichen überhaupt Entscheidungen fällen zu können, die mit der Wirklichkeit zu tun hatten?

Die konkreten Informationen haben wir uns erstens einmal selbst beschafft, indem wir ja im Lande herumgereist sind, die verschiedensten Aussprachen hatten. Es gab die direkte Information, so schlecht sie auch gewesen sein mag, durch die Grundorganisationen der Partei. Wobei ich glaube, circa sechzehn Grundorganisationen haben direkt an das Zentralkomitee berichtet und nicht auf dem Umweg über die Kreis- und Bezirksleitungen. Und wir hatten natürlich auch laufend Informationen durch die Arbeiter- und Bauern-Inspektion. Diese standen sowohl der Partei als auch der Führung zur Verfügung. Es war ein ausgesuchtes Kollektiv, das wirklich unbestechlich war. Man braucht nur die Berichte der ABI durchzuarbeiten. Man findet da sehr viele Signale auf den verschiedensten Gebieten, was nicht hinhaute, was nicht verwirklicht wurde entsprechend den Beschlüssen des Ministerrates und welche Probleme überhaupt entstanden. Es gab bei aller Schönfärberei, und wo gibt es sie nicht, wo Menschen tätig sind, natürlich auch reale Berichte.

Wir kennen zum Beispiel ein Dorf namens Gierstädt. Nachdem Sie dort waren, haben wir den Ort nicht wiedererkannt. Er war schön hergerichtet für Sie, die Dächer neu gedeckt. Sie haben schnell ein Schmuckstück draus gemacht. Sie haben Ihre Informationen durch Gespräche vor Ort mit Leuten erhalten. Meinen Sie, daß man Ihnen dort die Wahrheit gesagt und gezeigt hat?

Die Fahrt in diese LPG war vorher niemandem bekannt. Nicht einmal mir. Dieser Besuch erfolgte aufgrund meiner Reise durch einige Städte, wie Sömmerda, Erfurt – Mikroelektronik Erfurt –, Zeiss-Jena. Das war sozusagen das Gebiet. Und dann kamen wir auch ins Fahnersche Obstanbaugebiet. Nun, es werden hohe Gäste kommen, man muß sich vorher anstrengen, die Dinge etwas in Ordnung zu bringen. Das war schon bekannt. Aber die Obstbäume als solche, die waren ja gegeben, die kann man ja nicht innerhalb eines Jahres hochzüchten, bei allem, was sonst so gegeben ist. Und auch die Häuser – ich bin ja von Beruf Dachdecker – kann man natürlich nicht in sechs Monaten hochziehen und so schmuck gestalten. Das ist nicht möglich, einschließlich des Kulturhauses, das kann man auch nicht so rasch machen. Daß sie dieses Dorf etwas herausgeputzt haben, nun gut, das ist möglich.

Kulturpolitik

Die Parteiführung hatte immer Schwierigkeiten, mit kritischen Leuten zurechtzukommen, mit Intellektuellen und Künstlern. Warum?

Das stimmt nur bedingt. Nehmen wir zum Beispiel die Probleme der Kultur zur Zeit Bechers. Ich kenne diese Periode sehr gut, und man kann sagen, daß zum Beispiel Walter Ulbricht großen Wert legte auf die Meinung von Becher, in bezug auf kulturelle und auch politische Fragen, insoweit sie Stimmungen von Arbeitern, von Bauern und von Intellektuellen widerspiegelten. Becher kam bekanntlich sehr viel herum und hat dann seine Standpunkte dargelegt, aus denen man Schlußfolgerungen ziehen konnte.

Später, beim 11. Plenum 1965, wurde offensichtlich ganz wenig Rücksicht genommen auf einen Meinungsaustausch mit Kulturschaffenden. Wo liegen die Ursachen, die damals im Zentralkomitee diese Beschlüsse herbeigeführt haben? Man hat dem Zentralkomitee einfach die Filme vorgeführt, wie »Das Kaninchen bin ich«, und ist dann zu der Schlußfolgerung gekommen, daß das nicht die Richtung ist, um Einfluß auf die Menschen im Sinne einer sozialistischen Entwicklung zu nehmen. Damals war das Plenum ja sehr breit zusammengesetzt, wenn ich mich recht erinnere. Wir hatten noch eine ganze Reihe Schriftsteller dabei, die Mitglied des Plenums waren. Die Meinungen waren selbstverständlich geteilt. Es hatte sich doch der Standpunkt des Kollektivs durchgesetzt um Ulbricht. Aber es war nicht nur eine private, persönliche Entscheidung von ihm. Walter Ulbricht hatte veranlaßt, daß die Filme im Plenum des ZK vorgeführt wurden.

Warum wurde Wolf Biermann aus der DDR ausgebürgert?

Im nachhinein möchte ich sagen, hätte man vielleicht eine andere Entscheidung treffen können. Aber vom Blickpunkt der damaligen Zeit war es doch so, daß Biermann, der einen Ausweis erhielt zum Auftreten in der Bundesrepublik, mit seiner Liederauswahl, die aufgrund der Massenmedien auch in der DDR empfangen werden konnte — ich habe das selber gesehn, kann mich aber an die Texte der einzelnen Lieder nicht erinnern —, eine Entscheidung getroffen hatte zugunsten der Bundesrepublik.

Was Biermann selbst betrifft, so kenne ich ihn persönlich nicht, aber meine Frau Margot kennt ihn sehr gut. Er war oft zu ihr zu verschiedenen Aussprachen gekommen. Seine Mutter ist mit Margot sehr befreundet gewesen, sie haben sich oft unterhalten über den Wolf Biermann und seine gesamte Entwicklung. Man mußte große Achtung vor ihm haben, schließlich wurde ja sein Vater hingerichtet. Aus diesem Grunde bot ihm die DDR die Gelegenheit, hier zu studieren, und er wurde allseitig gefördert. Aber das sogenannte Mauerlied und verschiedene andere Lieder haben ihn in Gegensatz gebracht zur Politik der Parteiführung. Denn die Mauer wurde geschaffen auf dem Höhepunkt des kalten Krieges und sollte dazu beitragen, die Ausplünderung der DDR zu verhindern, die von den Imperialisten geplant war.

Sie und Biermann, Frau Honecker, kannten einander näher?

Ich kannte ihn schon als Kind. Ich war in der Illegalität mit meinem Vater kurz vor dem großen Angriff nochmal in Hamburg. Ich habe miterlebt, wie seine Mutter, die Emmi, eine richtige Proletarierfrau, zurückkam mit der Mitteilung, daß ihr Mann schon tot war, also umgebracht wurde. Ich sehe noch heute den Wolf Biermann vor mir mit geballten Fäusten, der alles rausschrie, was da auf den Jungen niederprasselte. Ich habe lange Kontakt gehabt mit seiner Mutter. Und als Wolf Biermann sozusagen in die Widersprüche verwikkelt wurde, habe ich ihn in seiner Wohnung aufgesucht und er mich im Büro. Wir haben versucht, über einige Fragen zu sprechen. Das war sehr schwer. Wir haben uns menschlich gut verstanden. Das kam aus der Verbindung mit dieser Familie. Ich kannte auch seine Großmutter, die er wahnsinnig geliebt hat. Aber Wolf Biermann war damals schon in einer solchen Situation, daß er nicht mehr zugänglich war für bestimmte vernünftige Argumente. Ich habe ihm damals auch noch ein Gespräch im Zentralkomitee vermittelt, aber es war alles schon zu spät.

Gab es einen Politbürobeschluß zu Biermann, Herr Honecker?

Soweit ich mich besinnen kann, gab es keinen direkten Beschluß. Aber es gab eine Vereinbarung im Politbüro aufgrund von Biermanns Tournee in der BRD, die ja noch nicht zu Ende war, daß man ihn bei seiner Entscheidung zugunsten der BRD, ausgedrückt in seinen Liedern, lassen sollte. Wenn man das eigene Nest so dreckig macht und die anderen dadurch bevorzugt, so haben wir uns gesagt, soll er auch dort bleiben! Ich kann mich noch erinnern an den Staub, der damals aufgewirbelt wurde. Ich habe es bedauert, daß im Zusammenhang damit viele Künstler der DDR den Rücken gekehrt haben. Aber, wie gesagt, man trifft manchmal Entscheidungen im Leben aus einer Notwendigkeit heraus. um auch das Ansehen der DDR in der Welt zu wahren. Es kamen in Verbindung damit viele Leute zu mir, aber die meisten kamen zu Werner Lamberz und haben mit ihm gesprochen über die Entscheidung des Für und Wider. Es war überhaupt eine interessante Angelegenheit. Denn weder Werner Lamberz noch ich waren ja unmittelbar verantwortlich für die Kulturpolitik der DDR. Das war zur damaligen Zeit bereits Kurt Hager.

Wenn ich mich recht besinne, kam damals Annekathrin Bürger zu mir und hat mich gebeten, doch zu helfen, daß Manfred Krug seine alten Autos, die Oldtimer, mit nach Berlin-West nehmen kann. Ich fragte: »Annekathrin, warum setzt du dich so dafür ein?« Sie sagte mir, er sei ein ganz netter Kerl. Werner Lamberz habe ihm schon gesagt, das Haus, das er hier habe, bleibe ihm, falls er noch einmal zurückzukehren gedenkt. Aber jetzt hänge er so an den Oldtimern. »Sieh doch mal zu«, sagte Annekathrin Bürger, »ob man da nicht was machen kann.« – »Nun gut«, sagte ich, »ich werde mir das überlegen.« Ich habe mich dann bei Werner Lamberz erkundigt, denn ich kannte ja die ganzen Vorgänge nicht. Annekathrin Bürger mit ihrem Freund oder Mann kamen nochmal zu mir, und sie brachten ein großes Tablett mit. Ich fragte: »Wie kommst du denn dazu?« Sie hatte bei mir bemerkt, daß der Kaffee so reingebracht wurde und die Brötchen, ohne Tablett. Wir haben dann gesagt, gut, soll der Manfred Krug seine Oldtimer mitnehmen, dann ist die Sache auch erledigt. Ich muß sagen, die Annekathrin Bürger nahm prinzipiell eine positive Position ein.

Aber es sind doch so viele Künstler im Zusammenhang mit der Biermann-Ausbürgerung gegangen, gab das nicht zu denken?

Es gab ja auch verschiedene andere Momente in diesem Zusammenhang. Ich erinnere mich an Thomas Brasch. Er hatte ja die Staatsbürgerschaft der DDR und gleichzeitig die Staatsbürgerschaft von Großbritannien, weil er dort geboren wurde. Ich kannte seinen Vater und seine Mutter gut, Margot auch. Wir waren direkt befreundet gewesen. Es war natürlich für mich sehr überraschend, daß der Thomas eines Tages bei mir im ZK auftauchte und mir eröffnete, daß er sich entschieden habe, die DDR zu verlassen. Er möchte sie allerdings nicht verlassen wie verschiedene andere, sondern er möchte sich immer die Möglichkeit offenhalten, noch einmal in die DDR zurückzukehren. Das wäre auch gut vom Standpunkt der Bereinigung des Verhältnisses zu seinem Vater, der ja hohe Funktionen im gesellschaftlichen Leben der DDR einnahm. Horst Brasch, sein Vater, war zuerst Sekretär im Zentralrat der FDJ. Den Thomas kannten Margot und ich schon, als er noch ein ganz kleiner Junge war. Wir sind einmal nach Potsdam gefahren, und an der Grenzkontrolle, die damals noch von amerikanischen Soldaten vorgenommen wurde, hat er einfach gerufen: »Ami go home!« Ich hatte also diese Entwicklung von Thomas noch im Blickfeld, nicht so sehr seine spätere, als er in Gegensatz kam zu unserer Sache, zur Politik, die sein Vater unterstützte. Horst hat für die Partei später im Friedensrat gearbeitet. Er war, was man auch nicht außer acht lassen darf, Mitglied des Zentralkomitees unserer Partei und früher auch Volksbildungsminister des Bezirkes Brandenburg, so daß ich mit dem Thomas eine sehr angenehme Unterhaltung hatte. Ich habe ihn gefragt: »Wie kommst du denn dazu, zu einer solchen Entwicklung?« und so weiter. Wir haben diese ganzen Fragen diskutiert. Ich habe aber empfunden, da ist nichts zu machen, da gibt es eine gefestigte Auffassung von ihm, und ich habe ihm gesagt: »Gut, einverstanden, ich werde das bei den entsprechenden Stellen befürworten, sie werden das ganz bestimmt berücksichtigen.« Dann hatte ich mit Thomas noch einmal eine Begegnung. Ich wußte nicht, daß er befreundet war mit der Thalbach. Sie war damals Schauspielerin im Deutschen Theater oder BE. Ich habe auch für sie meine Zustimmung sofort gegeben und später erst gemerkt, daß die DDR eine gute Schauspielerin verloren hatte. Ich muß sagen, sowohl der Thomas als auch die Thalbach haben sich der DDR gegenüber in der Öffentlichkeit anständig benommen.

Nochmal zurück zu Biermann. Er war sehr eng befreundet mit Robert Havemann. Beide dachten ähnlich. Kannten Sie Havemann nicht bereits aus Ihrer Haft in Brandenburg? Und gaben Ihnen seine Auffassungen nicht auch zu denken?

Ich bin ihm in Brandenburg nicht begegnet, weil ich zur Zeit seines Aufenthaltes in Brandenburg in Berlin untergebracht war.

Ich kann mich nur noch schwach daran erinnern, es war nach meiner Rückkehr vom Studium, nein, sogar schon vorher. Robert Havemann hielt ja Vorträge in der Humboldt-Universität. Er hatte eine ganze Reihe Fragen neu angeschnitten vom Standpunkt der sozialistischen Entwicklung. Zur gleichen Zeit war Kurt Hager Professor an der Humboldt-Uni, und in der ersten Periode, so weit ich das mitgekriegt habe, hat man den Vorträgen von Havemann mit etwas Sympathie gegenübergestanden. Das fand auch darin seinen Ausdruck, daß die Zeitung der Humboldt-Universität ihn abdruckte. Es gab dann die Diskussion in Richtung des dritten Weges, des demokratischen Sozialismus. Es kam zum Schluß doch eine sehr starke Kontrastellung Havemanns zur Auffassung der Partei und zu Walter Ulbricht heraus. Havemann wurde betrachtet als der Widerpart zur Linie unserer Partei.

Ich bin Havemann nie direkt begegnet. Ich kenne die Sache, die zur Abriegelung seiner Wohnung führte, und hatte zur damaligen Zeit doch die Möglichkeit, ihn etwas abzuschirmen gegen bestimmte Übergriffe, die man vorhatte. Das heißt, auf keinen Fall wollte ich zustimmen, daß man ihn inhaftierte, und zwar aufgrund seines antifaschistischen Widerstandskampfes. Bekanntlich wurde er zum Tode verurteilt, bekam Bewährung und hat sich auch in der Strafvollzugsanstalt Brandenburg sehr gut gehalten. Er war dort sehr aktiv mit unseren und den sozialdemokratischen Genossen, mit den dort aus politischen Gründen Inhaftierten. Das habe ich erst viel später gehört. Ich habe das nicht selbst miterlebt, weil ich, wie gesagt, damals nicht dort war.

Ich war natürlich auch später daran interessiert, daß alle Repressivmaßnahmen Schritt für Schritt aufgehoben wurden. Das hinderte selbstverständlich die entsprechenden Sicherheitsorgane nicht, wenn Havemann einen Ausflug machte, ihn zu begleiten. Das war offensichtlich so. Allerdings, und das muß ich auch betonen, hat man in diesen Kreisen auch Verständnis dafür gehabt, daß auf meine Veranlassung hin Havemann eingeladen wurde zu den Feiern anläßlich des Jahrestages der Befreiung aus der Strafvollzugsanstalt Brandenburg-Görden. Es ist dort jedes Jahr eine besondere Feier und alle fünf Jahre in einem größeren Rahmen. Das letzte Mal habe ich gesprochen. Ich habe bemerkt, daß er mit großer Aufmerksamkeit meine Rede verfolgte und auch bei einzelnen Passagen, wo der antifaschistische Kampf und die Lehren betont wurden, Beifall gespendet hat. Wir hatten im Anschluß an diese offizielle Veranstaltung eine Zusammenkunft im Kulturhaus in Brandenburg, und ein paar Tische weiter saß Havemann mit seiner Gattin. Er hat sich zum Schluß bedankt, daß er so herzlich in diesem Kreis aufgenommen wurde. Als er aufgrund seiner Erkrankung frühzeitig starb, was ich sehr bedauerte, konnte ich meine Anteilnahme dahingehend bekunden, daß wir Biermann die Möglichkeit gaben, an den Trauerfeierlichkeiten von Robert Havemann teilzunehmen.

Da wir gerade bei den kritischen Geistern sind, worin lag der Grund des Parteiausschlusses von Ernst Busch? Was waren das für Differenzen zwischen Busch und Ulbricht?

Den unmittelbaren Anlaß kenne ich nicht. Es war wahrscheinlich eine sehr erhitzte Begegnung gewesen, und Busch sah rot und hat das Parteibuch abgegeben. In den siebziger Jahren wurde dann die Initiative ergriffen und von mir auch sehr stark unterstützt, Ernst Busch sein Parteibuch wieder zurückzugeben, weil wir der Auffassung waren, das alles geschah in einer hitzigen Stunde. Er sträubte sich zuerst etwas dagegen, das Parteibuch entgegenzunehmen, und letzten Endes hat er es natürlich doch genommen. Das hatte meines Erachtens auch eine große Bedeutung, denn Busch war Spanienkämpfer und der große Liedersinger, abgesehen von anderen Aktivitäten, die sehr stark waren. Er hat auch in kritischen Situationen immer auf der Seite der Partei gestanden. Ich empfinde es als sehr bedauerlich im Zusammenhang mit der überstürzten Räumung meiner Wohnung, daß auch etwas Unordnung bei den Tonbändern entstanden ist mit verschiedenen Liedern, die mir Ernst Busch als Originalaufnahmen direkt mit Grüßen übersandte. Margot sagte eben, sie hat die Schallplatten aufgehoben, aber ich habe auch Tonbänder von ihm, die ich mir sicher noch einmal anhören möchte.

Wie war den das Verhältnis von Busch und Walter Ulbricht?

Das lag mehr an den Charakteren als an der Politik. Busch wurde wirklich attackiert, das ist ganz klar. Das waren beides Personen, die sich verdient gemacht hatten um die Partei und die kommunistische Bewegung, und die es nun einfach nicht verstanden, ein Gespräch miteinander zu führen. Ernst war ja rauhbeinig, und Walter Ulbricht ließ sich das nicht gefallen. Er wollte allerdings nicht, daß Busch austritt. Doch Ernst hat das Parteibuch dem Ulbricht hingeschmissen. Deshalb fühlte ich mich auch später verpflichtet, ihn persönlich zu empfangen und zu sagen: »Hier hast du dein Buch wieder.« Ich muß sagen, für das Gespräch war er sehr zugänglich. Wir haben uns gut verstanden.

Viele Künstler warfen Ihrer Politik unter anderem Ökonomismus und Konsumdenken, mangelnde Demokratie und mangelnde Pressefreiheit vor. Was sagen Sie heute dazu?

Was die Frage des Konsumdenkens betrifft, so möchte ich sagen, daß unter dieser Tarnkappe verschiedene Intellektuelle versuchten, die frühere Politik der SED madig zu machen. Sie selbst lebten in Villen, man kann sagen, in Palästen. Man braucht sich nur die Gegend Berlin-Grünau und Köpenick anzusehen. Ich habe damals dem finnischen Präsidenten Kekkonen gesagt, er darf die Wohnverhältnisse in der DDR nicht nach dieser Gegend messen, denn dort sieht es schon aus wie im Kommunismus.

Wie lief die Zusammenarbeit mit dem Sekretär für Agitation und Propaganda, Joachim Herrmann, und Ihnen konkret ab?

Der Sekretär war vollkommen verantwortlich für die Massenmedien, aber nur so weit, als da überall Genossen waren, die einen eigenen Kopf gehabt haben! Wenn grundlegende Fragen neu auftauchten, hat selbstverständlich das Politbüro beraten und hat natürlich die Argumentation weitergegeben. Wir hatten ja keine Zensur. Zensur bedeutet, man muß die Druckfahnen bringen und dann werden sie durchgeschaut. Von diesem Gesichtspunkt aus gesehen, hatten wir im Unterschied zu anderen sozialistischen Ländern keine Zensur. Die Polen hatten eine, die Tschechen und in der Sowjetunion gab es auch eine, bis zum Schluß. Bei uns gab es sie nicht. Bei uns gab es sie nur kraft des Bewußtseins. Und wenn einer mal Mist gebaut hatte, dann ist er kritisiert worden, oder man glaubte, er hat Mist gebaut – dann ist er auch kritisiert worden. Daß da unsachliche Dinge passiert sind, ist richtig, aber eine Zensur als solche gab es nicht. Wir waren das einzige sozialistische Land, das die Dinge laufen ließ, kraft des einzelnen Chefredakteurs, der verantwortlich war für seine Zeitung. Was die Sache mit den Buchverlagen betrifft, die sich nach oben so zu verhalten hatten, ergab sich das wahrscheinlich kraft des Kulturministeriums, daß das existiert hat. Das wäre für mich egal gewesen. Ich habe den Stefan Heym vollkommen drukken lassen, ohne Beschluß.

Aber es sind doch sehr viele Künstler und Journalisten an der Zensur gescheitert.

Das lag bei diesem Kulturministerium. Aber die Presse lief ohne Zensur. Rundfunk und Fernsehen liefen ohne Zensur. Nur kraft des Verantwortungsbewußtseins des einzelnen wurde die Sache gestaltet. Der Adamek war verantwortlich für sein Fernsehen, der andere für den Rundfunk. Der Joachim Herrmann mußte die Anleitung geben und kontrollieren. Er war verantworlich für das »Neue Deutschland«. Und wenn er Mist gebaut hat, dann wurde er kritisiert. Das war die Situation.

Es gibt Gerüchte, daß er zum täglichen Rapport zu Ihnen mußte.

Das ist Quatsch. Natürlich hatten wir nach der Sitzung täglich für die neuesten Nachrichten eine Besprechung und diskutierten, wie reagiert man. Das ist die Pflicht und die Verantwortung, aber doch nicht die Korrespondenzberichte im einzelnen.

Wurde nicht täglich eine schriftliche Argumentationshilfe herausgegeben im Politbüro?

Nein, vom Politbüro überhaupt nicht. Dazu gab es doch die Agitationskommission. Die haben das besprochen.

In der Sozialdemokratischen Partei gibt es genauso den demokratischen Zentralismus, wie es ihn in unserer Partei gegeben hat. Das heißt, der Parteivorstand beschließt, und die Grundorganisationen sind verpflichtet, entsprechend dem Beschluß des Parteivorstandes zu arbeiten. Wenn sie nicht entsprechend arbeiten, kriegen sie ein Parteiverfahren, wenn alles nichts nützt. Das ist doch eine alte Tradition der Arbeiterbewegung. Das ist ganz klar. Sonst brauchten wir doch gar keine zentrale Leitung. Aber eine örtliche Initiative wird dadurch nicht eingeschränkt. Sie brauchen die Richtlinien der Partei.

Deshalb gibt es ja Parteien. Oder in der CDU. Denken Sie, da können unten alle machen, was sie wollen? Die müssen sich auch genau nach den Beschlüssen des Parteivorstandes richten.

Nur, daß dort natürlich öffentlich kontrovers darüber diskutiert wird.

Ich will mal folgendes dazu sagen: Was heißt öffentlich kontrovers diskutieren? Warum ist der Biedenkopf rausgeschmissen worden oder der Geißler abgesetzt?

Aber faszinierend ist das schon, wenn ganz verschiedene Standpunkte geäußert werden.

Ja, das mag faszinierend sein. Es ist aber eine Theatervorstellung!

Man könnte es auch als demokratische Meinungsbildung bezeichnen.

Ja, das können Sie so bezeichnen. Aber ich sage Ihnen ganz offen, das ist eine Theatervorstellung! Auf unseren Parteitagen konnte ja auch diskutiert werden. Das war doch keinem verboten.

Aber das lief doch sehr formal ab, meist mit vorbereiteten Diskussionsbeiträgen.

Ich werde Ihnen mal folgendes dazu sagen: Sie können über die DDR sagen, was Sie wollen, es gab keine andere DDR. In der Sowjetunion war die Bibel verboten. Wir wurden beschuldigt, die deutsch-sowjetische Freundschaft gestört zu haben, weil bei uns die Bibel gedruckt wurde und die Komsomolzen die Bibel mit in die Sowjetunion nahmen. Die evangelische Kirche bei uns hat die Bibel in russisch drucken lassen und hat sie sowjetischen Menschen zukommen lassen. Wir haben die

Bibel nie als eine feindliche Sache angesehen. Sie wurde immer gedruckt. Der Gottesdienst wurde seit 1945 über den Rundfunk übertragen. Dazu gab es bereits Beschlüsse der KPD, die später durch die Regierung übernommen wurden.

Warum wurden aber seitens der Parteiführung so wenig öffentliche Diskussionen in den Medien zugelassen? Hätte das nicht mehr Vertrauen und Kreativität freigesetzt?

Wissen Sie, wenn man zurückblickt, gab es selbstverständlich in der Partei und Gesellschaft eine Zeit großer Diskussionen und Auseinandersetzungen. Sie traten 1953, 1961 und 1968 auf, um auf Schwerpunkte hinzuweisen. Ich will das gar nicht geringschätzen, hier hat es bestimmt Höhen und Tiefen gegeben. Wer die Plenartagungen unserer Partei verfolgte und damit den ideologischen Meinungsstreit, wird sagen, daß für eine Massenpartei natürlich die ideologische Arbeit im Vordergrund stand. Ob sie nicht hätte besser gemacht werden können, wer möchte das bestreiten, alles ist besser zu machen. Man kann sich nie einbilden, daß wir die Arbeit so gut gemacht haben. Aber wenn diese Frage heute von vielen aufgerollt wird, vergessen sie, daß es mehr politischen und theoretischen Stoff zur Diskussion gab als in der heutigen Zeit, wo man nach dem Motto handelt: oben redet man, und unten soll man die Arbeit machen.

Stellten die Ideologie und die politische Praxis dieser Gesellschaft Ihrer Meinung nach tatsächlich eine Alternative zur sogenannten bürgerlichen Demokratie und Öffentlichkeit dar?

Bei der Betrachtung der gestellten Frage möchte ich zuerst sagen, daß es bei uns bestimmte Illusionen gab und gibt über die bürgerliche Demokratie und die Verkennung der Bedeutung der sozialistischen Demokratie. Wenn Sie die bürgerliche Demokratie einer eindeutigen

327

Betrachtung unterziehen, so dient sie doch bei aller Wertschätzung der Aufrechterhaltung der Macht derjenigen, die diese bürgerliche Demokratie bestimmen. Die Grundlagen des menschlichen Lebens sind ja die materiellen und in Verbindung damit die geistigen Werte. Es ist doch ganz offensichtlich, wenn in einem bürgerlichen Staat bestimmte Gefahrensmomente entstehen für die wirklich herrschende Klasse, dann setzen sofort verschiedene Mechanismen ein, von der Kapitalflucht bis zur Niederkämpfung von Demonstranten, die für ihre Rechte eintreten. Diesen Gegensatz von Kapitalismus und Sozialismus wird man nie ausrotten können, solange der Kapitalismus die vorherrschende Form in der bürgerlichen Gesellschaft ist. Schon heute wird von einigen Volksschichten, die man lange nicht als Kommunisten bezeichnen kann, zum Teil unter ökologischen Zielsetzungen, der Standpunkt vertreten, daß das kapitalistische System weichen muß, in Verbindung mit der Basisdemokratie, wie man sich das vorstellt, auch weil man der Auffassung ist, das hohe Niveau der Lebenshaltung der Bevölkerung vollzieht sich auf Grundlage der Ausbeutung der Dritten Welt. Die sogenannte Bananengesellschaft, so sagen sie, ist das Ergebnis der Ausplünderung der Dritten Welt. Billigpreise in westlichen Ländern für breite Schichten des Volkes entstehen durch Ausplünderung der Dritten Welt von Rohstoffen. Aber was zum Beispiel Textilien betrifft, auch durch Fertigprodukte. In der westlichen Welt steht auch bei Nichtkommunisten die Frage nach einer Alternative zu dieser Welt.

Was die sozialistische Demokratie anbetrifft, wie sie in unserer Nachkriegsentwicklung, insbesondere in der DDR als auch in Polen, ČSSR, Ungarn, Bulgarien, Rumänien und nicht zuletzt in der Sowjetunion ausprobiert wurde, muß man doch sagen, daß wir bestrebt waren, die Massen zur Mitarbeit an allen gesellschaftlichen Belangen zu gewinnen. Von Lenin stammt ja das Wort, daß sozialistische Demokratie in ihrer Breite oder ihrer Enge von der Entwicklung der Produktivkräfte abhängt. Lenin hat bekanntlich darauf hingewiesen, daß es in der Sowjetunion leicht ist, im Verhältnis zu den westlichen Ländern, die sozialistische Revolution durchzuführen, aber schwer, den Übergang zum sozialistischen Aufbau zu finden, aufgrund der industriellen und gesellschaftlichen Rückständigkeit. Und daß es in den führenden kapitalistischen Ländern schwer ist, die Macht zu ergreifen, aber die Chancen für eine sozialistische Gesellschaft aufgrund der Voraussetzungen, die schon gegeben sind, verhältnismäßig leichter sein werden. Dieses schien sich auch in der Entwicklung der Deutschen Demokratischen Republik zu beweisen.

Ich muß noch einmal zurückkommen auf das sogenannte Entfremdungsbild des Sozialismus, das man gegenwärtig so bezeichnet. Im Grunde genommen ist es ja so, daß die Verstaatlichung von Industriezweigen schon im Kapitalismus erfolgte. Wer das nicht wahrhaben will, wird das aus der Leninschen Arbeit über den Imperialismus erkennen. Lenin bezog sich auf die Entwicklung im kaiserlichen Deutschland. Große Industriezweige waren bereits verstaatlicht, zum Beispiel der Bergbau, die Eisenbahn, verschiedene andere Produktions- und Verkehrszweige. Wir haben das andere Beispiel Großbritannien. Als die Arbeiterregierung an die politische Macht kam in England, wurde die Verstaatlichung von Industriezweigen vorgenommen; Bergbau, Metallindustrie und so weiter. Als die Konservativen wiederkamen, haben die das wiederum reprivatisiert. Was ist dabei herausgekommen? Diejenigen, die unter verstaatlichten Bedingungen die Betriebe leiteten, haben zuerst eine große Entschädigung bezogen und nachher, als die Verstaatlichung wieder aufgehoben wurde, haben sie noch mal Geld bekommen. Sie haben doppelt verdient. Die Verstaatlichung als solche hat mit Sozialismus gar nichts zu tun! Lenin nannte das die Vorstufe des Sozialismus. Aber jetzt kam es darauf an, die Industrie wirklich volkseigen zu gestalten und in der Landwirtschaft das Genossenschaftswesen einzuführen. Wenn man sich im nachhinein die Sache ansieht, hätte man die Arbeiter und Angestellten dieser Betriebe stärker einbeziehen müssen.

Da haben wir bestimmt Fehler gemacht. Einbeziehung gab es zwar, zum Beispiel durch die Vertrauens- oder Hauptvertrauensleutevollversammlung, durch die Gewerkschaften, durch die Arbeiter-und-Bauern-Inspektion. Aber man hat doch nicht das Brandenburger Stahlwerk oder das Eisenhüttenkombinat Ost als seinen eigenen Betrieb betrachtet. Das hat natürlich auch wiederum verschiedene Ursachen. Alle diese großen Betriebe konnten ja nicht Eigentum der Belegschaft sein, die gerade dort arbeitete. Das hat man in Jugoslawien versucht und hat sich dort zwischen zwei Stühle gesetzt. Denn das war ja zugleich ein Teil des gesamten Volksvermögens.

Also es mußte eine bestimmte Verbindung zwischen Volkseigentum und dem Bewußtsein der Menschen gefunden werden, daß das ihr Eigentum ist, das sie im Namen des Volkes als ihre Sache entwickeln müßten. Das Verhältnis von Partei zu den Massen, von Gewerkschaft und der Freien Deutschen Jugend zu den Massen, die ja in diesen Betrieben tätig waren, hätte die wirkliche Verbindung zum Volk schaffen müssen. Sie hätten wirkliche Vertreter der Menschen sein müssen, die in den Betrieben arbeiten, und auf ihre Bedürfnisse eingehen, wie wir gesagt haben, auf jede Frage eine Antwort haben, und offensichtlich ist das hier nicht geschehen.

Margot Honecker

Aber ich meine, es gab viele Parteisekretäre, die sich aufgerieben haben, die tagtäglich den Dingen nachgegangen sind, die den Menschen auf den Nägeln brannten. Das ist jetzt alles ein bißchen verschüttet, daß da Tag und Nacht Parteifunktionäre und Funktionäre der Massenorganisationen in diesem Sinne, in diesem Geiste gearbeitet haben. Natürlich nicht alle und nicht überall. Es gab auch Bürokratisierung, zuviel Beschäftigung mit Papier, zuviel Beschäftigung mit den eigenen Apparaten. Vielleicht waren sie zu groß. Es wird jetzt sehr viel davon gesprochen, daß das sozialistische Experiment gescheitert ist. Ich würde sagen, der Sozialismus hat eine Niederlage erlitten. Die Gründe dafür sind vielseitig. Es gibt äußere Einwirkungen und innere Wirkungen, die zu dieser Niederlage geführt haben. Aber ich würde meinen, und das zeichnet sich ja immer klarer ab, daß das, was an sozialistischen Realitäten geschaffen wurde, die sich auch im Bewußtsein widergespiegelt haben, vielleicht zeitweise etwas verschüttet ist. Aber es ist da, und es wird auch weiterleben. Warum sonst verteidigen die Menschen jetzt, wo sie spüren, daß da etwas verlorengehen könnte, mit so viel Emotionen das, was war, und das, was gut war und was sie selber geschaffen haben? Das war ja nicht der Parteiapparat oder die Parteiführung, aber ohne eine führende Kraft hätte sich das auch nicht vollziehen können. Das ist nicht für alle Zeit verloren. Das ist ein Boden, auf dem Neues wachsen wird.

Um auf die Eigentumsfrage zurückzukommen: Ich persönlich habe oft den Standpunkt vertreten, wir müssen diesem Eigentümerbewußtsein, diesem »Das ist unser Land, unser Staat, unser Betrieb, unsere Sache« mehr Aufmerksamkeit schenken. Das wird man sicher noch genauer analysieren müssen. Auch hier gab es ja objektive Dinge, die da wirkten. Und dazu möchte ich mal ganz profan sagen: Politik wird überall von Menschen gemacht. Eine Partei besteht aus Menschen. Wir waren eine Massenpartei, mit vielen Menschen unterschiedlichster Charaktere, Auffassungen und Haltungen. Und Menschen irren sich. Menschen machen Fehler. Die nichts gemacht haben, sind heute gut dran. Die können sagen, wir hatten ja keine Verantwortung. Wir haben uns ja rausgehalten. Aber die, die ihre Arbeit ernst genommen haben, und das waren viele, sind natürlich Menschen mit Schwächen, mit Fehlern, mit Irrtümern gewesen. Und jetzt nur die in den Vordergrund zu stellen, die sozusagen in der Opposition gewirkt haben, geht das? Ich habe schon gesagt, man muß differenzieren. Es gab ehrliche, aufrichtige Menschen, die was besser machen wollten. Aber daß nur das die Guten waren, halte ich für vereinfacht.

Erich Honecker

Im übrigen bin ich der Auffassung, daß in den letzten vierzig Jahren etwas geschaffen wurde. Die DDR ist ja in der früheren Gemeinschaft der sozialistischen Länder in einer Entwicklung begriffen gewesen, die einzigartig war, ohne das überschätzen zu wollen und ohne überheblich zu sein. Wir hatten Jahr für Jahr einen Produktionszuwachs von 2,5 bis 4 Prozent. Wir hatten Jahr für Jahr eine entsprechende Steigerung im Einzelhandel zu vergleichbaren Preisen von vor fünf Jahren. Es ist ganz offensichtlich, wenn man jetzt in der Volkskammer ein Paket der sozialen Errungenschaften zusammengeschnürt hat, das man verteidigen sollte, und dem haben alle Fraktionen der Volkskammer zugestimmt, einschließlich der Vertreter vom Runden Tisch, ist das doch ein Beispiel dafür, daß in sozialer Hinsicht etwas geschaffen wurde. Das steht heute ohne Diskussion da, man kann das nachlesen in der Presse, daß die, die früher in Opposition standen, nicht darüber hinweggehen können. Was jetzt auf der Leipziger Messe gezeigt wurde, das waren zu einem großen Teil Spitzenerzeugnisse, die sich durchaus mit den Erzeugnissen der Bundesrepublik Deutschland messen können. Der Gesamthandel zwischen beiden deutschen Staaten betrug im letzten Jahr über 15 Milliarden Mark, obwohl im letzten Vierteljahr aufgrund des Chaos in einer Reihe von Betriebszweigen die Produktivität zurückgegangen war. Dieses ganze Gerede bundesdeutscher Politiker auf dem Boden der DDR zum Wahlkampf: Wir wollen euch helfen, die Erzeugnisse der DDR sind nicht weltmarktfähig, ist natürlich alles Quatsch! Denn kein Unternehmen würde Waren aus der DDR kaufen, wenn diese nichts taugen würden. Man kann auf keinen Fall die Leistungskraft unserer Industrie unterschätzen. Natürlich muß diese Leistungskraft noch gesteigert werden. Das ist ganz klar.

Margot ist kurz eingegangen auf das Schulwesen der DDR. Unter den Pädagogen mag es, sagen wir mal, 10 Prozent gegeben haben, die es nicht richtig verstanden, einen Unterricht durchzuführen. Aber 90 Prozent dieser Pädagogen sind ausgebildet worden auf Hochschulen. In Verbindung mit ihrer Praxis haben sie doch ein hohes Niveau erreicht. Davon zeugt auch ihr gegenwärtiges Auftreten in der Öffentlichkeit, im Rahmen der Bürgerbewegung und in anderen Versammlungen. Da muß man sagen, allerhand! Was die für Sachen im Kopf haben! Insgesamt gesehen, ist doch der Bildungsgrad der Menschen höher als vor zehn Jahren, als vor zwanzig Jahren, weil die Kinder schon durch die zehnklassige allgemeinbildende Oberschule gingen.

Margot Honecker

Das Bildungsniveau ist bei uns höher als in vielen anderen Ländern – von den USA gar nicht zu reden. Da ist ein ganz niedriges Bildungsniveau, nur einige Privilegierte haben ein hohes. Diese Tatsache erforderte gerade, darüber nachzudenken, wie man bestimmte Bedürfnisse auf geistigem Gebiet besser befriedigt. Das hatte noch nicht gegriffen. Ich glaube, daß das eine Ursache für verschiedene Konflikte war, die sich abgezeichnet haben. Hochschulbesuch allein macht es nicht. Bildungsniveau ist mehr. Bildung schließt auch Bildung des Charakters und der Gefühle ein. Das war doch bei einem großen Teil der Menschen sehr hoch. Die haben wir nicht verstanden, richtig zu befriedigen. Das hat auch etwas zu tun mit der Frage der Arbeitsproduktivität, mehr eigene Verantwortung zu übernehmen und nicht nur etwas dargeboten zu bekommen. Ich habe immer gesagt, was die Jugend betrifft, das ist fürchterlich, daß wir alles für die Jugend machen. Natürlich Bedingungen schaffen, aber ihnen nicht alles abnehmen. Selber machen, selber machen! Hier ist ein weiter Bogen zum Eigentümerverhalten. Mehr Verantwortung für sich selbst, für seine eigenen Dinge, für die Familie, für die Interessenwahrnehmung. Nicht nur dasitzen, glotzen, nicht nur konsumieren.

Aber Sie können doch nicht leugnen, Herr Honecker, daß die Struktur der Gesellschaft sich lähmend auf alle Lebensbereiche auswirkte. Das wurde immer wieder von allen Seiten signalisiert, nicht nur von den Wissenschaftlern und Künstlern, sondern auch von den Kirchen und Bürgergruppen.

Was die Struktur der Gesellschaft anbetrifft, müssen wir doch sehen, daß der Zusammenbruch in vielen sozialistischen Ländern nicht nur innere Ursachen hat, sondern daß von außerhalb die Strippen gezogen wurden. Im Grunde genommen war es doch so, daß die materielle Produktion in unserem Lande sich in der Richtung vollzog, wie Lenin darstellt, daß letzten Endes der Sieg über die kapitalistische Gesellschaft durch die höhere Arbeitsproduktivität errungen wird. Gleichzeitig hat Lenin unterstrichen, daß das nicht die alleinige Frage ist, sondern der Kommunismus auch der Reichtum alles Bisherigen auf geistigem Gebiet ist. So wird man zu überprüfen haben, auf welchen Gebieten die Einbrüche kamen.

Man darf nicht vergessen, daß der Zusammenbruch der Arbeiter-und-Bauern-Macht ja bedingt war durch den Zerfall der zentralen Leitung von oben. Man kann nicht sagen, daß das alles von unten geschehen ist, sondern allein dadurch, daß die zentrale Führung nicht mehr gegeben war. Es gab keine Rückkopplung mehr über das Geschehen an der Basis. Es gab hier große Fehler an der Spitze, die sich negativ auswirkten. Dann kam die große Enttäuschung, die bei vielen eintrat aufgrund der Verleumdungskampagne, die ja gezielt eingesetzt wurde, um alles bisher Erreichte hinwegzuschieben. Tatsache ist doch, daß ein Mensch leicht für Sensationen zu haben ist. Wenn man Sensationen herausbringt als eine große Sache, untergräbt das das Bewußtsein. Das ist natürlich von großer Gefahr für die Gesellschaftsordnung. Das findet jetzt seine Bestätigung. In diesem Augenblick wächst noch die Angst durch die höhnische Zurückweisung des Sozialpakets durch die regierenden Schichten der Bundesrepublik. Denn man sagt ja ganz offen, das kommt gar

334

nicht in Frage. Soziale Marktwirtschaft bedeutet die Auflösung der volkseigenen Betriebe. Aber wenn man die großen Betriebe rekapitalisiert, wenn die Marktwirtschaft die Überhand gewinnt, was bleibt denn dann noch übrig? Höchstens die Eisenbahn, die schon unter Wilhelm II. staatlich war. Aber auch dort will man zur Privatisierung übergehen.

Bei allen Betrachtungen der Gegenwart darf man meines Erachtens nicht vergessen, daß die sozialistische Gesellschaft eine junge Gesellschaft war, sie war kein Experiment, aber eine junge Gesellschaft, in der man die Wege suchte, zu einem Gemeinschaftswesen, zu einer wirklichen Gemeinschaft zu kommen. Nicht umsonst kommt es, daß nicht wenige Bürger der DDR in verschiedenen Verlautbarungen der Massenmedien, besonders die jungen Menschen, sich wieder zurücksehnen. Wenn sie erst zwei Jahre arbeitslos sind, werden sie sich nach der DDR zurücksehnen, in der sie einen Beruf, eine bestimmte Geborgenheit, eine Zukunft hatten. Denn keiner, der heute zum Studium geht, hat mehr die Sicherheit einer Perspektive. Und diese Angst wird noch größer werden. Das ergibt sich aber daraus, daß ja doch etwas geschaffen wurde, was die Menschen nicht vermissen möchten.

Margot Honecker

Ich glaube, Enttäuschungen, Depressionen dominieren bei vielen jetzt. Das geht wahrscheinlich durch alle Schichten. Erfreulich ist, daß vor allen Dingen auch junge Leute bereit sind, für das Erhaltenswerte zu kämpfen. Wenn man sieht, wie sie selbst unter der Hetze »Rote raus!« den Mut haben, mit der DDR-Fahne auf die Straße zu gehen. Das macht Hoffnung.

Aber die Menschen, Herr Honecker, hatten trotzdem mehrheitlich offenbar nicht die »Moral«, den Sozialismus weiter zu entwickeln und zu verteidigen.

Sie können doch unsere Menschen nicht aufrufen gegen die NATO. Das hätte im Rahmen des Bündnisses geschehen müssen. Wenn man natürlich 1987 dem Kohl sagte, ihr könnt die DDR bekommen, was wollen Sie da noch machen? Das hat doch unser Botschafter offen erklärt im Interview mit dem »Stern«, daß seit 1987 die Leute dort so aufgetreten sind, als Preis für das europäische Haus. Und jetzt haben sie natürlich Angst, daß dieses Deutschland eine solch gewaltige Macht wird, die den Krieg noch einmal bringt. Die können jetzt erzählen, was sie wollen, sie wissen nicht, was in den anderen Generationen noch passieren wird aufgrund der Kraftentwicklung dieses neuen deutschen Staates. Die Sowjetunion kann sich anstrengen wie sie will, sie wird nie die wirtschaftliche Macht dieses Großdeutschlands erreichen. Dazu hat es zu großen Vorlauf auf wissenschaftlich-technischem Gebiet.

Antisemitismus

Ist die Problematik des Antisemitismus nach 1945 gründlich genug aufgearbeitet worden, angesichts von verstärkten neofaschistischen Tendenzen auch auf dem Gebiet der DDR?

Wir führten nach 1945 eine sehr umfassende Aussprache mit dem Volk über das sogenannte Herrenmenschentum des Faschismus. Wir haben zum Beispiel bei der Zusammensetzung unseres Politbüros nie die Frage gehabt, wer Jude ist. Ich sage ganz offen, ich weiß das heute noch nicht, wer Jude ist oder Nichtjude. Zum Beispiel Hermann Axen, um ihn bloß herauszugreifen. Er hatte ja Glück. Er saß in Auschwitz. Dort machte man ihn zu einem Franzosen, bis die Rettung kam. Oder ich denke an Albert Norden, einen hervorragenden Kämpfer unserer Partei. Ich denke an Kurt Hager und verschiedene andere. Wir waren immer Internationalisten und haben zuerst das Jüdische als eine Frage der Religion verstanden. Erst später wurde das hochgepeitscht als eine Rassenfrage. Ich empfinde es gegenwärtig als einen Skandal, daß man übergeht, was die Partei- und Staatsführung der DDR anläßlich des 50. Jahrestages des Pogroms von 1939 alles getan hat. Man denke nur an die verschiedensten Veranstaltungen in Berlin und in der Republik, um unsere Bürger auch ideologisch noch stärker mit Erkenntnissen auszurüsten, wohin dieser Rassenhaß geführt hat. Wir haben zum Beispiel unter meiner Initiative in Berlin das große internationale Komitee gegründet, um die von den Nazis in Brand gesetzte Synagoge in der Oranienburger Straße wieder zu restaurieren. An der Gründung der Stiftung nahm auch der Leiter der jüdischen Gemeinden der Bundesrepublik Deutschlands, Galinski, teil. Er war übrigens derjenige, der mir als erster den antifaschistischen Ausweis in Berlin unterzeichnete nach 1945. Es hat große Initiativen seitens der FDJ gegeben, um in Berlin-Weißensee den größten Friedhof, den es in Europa für jüdische Mitbürger gibt, in Ordnung zu bringen. Ich selbst habe auch verschiedene Initiativen ergriffen, um der Jüdischen Gemeinde ihr Eigentum wiederzugeben. Wobei es selbstverständlich auch galt, die Ansprüche der verschiedenen Gemeinden, die sich zum Teil überlappten, zu berücksichtigen, so daß auch diese Dinge geregelt werden konnten. Die DDR hat in der Vergangenheit sehr viel getan, um den jüdischen Opfern des Faschismus gerecht zu werden.

Die spätere Unterstützung der PLO durch die DDR in waffentechnischer Hinsicht, Ausbildung und so weiter — war das nicht eine sehr merkwürdige Politik angesichts des deutsch-jüdischen geschichtlichen Hintergrunds?

Also die Unterstützung der PLO hat mit dem Holocaust überhaupt nichts zu tun. Die PLO ist eine politische Vereinigung der Palästinenser. Sie hat einen sehr großen Einfluß auf die Palästinenser, die auch außerhalb von Palästina leben, zum Beispiel in Kuwait, in Jordanien, im Irak, in Libyen und anderswo. Außerdem existiert ja inzwischen der UNO-Beschluß über die Staatsgründung von Palästina. Arafat ist Staatspräsident und oberster Befehlshaber der palästinensischen Streitkräfte. Die Beziehungen zwischen der DDR und der PLO sind praktisch offizielle Beziehungen geworden zwischen den beiden Staaten, der DDR und dem Staate Palästina.

War das nicht eine einseitige Politik gegenüber Israel?

Das kann man nicht sagen. Auch Großbritannien war ja gegen die Gründung des Staates Palästina. Die britischen Truppen haben versucht, die Landung von Juden an der Küste Palästinas zu verhindern. Soweit ich mich erinnern kann, gab es auch eine solche Situation.

Vielen jüdischen Menschen war das natürlich ein Dorn im Auge, daß wir den Staat Israel nicht anerkannt haben.

Der Vorsitzende des Jüdischen Weltkongresses hatte den Wunsch geäußert, sich mit mir zu treffen. Und ich habe auch prinzipiell zugesagt. Er ist aber nachher leider verstorben, und wie Sie wissen, habe ich dazu im Zusammenhang mit den Vorbereitungen der Gedenkfeiern zur Pogromnacht mit Herrn Bronfman gesprochen und mich auch mit Rabbinern von Jerusalem getroffen.

Dennoch war die Nichtanerkennung des Staates Israel eine merkwürdige Situation bei diesem geschichtlichen Hintergrund der Juden und Deutschen.

Bemerkenswert ist, daß die arabischen Staaten uns als erste völkerrechtlich anerkannt haben. Das war sehr entscheidend beim Durchbruch der diplomatischen Blockade, die die Imperialisten gegen die DDR verhängt hatten.

Andererseits waren die diplomatisch engen Beziehungen zu so reaktionären Regimen wie dem Irak oder Libyen sehr verwunderlich.

Ich weiß nicht, warum man sich darüber gewundert hat. Alle imperialistischen Staaten hatten ja auch Beziehungen zu ihnen.

Lag das am Erdöl, daß wir derartig enge Beziehungen zu diesen Diktaturen hatten?

Das lag nicht an unserem Drang nach Erdöl. Erdöl haben wir aus der Sowjetunion bezogen. 19 Millionen Tonnen jährlich. Natürlich haben wir einen normalen Handel gemacht mit Libyen. Beziehungen aber, möchte ich sagen, hatten die anderen auch mit Libyen.

Moral spielte dabei also weniger eine Rolle, sondern handelspolitische oder weltpolitische Motive?

Da müssen Sie die Regierung des Westens fragen, warum sie diplomatische Beziehungen unterhalten haben.

Sie hatten doch aber ein anderes Wertesystem als Kommunist.

Nein, nachdem wir Mitglied der UNO wurden, hat sich gezeigt, daß wir von gleichen Prinzipien ausgingen.

Viele Leute befürchten, daß die Republikaner auch hier bis 10 Prozent bekommen.

Ja, die kriegen sogar mehr, wenn das so weitergeht. Die Republikaner werden Deutschland sowieso beherrschen zum Schluß. Das sage ich Ihnen heute schon. Unter anderen Bedingungen wird der Faschismus in dieser oder jener Form wiederkommen. Das ist sicher bei dieser Haltung. Die Geschichte wiederholt sich nicht, aber in anderen Formen doch. Warum sind denn die Reps auf einmal da? Stellen Sie sich doch nicht so naiv! Die hatten doch damals in Düsseldorf beschlossen, die großen Industriellen, die Bankgewaltigen, Hitler die Macht zu geben. Der ist doch nicht legal zur Regierung gekommen. Der ist doch nicht nur finanziert worden, sondern die Großindustrie und die Banken haben an Hindenburg geschrieben, er soll die Bedenken aufgeben, er soll Hitler die Regierung übertragen. Das steht doch im Nürnberger Prozeß, das brauchen Sie nur nachzulesen. So wird es wieder gehen. Was zieht denn die USA jetzt nach Arabien? Das geschieht doch nicht wegen Kuweit. Da geht es doch nur um das Erdöl! Hitler hat nicht gesagt, er will die Ukraine haben, er wollte das Erdöl im Kaukasus. Darum geht es doch den Imperialisten. Bei aller Theorie, die wir über die Marktwirtschaft haben, dürfen wir nicht vergessen: es ist doch ein imperialistisches System vorhanden.

Außen- und Deutschlandpolitik

Weniger umstritten als die Innenpolitik war Ihre Außenpolitik. Können Sie dazu kurz Ihren Standpunkt darlegen, auch aus der Perspektive der jetzigen grundlegenden Veränderungen?

Wir führten eine Außenpolitik durch, die sich im großen und ganzen aus den Beschlüssen unseres Bündnisses ableitete. Sie waren klar auf die Politik der friedlichen Koexistenz gerichtet. Im Rahmen des neuen Denkens sollten die Initiativen auf abrüstungspolitischem Gebiet auch die NATO veranlassen, ernste Schritte auf dem Gebiet der Abrüstung zu tun. Wie Sie wissen, führten die Sowjetunion und die anderen sozialistischen Staaten einschließlich der DDR eine Reihe Abrüstungsmaßnahmen durch. Ich denke hier zum Beispiel an die Reduzierung der Nationalen Volksarmee um 10 000 Mann, die Herausnahme moderner Panzerregimenter aus dem Bestand der NVA. Wir unterbreiteten den Vorschlag, zur Verteidigungsdoktrin überzugehen und die schweren Waffen aus dem Bestand der Armeen zu vermindern und somit weit ausgreifende militärische Aktionen unmöglich zu machen, weil mit dem Spitzentreffen von Ronald Reagan und Michail Gorbatschow in Genf klar wurde, daß kein Land die Kraft hätte, als Sieger aus einem atomaren Krieg hervorzugehen, sondern daß die ganze Menschheit Verlierer eines solchen Kampfes würde. Wir waren nicht bereit, an der weiteren Vorbereitung des Selbstmordes der Menschheit mitzuwirken.

Mein offizieller Besuch in Bonn und die damit verbundene gleichberechtigte Teilnahme als Partner im europäischen Konzert war äußerst günstig. Dies war, wie ich mit

Recht sagen darf, aus heutiger Sicht der Höhepunkt in der Entwicklung der deutsch-deutschen Beziehungen. Wir konnten ja noch nicht voraussehen, wie die Entwicklung sich weiter vollzog im Zusammenhang mit dem europäischen Haus.

Es ging auch um die Herausarbeitung einer neuen Militärdoktrin beziehungsweise um die Nachkonferenzen von Helsinki. Ich hoffe auch heute noch, daß es dazu kommt und daß diese zu einem neuen europäischen Sicherheitssystem führen. Es stellt sich heute heraus, daß Helsinki die Grundlagen legte für die weitere Entwicklung. Alle Fragen, die heute aktuell sind, wurden ja damals bereits in den Reden angesprochen.

Daß dadurch die Zeit gekommen sei für die Vereinigung der beiden deutschen Staaten, steht selbstverständlich im Widerspruch zu den abgeschlossenen Verträgen sowohl im Rahmen des Warschauer Paktes als auch im Rahmen der europäischen Verträge von Moskau, Warschau, Prag und des vierseitigen Abkommens, in denen die Unverletzlichkeit der Grenzen im gegenwärtigen Europa festgestellt wurden. Das wurde als eine entscheidende Voraussetzung für die Gewährleistung des Friedens verankert.

Können Sie sich vielleicht noch darüber äußern, welche Beziehung Sie zu wichtigen westdeutschen Politikern hatten und welcher Ihnen davon besonders nahestand?

Von allen westlichen Politikern haben mich am meisten Strauß, von Weizsäcker und Schmidt beeindruckt und die Zusammenkunft mit Willy Brandt. Ich habe ihn auf einer Rundfahrt mit seiner Frau durch Berlin begleitet. Willy Brandt war für mich die Person einer erfolgreichen Ostpolitik. Er hat ja diese ganze Politik eingeleitet, und ich habe im Kontakt mit Herbert Wehner alles getan, um Willy Brandt seine Ostpolitik zu erleichtern. Das Dumme war, daß der Chef der Aufklärung bei uns, Markus Wolf, nicht den Mut besaß, mich rechtzeitig davon zu informieren, daß in der Nähe von Brandt ein Vertreter von ihm saß, Guillaume. Ich hätte sofort veranlaßt, daß dieser Mann trotz all seiner Verdienste sofort aus der Nähe Brandts verschwindet. Ich habe auch später bei der Arbeit von Markus Wolf angewiesen, daß wir nicht jene Politiker in Schwierigkeiten bringen durch die Arbeit von Kundschaftern, die sich wirklich verdient gemacht haben für die Entwicklung der deutsch-deutschen Beziehungen. Dazu gehörten Willy Brandt, von Weizsäcker, und dazu gehörte auch Franz Josef Strauß. Ich muß sagen, daß er mit einer großen Ernergie für die Entwicklung der Beziehungen zwischen der DDR und der BRD eintrat.

Bei meinen vielfältigen Zusammentreffen mit Kohl hatte ich den Eindruck, einen Mann gewonnen zu haben, der ebenfalls Interesse hatte an der Entwicklung guter Beziehungen.

Da Sie den Namen Herbert Wehner bereits erwähnten, Sie kannten Ihn ja schon sehr lange, seit Ihrer politischen Arbeit an der Saar vor und während der Nazizeit. Können Sie etwas über Ihr langjähriges Verhältnis zu Herbert Wehner sagen.

Ich bin heute noch dem Beauftragten der Regierung für humanitäre Angelegenheiten, Professor Dr. Vogel, dankbar, daß er den Kontakt mit Herbert Wehner wieder zustande brachte. Wir haben damit fortgesetzt, was wir an der Saar erreichten. Das ist in der Hauptsache das Verdienst von Herbert Wehner. Wir haben die alten Gegensätze zwischen Sozialdemokraten und Kommunisten einfach abgebaut. Es ist richtig, ich kannte ihn bereits aus der Jugendarbeit im Saarland. Ich kann mich heute noch entsinnen, daß wir zusammen 1934 die Straße hochfuhren zu uns nach Hause und daß meine Mutter einen Kuchen gebacken hatte, und ich habe mich mit Herbert Wehner über die Aussichten beim Abstimmungsergebnis über den Anschluß des Saarlandes an das Deutsche Reich unterhalten. Er war ja damals auch noch Kandidat des Politbüros beim ZK der KPD. Er fragte mich, was meine

Mit Helmut Kohl 1987 in Bonn

Einschätzung wäre bei den Wahlen, und ich sagte in meinem jugendlichen Leichtsinn damals: »Also, Herbert, kritisiere mich, wenn du willst, aber höchstens 30 Prozent werden dafür stimmen.« Er war mit dieser Antwort zufrieden, denn er hat an höhere Prozentsätze gedacht, die in der Tat auch möglich gewesen wären.

Es war ja offensichtlich so, daß nicht nur der Druck

1987 in Herbert Wehners Privathaus

Hitlerdeutschlands auf die Saar von großer Bedeutung
war, sondern auch die Politik, die von dem damaligen
Völkerbund geführt wurde. So hat er zum Beispiel zugestimmt, daß vor der Abstimmung der Saarbergbau in
deutschen Besitz überging. Die zweite Sache war, daß am
Vorabend der Abstimmung die katholische Kirche, die
einen großen Einfluß an der Saar besaß, ihre Zurückhal-
tung aufgab und die Bischöfe von Bayern und Trier einen
Hirtenbrief verlesen ließen für den Anschluß der Saar ans
Deutsche Reich. Damit war schon ganz klar, wohin die
Reise geht. Im März nach der Abstimmung fand eine
große Manifestation in Neukirchen statt. Der Plan war,
gegen 12 Uhr eine Hakenkreuzfahne zu verbrennen und
eine Rede zu halten. Es war ein anderer Redner vorgesehen, der aber nicht kam, und ich habe dann das Zeichen

gegeben und habe die Hakenkreuzfahne verbrannt und kurz gesprochen unter dem Schutz des Roten Jungfrontkämpferbundes. Es waren dort noch 300 Genossinnen und Genossen, die mit Pistolen bewaffnet waren. Es kam dann zu einem Auftritt der Landjäger, der Polizei an der Saar, und als die die erhobenen Pistolen von uns sahen, haben sie kehrtgemacht und sind abgegangen. Ich konnte dann zurück nach Hause und fuhr am 14. Januar wieder nach Saarbrücken. Inzwischen war die Abstimmungsniederlage bekannt.

Ich blieb dann noch bis 28. Februar an der Saar, und wir haben Maßnahmen getroffen zur illegalen Arbeit der KPD und des Kommunistischen Jugendverbandes. Wir haben damals eine Genossin beauftragt mit der Leitung, weil die alte Leitung sehr bekannt war und weg mußte. Ich habe Abschied genommen von zu Hause, von meinen Eltern und Geschwistern und bin dann mit dem letzten Schnellzug abends, kurz vor der Übergabe des Saargebietes an Hitlerdeutschland, nach Paris gefahren. Es war mein Abschied von der Saar und gleichzeitig auch von Herbert Wehner. Ich habe ihn in Paris nicht mehr treffen können, weil er den Auftrag erhielt, nach Moskau zu fahren.

Herbert Wehner ist nach dem Krieg von der KPD zur SPD gewechselt. Warum?

Herbert Wehner hatte die Schnauze voll von den Zuständen in Moskau. Er war auch kurze Zeit in der Ljubljanka, der Verhörzentrale der Tscheka, und wurde dort vernommen. Für mich war es später unverständlich, auch schon vor der Rede von Chruschtschow, daß ein Mann, der offensichtlich für die Sache der Arbeiterklasse und die Ideale des Sozialismus eintrat, überhaupt einbezogen wurde in den Kreis derer, die sich vor dem KGB verantworten sollten für irgendwelche Beschuldigungen, die nicht stimmten. Nach dem XX. Parteitag sah ich selbstverständlich die Haltung Herbert Wehners anders als kurz nach 1945, als er nicht mehr Mitglied der Partei war. Ich habe an das Märchen geglaubt, das man ihm untergeschoben hat, um ihn aus der Partei auszuschließen. Wir haben später darüber gesprochen und uns darüber Gedanken gemacht.

Er war damals zur Schlußfolgerung gekommen, nach einem Gespräch mit Kurt Schumacher, daß er seine Aufgabe, die er sich im Leben stellen wird, nicht nur aus den genannten Gründen in der SPD sieht. Er hat der Kommunistischen Partei Deutschlands eine sehr starke Absage erteilt mit Formulierungen, die ich nicht in jeder Beziehung stützen konnte. Aber sein Ziel war doch die Einheit der Arbeiterbewegung und der Aufbau einer sozialistischen deutschen Republik. Das war nicht der dritte Weg. Später kam allerdings seine Mitarbeit am Godesberger Programm. Das war dann der sogenannte dritte Weg. Der Hauptinhalt des Godesberger Programms bestand ja darin, der Sozialdemokratie den Weg zu einer regierungsfähigen Partei in der Bundesrepublik Deutschland zu öffnen. Da war Herbert Wehner der Hauptinitiator für diese Politik. Er hat in der Sozialdemokratie dann eine führende und entscheidende Rolle gespielt. Er war, wie man sagt, kernig, seine Argumentation war durchschlagend. Er wurde zum Fraktionsvorsitzenden im Bundestag. Seine Zwischenrufe und Reden im Bundestag sind ja bekannt. Im Rückblick möchte ich sagen, wenn man Herbert Wehner seine frühere Mitgliedschaft in der KPD nicht angelastet hätte, wäre er zum Vorsitzenden der SPD gewählt worden. Aber er hielt sich in dieser Frage bescheiden im Hintergrund, weil er wußte, daß man ihn in diesem Fall sofort angegriffen hätte. Ich weiß noch, wie er in der Nacht-und-Nebel-Aktion, die Professor Dr. Vogel vermittelt hatte, nach Berlin kam, als ich bereits Generalsekretär war. Nach einer kurzen Begrüßung mit mir traf er sich mit den Fraktionsvorsitzenden der in der Volkskammer vertretenen Parteien. Das war sehr wichtig, um seinem Treffen mit mir eine breite Basis zu geben. Er wollte unbedingt sichern, daß so zwei- bis dreitausend Leute, die schon auf ihren gepackten Koffern saßen, in die Bundesrepublik Deutschland übersiedeln konnten. Er wollte sichern, daß die humanitären Fragen trotz der unterschiedlichen Gesellschaftsordnungen sich mit der Zeit normalisierten. Er sagte, sein Auftrag sei sehr wichtig für Willy Brandt. Brandt war damals Bundeskanzler. Wir waren interessiert, daß Brandt Bundeskanzler bleibt. So daß man das durchaus stützen konnte. Ich habe Herbert Wehner gleich gesagt, also ich werde die Sache mit den zwei- bis dreitausend Übersiedlern in Ordnung bringen, daß sie reisen können und daß das dann in Fluß bleibt. Diese Tatsache ist auch in der jüngsten Zeit veröffentlicht worden. Professor Dr. Vogel wurde dann mein Beauftragter in humanitären Fragen. Wir haben in dieser Beziehung sehr eng zusammengearbeitet bis zum Zeitpunkt, da diese Übersiedlungen einen Umfang von 30 000 jährlichen Familienzusammenführungen annahmen.

Es gab natürlich auch politische Fragen bei der ersten Begegnung, die eine Rolle spielten, wie zum Beispiel die Frage der Sicherung des Friedens nicht nur in Europa, des Weltfriedens überhaupt, und die Schritte, die dazu erforderlich waren. Wir haben sehr stark das Zusammenwirken der damaligen Bonner Regierung mit der Regierung der Sowjetunion unterstützt. Und haben auch diskutiert über die weiteren Aussichten. Ich habe auch damals die Reise von Herbert Wehner nach Moskau vermittelt. Ich habe von ihm damals sogar ein Foto bekommen mit der Post von seinem Aufenthalt in den Lenin-Bergen und auch von Moskau. Die Gespräche waren dort, wie man weiß, sehr fruchtbar und ergebnisreich. Sie führten zu den Ostverträgen. Wir standen seitdem ständig in Kontakt.

Da gibt es ja von Wehner einen Ausspruch, daß dieses Experiment Sozialismus auf deutschem Boden einmal so zerschmettert enden wird, daß sich keiner wiederfindet. Er war also ein Gegner des DDR-Sozialismus. Nun kommen sie beide aus dem »roten linken Stall«. Sie sind so verschiedene Wege gegangen. Haben Sie sich auch darüber unterhalten mit Weh-

ner, über diese grundsätzlichen Unterschiede zwischen SED und SPD?

Über diese Unterschiede waren wir uns von vornherein im klaren, aber auch darüber, daß es eine gute Zusammenarbeit geben müßte zwischen SPD und SED. So lernfähig, wie wir als Mitglieder der SED und ich als Generalsekretär waren, so lernfähig war auch Herbert Wehner. Er hat zweimal seine Heimatstadt Dresden besucht in Begleitung von seiner Frau Greta und war natürlich tief bewegt, daß er diese Möglichkeit durch die Verbindung mit mir bekam. Die Hauptschwierigkeiten der Zusammenarbeit zwischen uns und Wehner gab es nicht in der SPD der Bonner Zentrale, die Hauptschwierigkeiten gab es bei uns in der SED. Es gab ja noch Mitglieder des früheren Politbüros, die dem Ausschluß Wehners aus der KPD damals zugestimmt hatten und die das alles noch im Kopf hatten beziehungsweise haben mußten. Es gab bei uns im Zentralkomitee den früheren Kandidaten des Politbüros und Vorsitzenden der Staatlichen Plankommission, Karl Mewis, der direkt erschüttert war, daß der Generalsekretär des ZK der SED mit dem »Verräter« Wehner sich getroffen hat, und das mir gegenüber auch zum Ausdruck brachte. Aber der Karl Mewis hatte nicht den Mumm, ans Rednerpult zu gehen und dagegen zu sprechen. Das war auch schwierig, weil im Zentralkomitee die Mehrheit für die Normalisierung der Beziehungen zwischen der SED und der BRD waren, unter dem Gesichtspunkt der Fortsetzung der Politik der friedlichen Koexistenz von Staaten unterschiedlicher Gesellschaftsordnung. Wir haben diese Linie stets eingehalten bis zu meinem offiziellen Besuch in der Bundesrepublik. Man kann das ja alles nachlesen.

Sie haben einmal zu uns gesagt, wenn Sie das erlebt hätten, was Herbert Wehner erlebt hat in Moskau unter Stalin, dann wären Sie vielleicht auch seinen Weg gegangen.

Das ist möglich.

Jetzt wurden sogar irgendwelche Sachen veröffentlicht, daß Wehner gezwungen worden sei, in Moskau Todesurteile zu unterschreiben?

Das glaube ich nicht. Das hätte Herbert Wehner nie gemacht. Herbert Wehner hatte nur Gespräche in der Ljubljanka. Ich spreche nur von Gesprächen. Er ist ja immer wieder zurückgekehrt von dort. Aber zu so etwas hätte sich Herbert Wehner nie hergegeben. Ich nehme an, daß ein solches Ansinnen an ihn auch überhaupt nicht gestellt wurde. Denn von keiner Persönlichkeit, die damals in Moskau lebte, auch der Führung der KPD, gab es eine solche Sache. Das sind reine Spinnereien, Greuelpropaganda.

Welche Rolle spielte eigentlich Schalck-Golodkowski genau, zum Beispiel im Zusammenspiel mit Franz Josef Strauß?

Ich möchte sagen, daß Schalck von meinem Gesichtspunkt aus eine wertvolle Arbeit geleistet hat für die Entwicklung des Außenhandels der DDR mit der westlichen Welt. Es war geradezu eine Blindheit der Regierung der DDR, Schalck Vorwürfe zu machen und mit einem Haftbefehl zu drohen, wie ich gehört habe. Denn der Mann hat immerhin jährlich zweistellige Zahlen an Milliarden Mark für die DDR gebracht. Ob das alles unter einer sehr scharfen Kontrolle war, weiß ich nicht. Ich habe vor kurzem gelesen, daß der Ministerpräsident sogar eine Anordnung herausgegeben hat, daß der Apparat von Schalck nicht kontrolliert werden darf. Ich möchte das sagen, nachdem nun alle Firmen ihre Berichte jetzt offengelegt haben, daß dort alles nach Recht und Gesetz zuging. Ohnehin erinnere ich mich an die Ausführungen von Graf Lambsdorff, der gesagt hat: »Schalck hat sich so benommen wie ein Geschäftsmann.« Leider hatte die DDR wenig solcher Geschäftsleute.

Meinen Sie nicht, daß er sich auch in die eigene Tasche gewirtschaftet hat?

Welcher Geschäftspartner tut das nicht?

Und hat er allein den Milliardenkredit eingefädelt mit der BRD?

Wenn Sie sich richtig informieren, ging es ja nicht nur um den Einmilliardenkredit, es ging sogar um drei Milliarden. Aber das war kein Kredit. Das war nur eine Garantieerklärung seitens der Bundesregierung, falls die DDR nicht einen ausreichenden Kredit von den Banken pünktlich nach Zins und Zinseszins zurückzahlt, dann steht dafür die Transitpauschale zur Verfügung. Das heißt, wir haben uns selbst kreditiert.

Warum wurde er — Schalck — in der BRD von der Grenze immer von einer bayerischen Staatskarosse abgeholt?

Das müssen Sie die bayerische Staatsregierung fragen.

Noch eine wichtige Frage: Wie kam ausgerechnet Strauß dazu, den Kredit zu unterstützen, wo er doch jahrzehntelang ein Hauptgegner des Sozialismus und der DDR war?

Lesen Sie mal das Buch von Strauß »Erinnerungen«. Dort werden Sie die Antwort finden. Strauß war ein Realpolitiker. Ich habe ihn sehr geachtet. Er hat immer das eingehalten, was er gesagt hat.

Haben Sie sich nicht gewundert, daß er plötzlich so ein »Freund« der DDR war?

Ich habe Strauß nie als einen Feind der DDR gesehen. Und er hat das auch nie behauptet. Die interna-

Mit F. J. Strauß 1987 in München

tionalen Beziehungen richten sich nicht danach, ob die
Person ein »Freund« oder sonst was ist, das sind Beziehungen zwischen den Staaten.

Er war ein Mann, der über sehr viel Einfluß verfügte?

Er war ein sehr dynamischer Mann. Er verfügte über großen Einfluß, und jeder lernt ja in seinem Leben. Er war korrekt in der Entwicklung seiner Beziehungen zur DDR. Ich möchte ganz offen sagen: Wenn was mit Strauß besprochen war, hat er dafür gesorgt, daß es eingehalten wurde, was man von anderen Bundespolitikern weniger sagen kann.

Helmut Schmidt haben Sie bisher wenig erwähnt. Würden Sie noch zu ihm etwas sagen?

Zwischen mir und Helmut Schmidt bestand ein direktes Verhältnis. Ich hatte als Regierungschef die Verantwortung für die Entwicklung der Beziehungen zwischen der DDR und der BRD. Ich möchte sagen, daß Helmut Schmidt der erste war, der im Bundestag von Bürgern der Deutschen Demokratischen Republik sprach. Auch hier hat sich ein Entwicklungsprozeß vollzogen. Helmut Schmidt war eben ein großer Staatsmann. Er hat die Realitäten respektiert und hat versucht, aus den Dingen, wie sie nun einmal lagen, das Beste zu machen. Das heißt, seine Bemühungen haben sich mit der Regierung von Helmut Schmidt getroffen, und bei meinem Aufenthalt in der BRD hatte ich auch eine Begegnung mit ihm. Ich möchte sagen, daß alle Begegnungen zwischen mir und Helmut Schmidt – sei es in Helsinki, sei es in Belgrad, sei es in Hubertusstock, sei es bei anderen Gelegenheiten – immer sehr korrekt verliefen. Die Fragen wurden im gegenseitigen Einverständnis gelöst.

Beim Besuch Helmut Schmidts in der DDR 1981

Sie hatten auch eine persönliche Affinität zu ihm, oder?

Ja, das wurde etwas entstellt. Das hatte einen anderen Rang. Wir haben uns so gut verstanden, daß in Verbindung mit den Witzen, die da ausgetauscht wurden bei seinem Besuch bei uns, ich tatsächlich einen Bonbon in der Tasche hatte und zum Abschluß gesagt habe: »Na, Helmut, hier hast du den.« Und er hat ihn mit Freuden genommen. Wir haben uns auch Schneebälle zugeworfen an der Treppe des Rathauses von Güstrow.

Und Willy Brandt?

Willy Brandt habe ich ja zum ersten Mal getroffen anläßlich seines Besuches in der Hauptstadt der DDR. Ich habe ihn begleitet sowohl beim Besuch des Schauspielhauses am Platz der Akademie als auch bei seiner Rundfahrt durch Berlin. Wir sind auch nach Berlin-Marzahn gefahren und sind dort ausgestiegen. Wir haben mit seiner Frau einen Spaziergang gemacht. Er hatte die Möglichkeit der Unterhaltung mit der Bevölkerung. Wir haben auch einen Kindergarten dort besucht. Ich muß

355

sagen, Willy Brandt war damals sehr beeindruckt von dem, was in der Hauptstadt der DDR an Aufbauarbeiten und in der Entwicklung des gesellschaftlichen Lebens sich vollzogen hatte.

Er war ja auch in der DDR für seine Friedenspolitik beliebt, die er mit eingeleitet hatte.

Willy Brandt hat das Verdienst, für die Ost-West-Beziehungen einen entscheidenden Beitrag geleistet zu haben, um diese Beziehungen auf eine neue Basis zu stellen. Wir haben in jeder Beziehung diese Bemühungen unterstützt. Ich erinnere an meine Darlegungen im Zusammenhang mit der Rolle, die Herbert Wehner dabei gespielt hat.

»Der Tschaika
stand nicht mehr zur Verfügung«

Vorwürfe

Personenkult

Nach Ihrem BRD-Besuch war Ihr Ansehen sehr hoch. Warum sind Sie damals nicht zurückgetreten?

Aus dem Abstand heraus kann man heute wohl zur Schlußfolgerung kommen, daß der damalige Zeitpunkt richtig gewesen wäre, zurückzutreten. Aber ich glaube andererseits, daß das damals nicht richtig verstanden worden wäre; ich fühlte mich sowohl körperlich als auch geistig noch so in Form, um nicht nur im Innern des Landes, sondern durch meine Besuche in Frankreich und Italien auch außenpolitische Schwerpunkte zu setzen.

Im nachhinein zeigt sich, daß das nicht richtig war, aber es ging nicht darum, im Triumph aus der Funktion zu scheiden, sondern es ging für mich darum, so lange wie möglich einen Beitrag zur Stärkung der Deutschen Demokratischen Republik zu leisten und damit ihres internationalen Ansehens. Karrieregründe waren für mich nie die Ursache für mein Handeln. Die Ursache für mein Handeln war die eines Kommunisten, der entsprechend seinem Parteiauftrag bestrebt war, seine Aufgaben zu erfüllen.

Als Kneipengänger sind wir uns ja schon oft begegnet. Es gab eine Anweisung, in allen öffentlichen Gebäuden Ihr Bild auszuhängen. War das nicht Personenkult?

Daß es eine solche Anweisung gab, ist mir bis jetzt nicht bekannt, es ist allerdings auf deutschem Boden eine Selbstverständlichkeit, daß Bilder der Staatsoberhäupter auch in öffentlichen Gebäuden hängen. Und wer das privat machte, das war dann absolut seine Sache. Ich habe sogar veranlaßt, daß in dem Raum, in dem das Politbüro sich oft zusammenfand, mein Bild entfernt wurde. Ich habe dafür das Bild von Wilhelm Pieck aufhängen lassen. Außerdem habe ich eine Entscheidung herbeigeführt, daß keine Briefmarken mit meinem Bild gedruckt wurden. Ich möchte nur sagen, daß ich nie Wert darauf legte, Bilder von mir zu popularisieren. Von meinen Freunden wurde es als notwendig erachtet. Bei der Leipziger Messe wurden einmal 32 Bilder von mir im ND veröffentlicht. Sie wurden veröffentlicht, weil auf der Leipziger Messe an allen Ständen die Botschafter mit mir standen sowie Minister der verschiedensten Regierungen. Es hat sich im nachhinein gezeigt, daß es falsch war; man hätte solche Sachen überhaupt nicht anfangen dürfen.

Meinen Sie aber nicht, daß all das mit Personenkult zusammenhing, auch, daß Sie so lange im Amt blieben, und daß es nicht Ausdruck einer demokratischen politischen Kultur war?

Ich bin meiner Sache, die zu der menschlichsten Sache der Welt gehört, stets treu geblieben. Meine gesamte Arbeitskraft gehörte den Menschen in der DDR. Bei uns wurden die Fragen, die zu lösen waren, entgegen anders lautenden Vereinbarungen, stets im Kollektiv entschieden. Alles andere ist ein Märchen. Ich habe nie mit einem Maschinengewehr in der Sitzung des Politbüros gesessen, um Einmütigkeit zu erreichen. Im Gegenteil. Es war bei uns Brauch, daß beim Auftauchen bestimmter Probleme zuerst die anderen Genossen sprachen und ich erst im Verlaufe der Diskussion oder am Ende das Wort nahm. Die Kollektivität war in bestimmtem Maße gewährleistet. Sie ging aber zu jener Zeit auseinander, ohne daß ich etwas bemerkte, als bestimmte Personen in diesem Kreis mit ihrer konspirativen Arbeit begannen. Deswegen hatten sie auch gar keine Zeit, die Aufgaben zu verwirklichen, die ihnen auf Beschluß des Zentralkomitees zugewiesen waren. Dabei haben wir stets entgegen anders lautenden Gerüchten darauf geachtet, daß die DDR fest im Bündnis steht, daß die Freundschaft zur Sowjetunion die Grundlage für die Entwicklung der DDR war.

Und Sie meinen wirklich, in der Partei herrschte eine demokratische Kollektivität?

Ich war im Politbüro Gleicher unter Gleichen.

Mit Mittag, Mielke und Herrmann hatte ich stets ein gutes Verhältnis, und es herrschte eine gesunde Atmosphäre. Wir haben sehr oft hart diskutiert, aber immer kameradschaftlich. Es gab für mich keinen, den ich als meinen besonderen Vertrauten angesehen hätte. Im Gegenteil. Die Tagung des Politbüros vom 17. Oktober 1989 hatte klar und deutlich gezeigt, daß ich keine engsten Vertrauten hatte. Denn sie waren die ersten, die glaubten, wenn ich in Ehren zurücktrete, sei damit der Weg frei für die Verwirklichung ihrer inzwischen mit anderen ausgedachten Konzeptionen.

Im übrigen war es so, daß ich nie an meinem Sessel klebte, daß ich im Jahre 1985 bereit war, diesen Sessel zu räumen. Aber damals kam ich aufgrund verschiedener Vorkommnisse doch zu der Auffassung, daß der von mir auserwählte Kandidat als Generalsekretär unserer Partei und Vorsitzender des Staatsrates sowie des Nationalen Verteidigungsrates nicht in der Lage sein würde, seine Aufgaben zu erfüllen, weil er in der Partei und im Volk nicht die entsprechende Autorität besaß. Das ist keinesfalls eine Kritik an der entsprechenden Persönlichkeit, sondern ist eine Tatsache, die man einsehen muß, wenn man es mit der Partei ehrlich meint. Daß ich mich dabei nicht geirrt habe, hat die Zukunft bewiesen.

Aber Ihr Entschluß stand fest, mit dem XII. Parteitag in den Ruhestand zu gehen, oder?

Ja, das hatte ich vor.

War auch schon der Nachfolger von Erich Mielke im Gespräch?

Solche Gespräche gab es nicht, weil das zu schwierigen Situationen geführt hätte. Für uns war klar, daß sich mit dem XII. Parteitag große Veränderungen im Politbüro vollziehen mußten, entsprechend dem Beschluß des 7. Plenums, unter dem Motto der Kontinuität und der Erneuerung.

Staatssicherheit

Sie waren als Generalsekretär der Partei, als Vorsitzender des Staatsrates und des Nationalen Verteidigungsrates quasi auch der Oberbefehlshaber der Staatssicherheit. Wie geschah denn dort überhaupt die Machtausübung durch Sie?

Der Minister für Staatssicherheit war mir gegenüber genauso verantwortlich wie der Minister für Nationale Verteidigung und der Minister des Innern. Von Zeit zu Zeit habe ich mit ihnen Gespräche geführt. Beim Minister für Staatssicherheit ging es vor allem darum, Fragen der äußeren und inneren Sicherheit zu besprechen. Diese Fragen der äußeren Sicherheit haben eine sehr große Rolle gespielt; wobei ich sagen möchte, daß das Ministerium für Staatssicherheit nicht nur die Abwehr organisierte, sondern auch Informationen über die neuesten wissenschaftlichen Errungenschaften in der Welt brachte. Diese Wissenschaftsinformationen wurden ausgewertet in unserer Volkswirtschaft. Die Besprechungen, die meist im Anschluß an die Sitzungen des Politbüros durchgeführt wurden, waren Routinebesprechungen. Die grundsätzlichen Fragen wurden ja im Nationalen Verteidigungsrat behandelt.

Das gleiche trifft zu auf die Zusammenarbeit mit dem Minister für Nationale Verteidigung. Er kam nur vormittags, vor der Sitzung des Politbüros, mit seinen Fragen, die gelöst werden sollten. Sie ergaben sich aus dem unmittelbaren operativen Dienst oder aus der Perspektive, wo Entscheidungen zu treffen waren. Die Grundfragen wurden auch im Nationalen Verteidigungsrat behandelt.

363

Das gleiche trifft selbstverständlich auch für die Deutsche Volkspolizei zu. Wobei man sagen muß, daß in der Zeit, wo ich die direkte Verantwortung trug, die Volkspolizei auch in der Besoldung den Mitarbeitern der anderen bewaffneten Organe gleichgestellt war, das heißt der Volksarmee und des Ministeriums für Staatssicherheit. Im Vordergrund der inneren Sicherheit stand immer mehr die Deutsche Volkspolizei, die dem Ministerium des Innern unterstand.

Und die Auslandsaufklärung?

Das war wohl Aufgabe des Ministeriums für Staatssicherheit. Dieser ganze Komplex befand sich bekanntlich lange Zeit unter Generaloberst Markus Wolf und wurde mit großem Erfolg durchgeführt, einschließlich der entsprechenden Zusammenarbeit mit den sowjetischen Organen auf diesem Gebiet. Dann hatte selbstverständlich die Nationale Volksarmee, genauso wie die Bundeswehr, einen speziellen Aufklärungsapparat.

Warum ist Markus Wolf überhaupt gegangen?

Das kann ich Ihnen nicht sagen. Für mich war das auch sehr überraschend. Ich habe den Minister gefragt – das war auch ein Teil der Besprechungen, die nach einer Sitzung des Politbüros stattfand. Die Frage seines Abganges wurde ja offiziell im Verteidigungsrat behandelt, denn Personalfragen von solcher Güte haben wir nicht nebenbei behandelt. Die Begründung von Markus Wolf war, daß er nach einer bestimmten Zeit der Arbeit im Ministerium für Staatssicherheit, wo er auch gute Ergebnisse brachte, sich nun dem Nachlaß seines Vaters widmen wollte, Friedrich Wolf, des bekannten Dichters von »Cyankali«, »Matrosen von Cattaro« und so weiter. Das war die offizielle Begründung für sein Ausscheiden. Ich war da immer sehr skeptisch und hatte ungefähr vor einem Jahr eine persönliche Unterredung mit Markus Wolf. Er überreichte mir damals sein Buch »Die Troika«, dessen Herstellung ich sehr unterstützte, mit einer sehr herzlichen Widmung, und ich fragte ihn einfach: »Nun, sagen Sie mal, warum sind Sie zurückgetreten und haben den Abschied als Chef der Aufklärung eingereicht?« Er sagte: »Nur aus dem Grund, den ich damals angegeben habe.« Ich kannte ja noch seinen Vater, Friedrich Wolf, ich kannte auch das Milieu von Moskau, wo er aufgewachsen war. Ich kenne die Straßen, die Häuser dort, so daß ich diese Zeit sehr gut verstehen konnte. Nun, sein Buch ist ja bekannt, ich brauche dazu ja nichts zu sagen.

Seit wann und warum gab es ein so gewaltiges flächendeckendes Sicherheitssystem in der DDR?

Also einen Sprung in der Sicherheitspolitik zum flächendeckenden Abhorchsystem gab es natürlich nicht. Wenn es gemacht wurde, so erfolgte dies außerhalb der Legalität. Es gibt dazu weder einen Beschluß des Politbüros noch des Nationalen Verteidigungsrates. Wir brauchen uns hier nicht zu streiten über die Notwendigkeit eines Verfassungsschutzes, eines militärischen Abschirmdienstes des Ministeriums für Staatssicherheit, das man dann in Amt für Nationale Sicherheit umbenannte. So etwas gibt es in allen Staaten, jedenfalls bis heute, die Wert darauf legen, über die Entwicklung in der Welt, über Hintergründe Bescheid zu wissen. Aber daß zum Beispiel Herger solche Akten über Künstler hatte, davon bin ich selbst wirklich sehr überrascht, sehr überrascht. Ich glaube, das ist eben das, was die Menschen auf die Palme brachte. Ich halte ein solches System nicht nur für hanebüchen, sondern auch vom Standpunkt der Entwicklung der DDR, der Vertrauensbildung zwischen der Partei und den Volksmassen und zur Partei- und Staatsführung geradezu für unerhört! Ich möchte sagen, daß es hierzu keinerlei Beschlüsse gab.

Das heißt also, das Ministerium für Staatssicherheit, Erich Mielke, hat Sie hintergangen und hat mehr gemacht, als er sollte, oder hat Sie im unklaren gelassen über die tatsächlichen Sicherheitsstrukturen?

Ich möchte hier kein Urteil darüber fällen, wer wen übergangen hat. Tatsache ist, daß seit sechs Jahren Egon Krenz verantwortlich war, nicht nur für die Abteilung Sicherheit im ZK, sondern auch für die Arbeit des Ministeriums für Staatssicherheit, des Ministeriums des Innern, des Ministeriums für Nationale Verteidigung, ganz zu schweigen von anderen, den Zollorganen und so weiter. Diese Verantwortung war ungeteilt. Es gab niemanden im ZK, der ihm diese Verantwortung wegnehmen konnte, erst recht nicht ich. In seinen Auslassungen in der Springerpresse »Jetzt sage ich alles« hat er offensichtlich große Gedächtnislücken. Denn in das Gebiet »Jetzt sage ich alles« fällt ja seine sechsjährige Verantwortung für die Leitung des Ministeriums für Staatssicherheit. Als ich diese Verantwortung in den fünfziger Jahren übertragen bekam, war mein erster Gang in die Normannenstraße zu Erich Mielke, um mich unterrichten zu lassen, was er jetzt als seine Hauptaufgabe betrachtet und wie sie sich vollziehen sollte.

Die zweite Sache war die, daß die Abteilung Sicherheit des ZK das volle Recht nicht nur der Kontrolle des Ministeriums für Staatssicherheit hatte, sondern auch die politische Verantwortung dafür, daß dort die Beschlüsse des Politbüros und später des Nationalen Verteidigungsrates der DDR zu erfüllen sind. Nun wird also zuweilen von Krenz als auch Herger behauptet, daß sie nicht das Recht hatten, auf operative Tätigkeiten Einfluß zu nehmen. Man kann aber die politische Orientierung von der operativen Arbeit nicht trennen. Ich brauche im einzelnen nicht zu wissen, wer wo in der geheimen Front im Westen tätig ist, aber im Land selbst muß ich natürlich wissen, was die Leute machen.

Ich muß sagen, ich schätze die Tätigkeit der Mehrheit der Mitglieder des Ministeriums für Staatssicherheit sehr hoch ein. Das sind verantwortliche Genossen gewesen. Aber ein solches System flächenweit zu entwickeln, wie sich jetzt offenbar herausstellt, das widersprach allen Beschlüssen sowohl des Politbüros als auch des Nationalen Verteidigungsrates in bezug auf hauptamtlich und ehrenamtlich Tätige und ist nur so zu erklären, daß man versucht hat, entsprechend dem Vorbild der Tscheka einen Staat im Staate zu entwickeln.

Nun behauptete Herr Krenz, nach der Politbürositzung hätten Mielke und Sie immer zusammengesessen und die Lage besprochen, und er hätte gar keinen Einfluß gehabt.

Wenn Herr Krenz nicht dabei war, was wir besprochen haben, kann er auch nicht wissen, was da in den Besprechungen die Hauptinhalte waren. Natürlich habe ich, wie mit allen Sekretären und Mitgliedern des Politbüros, von Zeit zu Zeit Gespräche durchgeführt, und zwar regelmäßig, weil wir dienstags Politbürositzung hatten. Meistens waren das ganz kurze Gespräche zwischen Mielke und mir. Da ging es selbstverständlich um viele Fragen. Es ging um Fragen des Standes der Kriegsvorbereitungen der kapitalistischen Länder gegen die sozialistischen, weil sich das ja in den letzten Jahren immer mehr verschärfte, jedenfalls bis zu den ersten Abrüstungsschritten. Da ging es um die Zielstellung der kapitalistischen Länder, die Staaten Osteuropas, die sozialistischen Staaten, zu unterminieren, um sie schließlich in Besitz zu nehmen und in den Einflußbereich der NATO zu bekommen. Dann ging es schließlich selbstverständlich um eine ganze Reihe Fragen, die sich aus dem aktuellen Geschehen ergaben. Ich kann mich heute noch ganz vage daran erinnern, daß ich sehr oft Mielke darauf hingewiesen habe, daß das Ministerium kein Überministerium ist, das außerhalb der Regierung steht, sondern daß man doch davon ausgehen muß, daß jeder Minister auf seinem Gebiet verantwortlich ist. Es war ja nicht immer so, daß ein Minister für Staatssicherheit im

Ministerrat war. Es war ja so, daß in jedem Ministerium offiziell Vertreter des Ministeriums für Staatssicherheit waren. Und – wie sich jetzt herausstellte – dieses System bis nach unten weiterging. Es zeigt sich jetzt, daß dieses System kein System war, das zur Stabilisierung der DDR beitrug, sondern im Gegenteil, daß viele aufgebracht wurden gegen die Methoden, die dabei manchmal angewandt wurden und die selbstverständlich unbekannt blieben.

Wer hat die Stasi nun wirklich kontrolliert? Mielke oder Krenz? Welche Befugnisse hatte Krenz ganz konkret?

Krenz hatte alle Befugnisse; sechs Jahre lang.

Warum laufen wohl gegen fast alle Politbüromitglieder Ermittlungsverfahren, nur nicht gegen Krenz, obwohl er für die Stasi politisch verantwortlich war?

Da muß man die Staatsanwaltschaft fragen.

Warum wurde die Stasi »Staat im Staate«, den auch Sie nicht mehr kontrollieren konnten?

Das war von vornherein so. Das lag in der Tradition des Systems der Staatssicherheit innerhalb der sozialistischen Länder.

Aber Sie waren der erste Mann im Staate, und Ihnen war das nicht bekannt? Also hat man Sie hintergangen – auch zahlenmäßig zum Beispiel? Wußten Sie die genaue Zahl aller Mitglieder des MfS?

Ich möchte sagen, daß ich gestern in einer Illustrierten einen Artikel las unter der Überschrift »Der Chef kann nicht alles wissen«. Vom Standpunkt der kollektiven Führung einer Partei und eines Staates gibt es sowohl eine persönliche Verantwortung als auch eine kollektive. Es wird für jeden überraschend sein, wenn ich auf die Frage der Anzahl der Mitarbeiter des Ministeriums für Staatssicherheit sage, daß, solange ich im Politbüro des ZK der SED war, und das war schon seit 1950 als Kandidat und seinerzeit als erster Sekretär der Sicherheitskommission beim ZK, das war 1956, bis zum Sekretär des Nationalen Verteidigungsrates, der später gegründet wurde, bis zur Übernahme meines Vorsitzes des Nationalen Verteidigungsrates, weder im Politbüro noch im Nationalen Verteidigungsrat, ganz zu schweigen vom Ministerrat, jemals die personelle Stärke des Ministeriums für Staatssicherheit festgelegt wurde, so daß ich die Anzahl der hauptamtlichen Mitarbeiter, einschließlich des Wachregiments »Feliks Dzierżyński«, so ungefähr auf 35 000 Mitarbeiter schätzte. Über die Anzahl 85 000 hauptamtlicher und 100 000 ehrenamtlicher Mitarbeiter war ich sehr überrascht.

Aber Sie haben auch nie danach gefragt?

Ich habe auch nie danach gefragt. Warum habe ich nie danach gefragt? – Erstens, weil diese Fragestellung in Verbindung mit der Ablösung von Wollweber 1953 als Minister für Staatssicherheit bereits eine große Rolle spielte. Wollweber wollte, nachdem er Minister für Staatssicherheit wurde, 1953, einen Teil der Mitarbeiter abbauen, ungefähr 10 000 Leute. Er fand dabei großen Widerspruch bei Walter Ulbricht und bei Otto Grotewohl. Das war mit einer der Hauptgründe für die Ablösung von Wollweber. Damals, in einer Zeit des zugespitzten Klassenkampfes, fand man es unerhört, Mitarbeiter des Ministeriums in einem größeren Umfange abzubauen. Aber damals spielte die Anzahl derer, die vorhanden waren, noch nicht einmal eine so große Rolle.

Zweitens ging ich stets davon aus, daß man soviel Verantwortungsbewußtsein hat, innerhalb eines engen Rahmens, der für alle gesetzt war, nur soviel Mitarbeiter wie erforderlich einzusetzen.

Drittens war ja zu berücksichtigen, daß als Mitarbeiter

für Staatssicherheit nur die gezählt wurden, die in der DDR arbeiteten, und nicht auch diejenigen, die an der geheimen Front waren, weil da Vertraulichkeit gesichert sein mußte. Es war offensichtlich ein Fehler, daß man nie diese Fragen gestellt hat. Ich möchte sagen, nie ist falsch! Ich habe mal eine Zusammenstellung vorgenommen, aus volkswirtschaftlichen Gründen, wie stark die Mitarbeiter beziehungsweise die Angehörigen der bewaffneten Organe waren. Ich hatte noch bis vor kurzem diese Aufstellung der Nationalen Volksarmee. Das war wichtig bei der Abrüstungsproblematik. Da gab es ganz konkret die Ziffern. Dann hatte ich sehr exakt die Zahlen des Ministeriums des Innern. Ich fragte Mielke mehrmals, wie stark die Anzahl der Mitarbeiter für Staatssicherheit ist, um einen Überblick zu bekommen. Und er sagte mir damals: 35 000. Es ist natürlich ein großer Unterschied zwischen 35 000 und 80 000. Damit will ich zum Ausdruck bringen, daß wir in der Abrüstungsperiode und im Hinblick auf die volkswirtschaftliche Entwicklung doch mal die Frage der Stärke der bewaffneten Organe stellten, das heißt des Ministeriums für Verteidigung, des Ministeriums für Staatssicherheit und des Ministeriums des Innern. Dazu kamen eine bestimmte Anzahl von Zivilkräften.

Konnte man aufgrund der Ausgaben nicht die Mitarbeiterzahl ahnen?

Was diese Frage betrifft, war das Problem in den letzten Jahren, die Dinge transparenter zu machen. Dabei spielte auch in den kapitalistischen Ländern eine besondere Rolle die Diskussion in den Parlamenten zum Staatshaushalt.

Die Menschen fragten sich, wo bleibt denn unser Geld, die Steuern und so weiter? Da sind wir dazu übergegangen, aufgrund meines Vorschlags – es wäre ja nicht meine Aufgabe gewesen –, die Dinge transparenter zu machen. Schwierig war es immer, die Kosten für Staatssicherheit einzusetzen, und zwar deshalb, weil daraus das

Verhältnis des Ministeriums des Innern und des Ministeriums für Staatssicherheit offensichtlich geworden wäre. Deshalb erschien in der letzten Staatshaushaltsrechnung immer noch der Posten Innere Sicherheit. Man konnte daraus nicht ersehen, wer das meiste dabei beanspruchte. Aber das war auf die Tatsache zurückzuführen, daß der Minister für Staatssicherheit vor dem Politbüro erklärte, daß man das vom Gesichtspunkt der Aufgaben seines Ministeriums nicht anders tun dürfe, weil sonst der Gegner Rückschlüsse ziehen könnte. Der Minister des Innern hatte auf diesem Gebiet keine Berührungsängste. Im Gegenteil. Er war sehr dafür, daß herauskam, daß er viel weniger als das Ministerium für Staatssicherheit bekam.

Aber Sie trugen die Hauptverantwortung für die Staatssicherheit. Sie hätten ihre genaue Stärke doch wissen müssen und die ungeheuerlichen Ausmaße des Apparates, einschließlich der gigantischen Aktenbestände über Millionen von Menschen im In- und Ausland?

Wissen Sie, das ist heute so in Mode gekommen, alle Verantwortung auf die Spitze zu schieben. Ich bin auch gern bereit, Verantwortung zu tragen. Aber entgegen anderen Meinungen, Verlautbarungen und Gerüchten ist das so: wir hatten eine kollektive Führung in der Partei. Wir hatten eine kollektive Führung im Staat, und wir hatten eine kollektive Führung auf dem Gebiet der Verteidigung und Sicherheit. Natürlich hatte ich die einzelnen Funktionen, aber wenn man daraus die Schlußfolgerung zieht, daß ich alles hätte wissen müssen, dann hat man eine falsche Vorstellung von dem Mann, der an der Spitze stand.

Abgesehen von der tatsächlichen Größe des MfS, hat das nicht im Volk ständige Unsicherheit erzeugt und das Vertrauensverhältnis zwischen Parteiführung und Volk ständig untergraben?

Diese Frage steht gegenwärtig immer wieder im Mittelpunkt des öffentlichen Interesses beziehungsweise wird in den Mittelpunkt des öffentlichen Interesses geschoben. Aber das ist Zweckpropaganda. Natürlich ist es so im Leben, daß dort, wo gehobelt wird, auch Späne fallen, so auch in der Partei. Es gab positive Seiten der Arbeit dort, aber es gab auch negative Seiten. So ist das nun einmal im Leben. Man kann nicht alles gut machen. Im Übereifer ist natürlich auch manches geschehen, von dem man erst im nachhinein etwas erfuhr. Aber wie gesagt, Politik wird von Menschen gemacht. Und Menschen haben gute Seiten und haben schlechte Seiten. Man kann im großen und ganzen sagen – das zeigt die ganze Entwicklung – die Staatssicherheit hat ihre Aufgaben erfüllt. Auf der anderen Seite kann man auch sagen, das zeigen die heutigen Entwicklungen: Sie war zu sehr Staat im Staate. Das habe ich nachträglich erfahren.

Nach dem 9. Plenum des Zentralkomitees, muß ich sagen, ist die Frage der Staatssicherheit künstlich aufgebauscht worden. Es gab natürlich auch Übergriffe. Das liegt ganz klar auf der Hand. Aber die Staatssicherheit zu verteufeln, dazu besteht überhaupt kein Grund, denn es waren in der übergroßen Mehrheit Kinder des Volkes, und sie haben in dem Bewußtsein gearbeitet, dem Volke zu dienen.

Aber wie konnten Sie, der als Widerstandskämpfer für seine Überzeugungen während der Nazizeit zehn Jahre eingekerkert war, ausgerechnet einen solchen Sicherheitsapparat agieren lassen, um Andersdenkende auszuhorchen und zu verfolgen?

Dazu ist folgendes zu sagen: Die Geheimdienste bei uns unterschieden sich von den Geheimdiensten im Westen. Die Geheimdienste dort setzen sich für die

Erhaltung der kapitalistischen Gesellschaftsordnung in Form der bürgerlichen Demokratie ein. Bei uns setzte sich der Geheimdienst für die Erhaltung und Stärkung der Arbeiter-und-Bauern-Macht auf dem Gebiet der DDR ein. Sowohl im Westen als auch bei uns gibt es Andersdenkende, die bestimmten Nachforschungen ausgesetzt waren. Soweit ich gehört habe, gab es in der BRD sieben Millionen Recherchen zu Personen, die irgendwie in Verbindung mit der Friedensbewegung der Deutschen Kommunistischen Partei standen. Wir wissen, daß sowohl über Sozialdemokraten, Kommunisten als auch Christen Berufsverbote ausgesprochen wurden. Das ist das Schlimmste, was ein Mensch, abgesehen von einer Freiheitsstrafe, erfahren kann.

So wie viele überrascht waren über den Ausbau dieses Apparates in der DDR, so bin ich überrascht über den Ausbau des Bundesverfassungsschutzes, des Bundesnachrichtendienstes, des militärischen Abschirmdienstes. Im nachhinein möchte ich sagen, daß wir uns vieles ersparen konnten. Im übrigen möchte ich frei und offen sagen, daß ich stets dagegen war, junge Leute, die als Andersdenkende auf der Straße auftraten, zu verfolgen und ins Gefängnis zu sperren.

Was wußten Sie von den RAF-Aussteigern in der DDR?

Gar nichts.

Mielke hat Sie nicht informiert?

Nein. Das habe ich öffentlich erklärt.

Warum wurden die RAF-Leute aufgenommen? Können Sie auch das nicht beantworten?

Warum wurden zum Beispiel Weizsäcker oder Kohl nicht informiert über die Giftgasfabriken, die nach Libyen aus der BRD exportiert wurden?

373

Das war also ein politischer Alleingang von Mielke?

Ich äußere mich nicht dazu.

Und Ihre generelle Stellung zum Terrorismus?

Die ist bekannt, dazu kann ich Ihnen meine Erklärung geben.

Das ist aber ein wichtiger Punkt in der öffentlichen Auseinandersetzung. Sie sollten doch etwas mehr dazu sagen, mindestens zum Terrorismus. Sie meinen, untere Ränge konnten eine solch fundamentale Entscheidung selbst herbeiführen, daß man diese RAF-Leute hier untergebracht hat?

Sie können, wie gesagt, meine Erklärung nehmen.

Noch eine letzte Frage zum Komplex Stasi. Was hätten Sie aus heutiger Sicht grundlegend bei der Stasi anders gemacht?

Ich bin kein Spezialist für Stasi. Sie müßten Herrn Kohl fragen, inwieweit er über seine Geheimdienste im Detail Bescheid weiß. Also, was den Geheimdienst betrifft, möchte ich sagen, daß es in keinem Land möglich ist, den Geheimdienst zu kontrollieren, sonst wäre es ja kein Geheimdienst mehr.

Wie war und wie ist heute Ihr Verhältnis zu Erich Mielke?

Das war bis zum Schluß gut. Ich nahm an, es beruhte auf gegenseitiger Offenheit und Sympathie. Es hat sich allerdings im nachhinein herausgestellt, daß das nicht der Fall war. Er gehörte praktisch zu den Initiatoren des Angriffs gegen eine Politik, wie sie vom VIII. Parteitag unserer Partei eingeleitet wurde, das heißt der Einheit von Wirtschafts- und Sozialpolitik. Man konnte sich dabei auch offenbar stützen auf die sowjetischen Berater in seinem Ministerium, in seinen Organen.

Das waren die einzigen Organe, in denen sehr eng zusammengearbeitet wurde, und zwar auf Grundlage einer Vereinbarung zwischen den Generalsekretären beider Parteien. Darin liegt auch die Undurchsichtigkeit der verschiedenen Operationen mit begründet, so daß ich sehr erstaunt war, daß Mielke von einem Mitarbeiter an einer gemeinsamen Aufgabe zum Mitträger einer Konspiration gegen den Einfluß des Generalsekretärs und Vorsitzenden des Staatsrates und des Verteidigungsrates wurde. Das ist schon kein Hintergehen mehr, sondern das war die Vorbereitung eines innerparteilichen und auch staatlichen Putsches!

Inwieweit kannten Sie die Biographie von Erich Mielke?

Ich bin im Jahre 1945 nach der Befreiung durch die Rote Armee zum ersten Mal mit Mielke zusammengetroffen. Das geschah in Berlin, als er noch in Zivil die Abteilung 5 leitete. Das war die Abteilung, die eingesetzt wurde zur Herausräumung der Nazi- und Kriegsverbrecher aus dem gesellschaftlichen Leben der Republik. Eng zusammengearbeitet mit ihm und damit auch die Kenntnis seines Lebenslaufes hatte ich erst, seitdem er die Funktion des Ministers für Staatssicherheit nach der Ablösung von Wollweber übernahm. Daraus habe ich ersehen, daß er schon sehr lange in militärpolitischer Richtung aktiv war. Er gehörte bereits zum Personenschutz für Ernst Thälmann. Was er damals gemacht hat, ist ja heute kein Geheimnis mehr. Genauso wie es kein Geheimnis ist, daß wir in der Zeit der Weimarer Republik stets einen bewaffneten Schutz für unsere Demonstrationen hatten gegen die Übergriffe durch die Nazis oder die Polizei.

Jedenfalls war er Mitglied der Gruppe des bewaffneten Personenschutzes Thälmanns. Es gibt da ein Buch,

da bin ich auch drin, das in der Sowjetunion herausgekommen ist, in dem wird festgestellt, daß Mielke die
Leninschule besucht hatte, nach mir, und daß er dann
nach Spanien ging. In den Interbrigaden kämpfte er
nach 1936. Er kam dann nach Beendigung des Spanienkrieges in die Sowjetunion und mit der Roten Armee
nach Deutschland zurück. Nach 1954 wurde er in kurzer Zeit Minister für Staatssicherheit, und wir waren
dann sozusagen befreundet, dachte ich wenigstens. Bei
allen Zusammenkünften hat er auch entsprechende
Reden gehalten.

Er hat auch alle Auszeichnungen bis in die jüngste
Zeit bekommen. Die höchste Auszeichung war der
Leninorden. Ich weiß nicht, wie viele er hatte. Ich muß
sagen, er gehörte zu den hochgeschätzten Persönlichkeiten in Moskau.

**Bevor er nach Spanien ging, arbeitete er bei der
Tscheka. Dafür hat er den Rotbannerorden bekommen, und die Tscheka hat nicht nur Anfang der
dreißiger Jahre keine rühmliche Rolle gespielt.**

Das wurde erst später bekannt. Es ist noch
nicht einmal im Politbüro bekannt, welche Auszeichnungen er nachträglich noch bekommen hat. Er hatte
eine ganze Runde Leninorden, den Orden der Oktoberrevolution, Helden der Sowjetunion und andere. Er
muß einiges getan haben in der Zeit, für die, die damals
das Ministerium für Staatssicherheit oder wie es hieß
geleitet haben. Er hat aktiv mitgearbeitet unter Anleitung von denen, die erschossen wurden, und denen, die
noch lebten, und hatte auch gute Verbindungen zu Berija.

Medienpolitik und Ideologiebildung

In Wandlitz gab es einen Befehl, daß alles zu tun sei, das Wohlbefinden der Staats- und Parteiführung zu garantieren. Wandlitz hat sehr viel Staub aufgewirbelt mit all seinen Privilegien für die Partei- und Staatsführung. Meinen Sie nicht, daß durch Wandlitz der Sozialismus der DDR zusätzlich sehr diskreditiert wurde, einschließlich Ihrer Person?

Wenn uns heute vorgeworfen wird, der Bevölkerung Wasser gepredigt, aber selbst Wein getrunken zu haben, das heißt, feudal gelebt zu haben, kann ich nur sagen, und das aus vollem Herzen, daß das nicht stimmt. Das ist vielmehr der Hauptbestandteil einer großangelegten Kampagne um die sagenhafte Siedlung Wandlitz, in der angeblich ein Schlemmerleben herrschte. Wer mich kennt, der weiß, daß ich sehr viel Wasser getrunken habe und kaum Wein, geschweige denn Wodka oder Kognak. Von einem feudalen Leben kann ich gar nicht sprechen, obwohl mein Gehalt mir das erlaubt hätte. Ich habe jeden Morgen ein oder zwei Brötchen gegessen mit Butter und Honig; mittags waren wir im Zentralkomitee, da habe ich entweder gegrillte Wurst mit Kartoffelpüree, Makkaroni mit Speck oder Gulasch gegessen, und abends habe ich zu Hause gegessen, etwas ferngesehen und bin schlafen gegangen. Wenn ich außerhalb war, so habe ich von dem gegessen, was mir die Genossen dort angeboten haben. Feudale Suiten in Hotels oder Gästehäusern habe ich nicht gehabt. Es sei denn, daß ich in Karl-Marx-Stadt einige Male im Hotel »Chemnitzer Hof« wohnte. Aber auch dort hat man bekanntlich so gelebt wie die Hotelgäste. Was man unter einem feudalen Leben versteht, muß

377

man mir erst einmal erläutern. Selbst die Korrespondentin der »Frankfurter Zeitung«, Monika Zimmermann, hat einmal in einer Reportage über mein Leben geschrieben, daß ich doch für ein Staatsoberhaupt ziemlich bescheiden gelebt habe. Ich muß sagen, es war mein Leben, bescheiden zu leben und damit auch die Leistungskraft zu erhalten, die ich bis zu meiner Operation hatte, um die Partei- und Staatsgeschäfte im Kollektiv mit dem Politbüro, dem Ministerrat sowie dem Nationalen Verteidigungsrat erfüllen zu können. Die Verbindung mit dem Volk ist mir dabei nie verlorengegangen, obwohl der Personenschutz, mit Hilfe von anderen, sehr oft die Situation schuf, mich von den Massen zu trennen. Ich hatte trotzdem stets unmittelbaren Kontakt mit den Massen.

Aber das isolierte und privilegierte Leben in Wandlitz hat die Partei- und Staatsführung seit langem in Mißkredit gebracht bei der Bevölkerung, wie sehen Sie das?

Das liegt klar auf der Hand. Nachdem im Zusammenhang mit der Veränderung der Führung der SED eine solch große Verleumdungskampagne geführt wurde und die Stimmung der Massen eine Manipulation erfuhr wie nie zuvor in der Geschichte, hat man alles getan, um die führende Kraft unserer Gesellschaft, die SED, zu diskreditieren und zu kriminalisieren. Leider ist es so, daß die Mehrheit der Bürger der DDR das glaubte. Das glaubte man insbesondere deshalb, weil einige aus dem alten Politbüro bei ihrem Auftreten solche Schauermärchen erzählten, daß der einfache Arbeiter oder die Arbeiterin dachten, na, der muß es ja wissen. Aber es ist natürlich so, daß alles, das kann man rückblickend sagen, nach einem ganz abgestimmten vorbereiteten Plan verlief. Als erstes sah man die Aufgabe darin, mich zu diskreditieren und zu verleumden mit den sogenannten Schweizer Konten und mit den anderen Konten, mit dem Wohlleben in Wandlitz, obwohl ich in Berlin viel besser gelebt hätte als in Wandlitz. Man verdrängte die Tatsache, daß Wandlitz ja schon seit 1958 besteht. 1958 begann man mit dem Aufbau der Wohnungen dort. Die Initiative, Wandlitz zu bauen, erfolgte durch Otto Grotewohl, Walter Ulbricht, Hermann Matern und eine Reihe anderer Genossen, die einen solchen Antrag im Politbüro stellten. Damals wurde der Beschluß gefaßt, Wandlitz auszubauen. Ich selbst war gar nicht daran interessiert, in die Siedlung zu gehen, und eine Reihe anderer ebenfalls nicht, weil wir doch in einem bestimmten Maße abgeschnitten wurden vom Leben.

Aber Wandlitz war Symbol dafür: Unsere Regierung wohnte und lebte nicht unter uns.

Das war natürlich auch ein Bestandteil der Hetze des Gegners und des Unverständnisses eines Teiles der Bevölkerung. Das war keine Privilegierung dort. Das waren einfache Häuser gewesen. Viele Bürger der DDR haben bessere Häuser als wir in Wandlitz. Aufgebauscht wurde auch der Einkaufsladen. Fast dasselbe, was man dort kaufen konnte, gab es auch in den Berliner Kaufhallen und Kaufhäusern oder in den Geschäften von Exquisit und Delikat. Wandlitz hatte bloß den Vorzug, man konnte abends ruhig einschlafen und morgens ruhig aufwachen und dann in 30 Minuten nach Berlin fahren. Aber das braucht man auch, wenn man von Köpenick mit der Straßenbahn ins Zentrum nach Berlin fährt.

Was waren die Gründe dafür, daß Wandlitz gebaut wurde? Waren das nur Sicherheitsgründe?

Nein. Das waren auch Gründe, daß die, die etwas älter waren, an die frische Luft wollten oder sie brauchten. Man brauchte ja auch nicht alles aus dem privaten Leben zu eröffnen. Im übrigen muß ich sagen, daß die frühere Reichsregierung ja auch hinter Mauern gelebt hat, früher in der Wilhelmstraße. Da konnte man nur durch Ausweise hinein in die Ministerien. Hinten an der Ebertstraße steht ja heute noch die Mauer.

**Aber Sie bezeichneten sich doch als eine Arbeiter-
und-Bauern-Regierung.**

Das hat damit nichts zu tun. Regierung ist Regierung! Auch in einem Arbeiter-und-Bauern-Staat muß
Ordnung herrschen! Daß die Repräsentanten der Arbeiter-und-Bauern-Macht in bestimmten Wohngebieten
wohnten, hat damit gar nichts zu tun. Entscheidend ist,
was dabei herausgekommen ist. Es kann doch niemand
sagen, daß vierzig Jahre DDR eine verlorene Zeit waren.
Warum treten denn heute die Arbeiter und Arbeiterin-
nen, die Angestellten, die Bäuerinnen und Bauern dafür
ein, daß die Errungenschaften erhalten bleiben? Wir
haben doch praktisch aus Trümmern einen neuen Staat
gebaut. Auf der anderen Seite ist es doch so, daß 54 Prozent der Wohnungen in der DDR bis heute noch in
Privatbesitz sind. Gott sei Dank haben wir 1971 das
Wohnungsbauprogramm in Angriff genommen und
konnten immerhin 3,2 Millionen Wohnungen neu bauen
oder modernisieren. Wo wäre die DDR heute ohne diese
Wohnungen? Das ist die erste Frage.

Wie haben Sie denn in Wandlitz zusammengelebt?

Wissen Sie, ursprünglich war daran gedacht,
Wandlitz auszunutzen, um abends mal zusammenzu-
kommen, entweder im Restaurant oder im Kinosaal.
Einige Male wurde das auch von Walter Ulbricht organisiert, und wir haben uns einige Filme zusammen angesehen. Aber das ist dann wieder eingeschlafen. Ich möchte
Ihnen dazu folgendes sagen. Wenn man den Tag über
zusammen ist, ich meine jetzt nicht nur in den Sitzungen
des Politbüros, sondern auch, wenn man sehr intensive
Arbeit hat und sich mittags beim Essen auch noch sprechen kann und sich über diese oder jene Frage austauscht,
und man kommt dann spät nach Hause, dann hatte man
natürlich die Nase voll. Man brauchte frische Luft für
den anderen Tag, so daß, von diesem Gesichtspunkt aus
gesehen, man zum größten Teil isoliert in der Familie

lebte. Das hatte auch seine guten Seiten. Denn manchmal ist es so, daß man eine große Unabhängigkeit im Kollektiv bewahren muß zur Erarbeitung und zur Darlegung seines eigenen Gedankengutes, seiner eigenen Vorschläge. Später bildete sich so eine Art Cliquenwirtschaft heraus. Das ist auch nicht gut für die Arbeit eines Kollektivs. Da ist es besser, man lernt sich in der Arbeit kennen und trifft sich noch beim Mittagessen. Diejenigen, die von großen Spaziergängen in Wandlitz schreiben, haben nicht recht. Die Spaziergänge waren meist innerhalb der Familie.

Wandlitz hieß ja im Volksmund auch Volvograd. Für einen normalen Bürger wurden die Wartezeiten auf ein Auto immer länger, bis zu 18 Jahren! Ersatzteile kriegte man ganz schwer.

Ich kann mich entsinnen, daß unsere Tochter, als sie die Schule besuchte, angepflaumt wurde, warum denn Walter Ulbricht mit einem so großen Auto fahre. Sie hat daraufhin geantwortet: »Soll er denn mit einem Dreirad fahren?«

Niemand hat etwas dagegen, daß meinetwegen die BRD-Minister mit großen Wagen fahren, aber unseren Ministern hat man das verübelt. Die Wartezeit von 18 Jahren auf ein Auto ergab sich ja nicht aus der Tatsache, daß es nicht genügend Autos gab, sondern aus der Tatsache, daß, wenn jemand ein neues Auto bekam, viele aus der jeweiligen Familie sich sofort wieder für ein neues Auto eintrugen. Wir hatten schon oft die Frage erörtert, die Vorbestellungen deshalb einzustellen und den Autoverkauf freizugeben mit einem entsprechenden Preis. Dies ließ sich noch nicht so verwirklichen, weil zum Beispiel der neue Wartburg erst jetzt in den Handel ging und die Erweiterung der Trabiproduktion mit einem Viertaktmotor noch etwas hinausgeschoben werden mußte. Eine Preissteigerung erschien uns deshalb noch nicht gerechtfertigt. Aber von 100 Familien in der DDR haben 54 ein Auto.

Der Hauptmangel war die Ersatzteilfrage. Wir hatten im Politbüro eine große Diskussion darüber, daß bei den Kosten zur Erweiterung von PKWs auch unbedingt die Qualität der Ersatzteilproduktion erhöht werden müßte. Soweit ich weiß, ist der neue Wartburg ein beliebter Wagen. Wir brauchten bloß eine größere Produktion. Jetzt ist man bei einer umfassenden Zusammenarbeit mit ausländischen Autowerken, zum Beispiel dem Volkswagenwerk. Das wird die Probleme lösen, abgesehen von der Tatsache, daß sich bald jeder, wenn er das nötige Geld hat, ein Westauto kaufen kann.

Nun die Sache mit den Volvos: Wir hatten im Autopark der Regierung und des Zentralkomitees den SIL, später die Tschaikas. Der SIL war ein sehr umständlicher Wagen. Seine Herstellung erfolgte mit der Hand in der SU. Ich habe mir das selbst angesehen. Und der Tschaika stand nicht mehr zur Verfügung, so daß hier die Regierung vor der Aufgabe stand, was sollte die Nachfolge der Tschaikas werden.

Angeschafft wurden dann Volvos aus Schweden, die Peugeots und die Citroëns. Es gab den Beschluß, daß zu repräsentativen Zwecken ein bestimmter Personenkreis einen Volvo fährt oder Citroën, ein anderer den Lada oder Fiat. Citroëns wurden deshalb gekauft, weil ich und auch andere bestrebt waren, den Witzen, die es über den Volvo gab, die Basis zu entziehen durch eine Belebung des Bildes im Straßenverkehr. Deshalb tauchten dann bei uns auch japanische Wagen oder VW auf. Von den VW wurden 10 000 Stück eingekauft. Aber die von VW machten dann einen solchen nationalistischen Lärm, daß wir in bezug auf die Volkswagen die Käufe einstellten. Statt dessen gingen sie zur Produktion des 4-Takt-Motors für den Wartburg und auch den Trabant über.

Trotzdem waren die großen Autos ein Stachel für die Leute. Krenz hat ja gleich, um sich beliebt zu machen, einen Lada genommen.

Naja. Ich will mal sagen, mir ist es schietegal, in welchem Auto ich fahre. Ich wäre auch mit einem Trabi gefahren. Ich bin auch einmal beim Förster mit einem Trabi gefahren, und ich wäre auch in einem Wartburg gefahren, das ist überhaupt kein Problem. Ich selbst fuhr bekanntlich in einem Citroën, der mir von der französischen Firma geschenkt wurde, weil ich Repräsentant der DDR war. In dieser Eigenschaft bekam ich noch 14 weitere Autos, die ich dem MfS zur weiteren Nutzung übergeben habe.

Margot Honecker

Immer mit Begleitung zu fahren und sich ständig einer Sicherheitskontrolle zu unterwerfen, kein Privatleben mehr zu haben und so weiter, das haben viele nicht gesehen, die sich darüber aufregten. Es war keine Freude, ständig Begleiter um sich zu haben, obwohl das sehr nette und gebildete Sicherheitsgenossen waren, mit Takt und Anstand, mit großer Hilfsbereitschaft. Aber angenehm war das nicht. Ebenso wie es unangenehm war, ständig hinter der Mauer in Wandlitz zu leben. Aber das war so aus Gründen der Sicherheit, aus Gründen der Tradition. Ein Privatleben war das nicht. Ich möchte jemand sehen, der mit uns hätte in dieser Beziehung tauschen mögen.

Besonders die Kaufhalle in Wandlitz, wo Sie sehr viele Westwaren kaufen konnten, hat viele Leute auf die Palme gebracht. Was sagen Sie dazu, Herr Honecker?

Erstens war das eine gezielte Provokation, als die Bilder um die Welt gingen: »So lebt man in Wandlitz«. Zweitens möchten wir in Anspruch nehmen, daß wir stets normal gelebt haben und manchmal in Berlin mehr und besser einkauften als in Wandlitz. Ich denke dabei an Textilien, weil Margot ihre Kleider nicht aus Wandlitz bezog, sondern sie in Berlin hat anfertigen lassen, mit wenigen Ausnahmen. Was mich betrifft, meine Anzüge, die habe ich mir immer in Berlin machen lassen, nicht von der Schneiderei in Wandlitz. Sie wurden von dem Schneider der Diplomaten am Alexanderplatz gemacht. Sicherlich war das Angebot von Schmuckwaren und verschiedenen anderen Dingen aus dem Westen in diesem Laden in Wandlitz übertrieben. Man hatte zum Beispiel extra einen Weihnachtsmarkt eingerichtet. Aber seit zwei Jahren gab es den nicht mehr. Den habe ich verboten. Wenn man rechtzeitig dazu übergegangen wäre, dort mehr Waren aus der DDR zu verkaufen, wäre es besser gewesen, zumal ja die Qualität unserer Erzeugnisse hoch war. Das betrifft die Nahrungsmittel, die Industrie- als auch Textilwaren und Schuhe. Es wurden dort allerdings auch Produkte von uns verkauft, zum Beispiel Eberswalder Wurst und auch Exquisitangebote.

Margot Honecker

Ich habe diesen Laden sehr wenig besucht. Ich war dort am allerwenigsten, der war nämlich bereits um 17.00 Uhr zu, entsprechend der festgelegten Öffnungszeit des Generals, der dort zuständig war für die Siedlung. Wir hatten sowieso wenig Zeit. Ich weiß bloß, daß die Pelzjacken nicht sehr billig waren. Ich habe mir mal eine Lederjacke gekauft, die hat 2400 Mark gekostet. Ich habe mich dann erkundigt, wie kommen wir zu solchen Preisen? Ich war ja einverstanden, ich hab ja auch Geld gehabt. Da hat man gesagt, das sind im wesentlichen Waren und Preise vom Exquisit.

Es wurde auch bekannt, Herr Honecker, daß verschiedene Politbüromitglieder unter sehr günstigen Bedingungen für ihre Kinder Häuser bauen ließen.

Ich möchte sagen, daß ich keinen Überblick habe, welches Mitglied des Politbüros für seine Kinder unter günstigen Bedingungen ein Haus bauen ließ und welches nicht. Ich habe das nachträglich vernommen aus der Presse und den anderen Massenmedien. Auch das ist eine Sache, die zurückzuführen ist auf die Vollmachten des Leiters des Personenschutzes. Er hatte laut seinem Befehl − ich habe ihn in der Presse zum ersten Mal gelesen − das Recht, alle Wünsche, die zum Ausdruck gebracht wurden, nach Möglichkeit zu erfüllen. Deshalb ist es wahrscheinlich mit Hilfe der Bauorganisation von Wandlitz zu diesem Häuserbau gekommen. Aber das habe ich erst alles nachträglich erfahren. Das war natürlich nicht richtig. Aber das wurde ermöglicht durch die weite Auslegung der Obhutspflicht des Personenschutzes. Die Mitglieder der Parteiführung haben wie alle anderen Bürger der DDR für ihre Wohnungen Miete gezahlt, so daß man diese Sache schon abstreichen kann.

Aber wenn sie den Blick nach Westen richten, müßten sie bemerkt haben, daß es dort sowohl Hütten gibt als auch Paläste. Paläste konnte bei uns keiner unterhalten, dazu hätte es einer großen Dienerschaft bedurft. Die westlichen Journalisten, die dort hinkamen, waren enttäuscht von unseren »Prachtvillen«. In vielen Dörfern der Republik gibt es ganze Straßenzüge von solchen Eigenheimen, da würde ich das von Wandlitz wegschmeißen und in ein solches Eigenheim ziehen. Man kann einen Kredit nehmen beim Staat, kann ihn abzahlen und hat so günstige Wohnverhältnisse. In der Welt einzigartig, haben wir in kurzer Zeit, von 1970 bis 1989, über 3,2 Millionen Wohnungen neu gebaut oder vollkommen rekonstruiert mit Bad und allem, was zu einer modernen Wohnkultur gehört. Früher war die Norm 45 m² Wohnfläche gewesen. Das hat manchmal nicht gereicht, um die Möbel unterzubringen im Schlafzimmer. Jetzt sind alle Maßstäbe gesprengt worden.

Margot Honecker

Um noch einmal zurückzukommen auf Ihre Frage, was unser Leben betraf, das private Leben. Aus heutiger Sicht würde ich sagen, es hätte nicht geschadet, wenn es um Wandlitz überhaupt keine Mauer gegeben hätte. Aber das waren die Sicherheitsbestimmungen. Wandlitz war für uns beide vorwiegend ein Schlafort. Wir haben nämlich mehr als 10 Stunden gearbeitet am Tage. Und was unser Privatleben anbetrifft, war ich besonders zurückhaltend, wenn es sich nicht um Sachfragen oder um mein Arbeitsgebiet handelte. Abgesehen davon, daß ich Minister war, war ich ja mit Erich verheiratet. Zum Beispiel hat mich Herr Oertel am Telefon mehrmals gebeten, darüber was zu sagen. Ich habe gesagt: »Bitte, versteh mich, ich mach so was nicht.« Man hätte daraus auch Personenkult gemacht, und Popularitätshascherei lag mir nicht. In der westlichen Presse werden so viele Klischees über das Intimleben ausgebreitet. Wir hatten ja so wenig Privatleben. Und das bißchen Private preiszugeben hat mir auch irgendwie widerstrebt. Wir haben ja auch nicht nur Glückliches erlebt in der Privatsphäre, wir haben auch Schweres erlebt.

Die Jagd

Die Jagdleidenschaft von Mitgliedern des Politbüros — woher kam die, Herr Honecker?

Die hat sich daraus ergeben, daß wir in der Woche sehr intensiv und sehr angestrengt gearbeitet haben und in der Jagd die Möglichkeit sahen, etwas Sauerstoff zu atmen und uns zu bewegen. Dabei ist selbstverständlich zu berücksichtigen, daß in der Deutschen Demokratischen Republik nicht nur die Mitglieder des Politbüros auf die Jagd gingen, sondern über 440 000 Bürgerinnen und Bürger, die in den Jagdgesellschaften organisiert sind. Mitglied einer Jagdgesellschaft kann jeder werden, der darin ein Hobby sieht.

Was meine Jagdleidenschaft betrifft, so versuchte ich, dadurch Kondition zu bewahren und gesund zu bleiben. Selbstverständlich wurden die üblichen Jagdgesetze dabei eingehalten. So müssen an und für sich Naturschützer mir und den anderen, die dort auf die Jagd gingen, dankbar sein, daß die Schorfheide erhalten blieb. Als ich 1956 von meinem Studium aus Moskau zurückkehrte — ich war vorher schon als FDJ-Mitglied in der Schorfheide auf die Jagd gegangen —, war ich sehr überrascht, was sich inzwischen vollzogen hatte. Ein Riesengebiet wie die Schorfheide war für einen Truppenübungsplatz zur Verfügung gestellt worden. Das heißt, es wurde ein großer Waldbestand beseitigt. Das erste, was ich in meiner Funktion als Leiter der Abteilung Sicherheit des Zentralkomitees tat, war die Beseitigung dieses Truppenübungsplatzes. Das war nicht leicht, weil der Truppenübungsplatz auch von den Freunden betrieben wurde.

Zweitens war dort mal ein Großflughafen. Dazu waren

Mit Berthold Beitz nach gemeinsamer Jagd

die entsprechenden Baumeinschläge vorgenommen worden für die Einflugschneisen. Ich hatte damals eine Begegnung mit den Förstern von Hubertusstock. Sie haben mir erklärt, sie hätten jetzt eine solche Auflage für Holzeinschläge, daß dadurch in einigen Jahren die Schorfheide nicht mehr existieren würde.

In der Schorfheide bin nicht nur ich zur Jagd gegangen, sondern auch eine Reihe unserer Gäste. Ich nenne Breshnew, Kossygin, Podgorny, Koschewoi, Jaruzelski, Husák und andere, und es war uns ganz klar gewesen, daß wir so etwas bieten mußten. Vielen, die aus geschäftlichen Gründen in der DDR weilten, bot man eine Jagd an, besonders zur Zeit der Brunftjagd der Hirsche.

Hinzu kommt, daß in dem Jagdgebiet, in dem ich mich bewegen konnte, Bedingungen geschaffen wurden, daß normale Autofahrer an den Chausseen Parkplätze vorfanden, damit sie zu Fuß oder mit dem Fahrrad in den Wald konnten. Insbesondere war zur Pilzzeit der Wald voll von Pilzsammlern. Ich will auch sagen, daß es in bezug auf meine Jagd immer großes Verständnis in den wenigen Dörfern gab, die dort lagen. Es gab nie eine Beschwerde darüber. Ich habe mit Bürgermeistern und mit anderen dort gesprochen. Und dann wurde plötzlich diese große Lüge von dem Leiter der Forstwirtschaft der DDR, Röthling, Generalforstmeister, verbreitet, der vor dem Untersuchungsausschuß der Volkskammer behauptet hat, ich hätte ein Schützengeld im Umfang von einer halben Million erhalten. Das ist natürlich vollkommen geschwindelt. Ich will den Mann, wenn er das wirklich gesagt hat, bei Gelegenheit anzeigen, zumindest auf Klärung drängen. Denn ich habe bei meiner ganzen Jagd keinen einzigen Pfennig als Schützengeld angenommen, obwohl mir das gesetzlich zustand. Es gibt normalerweise ein Schützengeld von 25 Prozent vom Verkaufspreis des erlegten Wildes.

Als das Jagdgebiet von Harry Tisch aufgelöst wurde, wurde geschrieben, daß dort Wildarten vorkommen, die es ansonsten in der DDR nicht gibt. Sie sollen extra eingeflogen worden sein, und sie mußten besonders gefüttert werden. Ist das für Sie als passionierter Jäger nicht eine Art von Perversion?

Ich kenne natürlich diese ganzen Gerüchte, die um die Welt gejagt wurden, und was mir dann angelastet worden ist. Ich gehe davon aus, daß eine ganze Reihe Gerüchte in das Reich der Propaganda gehört, zur Diskreditierung. Ich will bloß sagen, daß bis zum Jahre 1927 die Schorfheide aus Hegegründen eingegattert war in einem viel größeren Umfange, als das heute der Fall ist. Ich will nicht von späteren Zeiten sprechen. Ich glaube, man versteht mich. Aber in der Schorfheide wurde entsprechend dem Jagdgesetz der DDR und ihren Regeln gejagt. Es gibt geschriebene und ungeschriebene Jagdgesetze. Es gibt Wild, das überhaupt keine Schonzeit hat, das man jederzeit erlegen kann, zum Beispiel Schwarzwild, so wie es bei Jagdgemeinschaften üblich ist. Ich habe selbstverständlich auch dafür gesorgt, daß das Schwarzwild etwas geschont wird, damit es erhalten bleibt für unsere Natur und für die Jäger. Ich möchte hinzufügen, daß ich nie ein Geweih verkauft habe. Im Gegenteil: Sie wurden entweder an meiner Jagdhütte angebracht oder den Verantwortlichen für das Staatsjagdgebiet der NVA unentgeltlich zur Verfügung gestellt, das Schützengeld auch.

Apropos Sauerstoff und Wald. Man kann ja auch spazierengehen. Ist es nicht eigenartig, daß gerade so viele Politiker aus der ganzen Welt dieser Leidenschaft frönen? Reagiert man sich da ab?

Diese Sache ist ein Hobby. Wie kam ich dazu? Von Präsident Klement Gottwald, der die DDR besuchte, bekam ich eine Flinte geschenkt, ein Jagdgewehr. Ich bin damals nie zur Jagd gegangen. Wir kamen oft nach Döllen, ins FDJ-Heim. Und da ich nun so ein Gewehr hatte, hat mich Gottwald, der zur Jagd ging, dazu verführt. Ich wußte erst gar nicht, wie man mit einem solchen Gewehr umgeht. Und dann wurde das mit der Zeit zu einem Hobby. Ich habe ja auch ein bestimmtes Alter erreicht, und das trug zur Kondition bei. Aber es wäre eine Lüge, wenn ich behaupten würde, daß ich mit der Zeit an der Jagd keinen Gefallen fand. Es war nicht allein die Frage des Erlegens des Wildes, sondern auch, was ich dabei erlebt habe, das Schöne in der Natur.

Margot Honecker

Beim Spazierengehen konnte er ja nicht abschalten, nur bei der Jagd.

Erich Honecker

Ich habe Margot mal mitgenommen auf die Jagd. Wir saßen beide auf einem Hochsitz. Ich wußte, der Hirsch müßte von links kommen. Der Hirsch hatte ein schönes Geweih, und auf einmal war er weg. Ich sah nach unten, da war die Margot schon vom Hochsitz heruntergeklettert und hat dort Pilze gesucht und so den Hirsch verjagt. Ich habe das nicht so tragisch genommen.

Welche westlichen Politiker sind denn mit Ihnen jagen gegangen?

Ich habe nicht die Absicht, mich dazu zu äußern. Viele sind gekommen, vom Osten wie vom Westen. Das war auch der Sinn der Schorfheide. In Verbindung mit einer Erholung wurden gleichzeitig politische Gespräche geführt.

Amtsmißbrauch und Korruption

Kommen wir zum Komplex »Amtsmißbrauch und Korruption«. Was sagen Sie generell zu diesem Vorwurf, Herr Honecker?

Seit dem 10. Plenum des ZK findet eine gezielte Kampagne über Korruption statt, die nicht nur die bisherige Politik kriminalisiert, sondern auch mich persönlich. Es wurden in der Öffentlichkeit Gerüchte verbreitet, die mich zu einem Verräter und Verbrecher abstempelten, ohne daß ich, wie es jedem Bürger zusteht, die Möglichkeit hatte, mich öffentlich dagegen zu wehren. Bevor mir ein Ermittlungsverfahren bekannt war, war ich in der Öffentlichkeit bereits moralisch verurteilt. Meines Erachtens darf man die Politik nicht kriminalisieren.

Im Bericht des Politbüros an die 7. Tagung des ZK bin ich ernsthaft davon ausgegangen, daß in Partei und Gesellschaft vieles erneuert werden mußte. Sowohl ich als auch das Politbüro haben gezögert, das Konzept der Umgestaltung in einer Weise in Angriff zu nehmen, die die Entwicklung in unserer Gesellschaft unkontrollierbar machen könnte. Dies geschah aus Sorge um die Existenz der DDR als sozialistischem Staat auf deutschem Boden, als strategischer Verbündeter der UdSSR im Zentrum Europas. Dies ist aus tiefster Überzeugung als Kommunist geschehen.

Von den Privilegien für meine politische Tätigkeit im In- und Ausland habe ich immer nur das in Anspruch genommen, was entsprechend den Festlegungen einem Staatsoberhaupt zugebilligt wurde. Persönliche Privilegien hatte ich nicht. Was stand mir zur Verfügung? Zu Wohnzwecken das zugewiesene Einzelhaus Nummer 11 im Objekt Waldsiedlung und das Wochenendobjekt Drewitz. Die Miete wurde laut Mietvertrag auf 467 Mark monatlich festgelegt. Alle Einkäufe erfolgten auf eigene Rechnung. Persönliche Geschenke, die ich als Staatsoberhaupt erhielt, zum Beispiel Gemälde, Skulpturen und anderes habe ich ohne Gegenleistung dem ZK der SED, den Museen in Berlin und Magdeburg und dem Pionierhaus über das Büro des Politbüros zur Verfügung gestellt. Für Artikel, Broschüren und Bücher nahm ich kein Honorar. Das betrifft auch die Autobiographie über mein Leben, die im wesentlichen im westlichen Ausland erschienen ist. Die Verleihung von Ehrenmitgliedschaften und Ehrenbürgerschaften erfolgten ohne mein Zutun. Rund 1000 Mark zahlte ich im Monat an Beiträgen, davon 300 bis 500 Mark an die SED, 55 Mark an den FDGB und weiteres an andere Organisationen. Der Vorwurf der Korruption ist nicht nur eine Verleumdung, er kommt, da ich mich öffentlich nicht dagegen wenden konnte, einer Vorverurteilung gleich. Meine Stellungnahme, die ich nach dem 10. Plenum des ZK schriftlich übermittelt habe, wurde weder dem Zentralkomitee noch der Öffentlichkeit bekannt. Meine Anzeige an den Generalstaatsanwalt vom 1. 12. 1989, die das Objekt Drewitz betraf, wurde bis jetzt noch nicht beantwortet. In ihr habe ich nachgewiesen, daß das ein Gästehaus des MfS war und nicht mir gehörte. Aus der Presse, aus Rundfunk und Fernsehen erfuhr ich, daß ein Ermittlungsverfahren gegen mich eingeleitet wurde, ohne daß mir persönlich eine direkte Begründung mitgeteilt wurde. Die am 7. 12. 1989 erfolgte Hausdurchsuchung erfolgte mit der Begründung des Verdachts des Vertrauensmißbrauchs. Sie beschränkte sich nicht nur auf meine Gegenstände, sondern auch auf persönliche Dinge meiner Frau. Die vom ehemaligen Bauminister Junker abgegebene Erklärung, daß ich persönlich für ausgewählte Künstler Bauaufträge erteilt habe, stimmt nicht. Gefördert habe ich allerdings den Bau des Brecht-Zentrums, des Otto-Nagel-Hauses sowie auch den Bau des Freizeitzentrums in Berlin. Zu der in der Öffentlichkeit aufgestellten

Behauptung, es gäbe im Zentralkomitee der SED keinen Überblick über die Geldausgaben, muß ich sagen, daß in jedem Jahr im Sekretariat des ZK sowohl der Entwurf des Haushalts als auch die Abrechnung über die Ausgaben des vergangenen Jahres behandelt wurden. Die entsprechenden Vorlagen wurden vom Leiter der Finanzabteilung vorgelegt; die Kontrolle der jährlichen Einnahmen und Ausgaben der Partei erfolgte durch die Zentrale Revesionskommission, die direkt vom Parteitag gewählt wurde und niemand anderem unterstand. Der Vorsitzende der Zentralen Revisionskommission hat bei Beantwortung dieser Fragen stets Bericht erstattet über die im Jahr durchgeführten Kontrollen. Es wurden keine Beanstandungen an der Verwendung der Haushaltmittel festgestellt.

Was haben Sie empfunden, als ein Ermittlungsverfahren gegen Sie eingeleitet wurde wegen Hochverrats?

Ich erinnere mich daran, daß man mich nach langem Zögern unmittelbar nach meiner zweiten Operation vom Krankenhaus aus verhaften wollte, um ein Ermittlungsverfahren gegen mich durchzuführen wegen Machtmißbrauch, Vertrauensmißbrauch, persönlicher Bereicherung und, was das lächerlichste bei allen Beschuldigungen war, wegen der Vorbereitung des Hochverrats. Was Hochverrat ist, das kenne ich aus eigenem Erleben am besten. Ich habe in der Zeit der faschistischen Diktatur, in einer Zeit, als es darum ging, mannhaft den Widerstand zum Sturze Hitlers zu organisieren, praktisch meinen Mann gestanden. Die Anklage, die man mir damals vorlegte, lautete: Vorbereitung zum Hochverrat unter erschwerten Umständen mit dem Ziel, die Verfassung des Deutschen Reiches gewaltsam zu verändern. Als im Juli 1937 die Verhandlungen vor dem Volksgerichtshof waren, bei denen die Öffentlichkeit ausgeschlossen wurde und auch zeitweilig die Zeugen aus dem Saal verwiesen wurden, hat einer der Angeklagten, Bruno Baum, auf eine Frage des Vorsitzenden des sogenannten Volksgerichtshofes, ob er sich dazu bekenne, die Verfassung des Deutschen Reiches auf gewaltsamem Wege verändern zu wollen, gesagt: »Herr Vorsitzender, soweit ich weiß, gibt es keine Verfassung mehr im Dritten Reich. Die Verfassung ist doch schon beseitigt.« Der Vorsitzende sagte daraufhin: »Angeklagter, setzen Sie sich. Damit Sie wissen, Adolf Hitler ist die Verfassung des Deutschen Reiches.«

Können Sie sich bitte jetzt zu den Vorwürfen im einzelnen äußern? Fangen wir mit den sogenannten Schweizer Konten an.

Wie Sie wissen, hat man damals in der Volkskammer die Frage gestellt nach den Milliarden Dollar auf Schweizer Konten. Herausgekommen ist dabei überhaupt nichts. Die Schweizer Banken haben das dementiert, und auch die famose Erfindung eines NVA-Angehörigen über ein Konto von mir im Umfang von 370 Millionen Francs erwies sich als eine Fehlleistung. Ich brauche nicht zu sagen, daß außer meinem persönlichen Konto, das später gesperrt wurde, ich überhaupt kein Konto in der DDR oder im Ausland besaß, über das ich Vollmachten zur Abhebung von Summen hatte. Diese Vollmachten waren bei normalen Angestellten des Außenhandels der DDR und des Finanzministeriums. Ich selbst konnte keinen Betrag von diesen Konten, seit sie bestanden, abheben und durch Scheck in eine Richtung dirigieren, wie man mir das später unterschob. Das haben die Ermittlungsverfahren auch ergeben. Da die Ergebnisse dieser Ermittlungen von der Staatsanwaltschaft nicht veröffentlicht wurden, verstehe ich auch den Volkszorn, der sich heute zum Teil noch gegen mich richtet. Leute, die mir Vertrauen entgegenbrachten, fühlten sich plötzlich betrogen, zumal ihnen von hauptamtlicher Seite diese Märchen und Horrorgeschichten serviert wurden. Bis jetzt ist es so, daß man die Horrorgeschichten groß aufmacht, um die Volksmeinung gegen mich zu bekommen, und die Dementis waren ganz klein, damit sie niemand zur Kenntnis nahm.

Jedenfalls ist es so, daß mein Gewissen rein ist. Ich habe mit keinem Pfennig auf Kosten des Staates gelebt, sondern habe vielmehr darüber gewacht, daß die Finanzordnung der DDR eingehalten wurde, jedenfalls soweit es die Parteigelder betraf. Der Staatsrat selbst hatte mit dieser Angelegenheit nichts zu tun. Und soweit es den Verteidigungsrat betraf, der ja die Ausgaben für die Armee, für die Staatssicherheit und für das Ministerium des Innern bestätigte, sind diese Summen im Staatshaushaltsplan, der jährlich von der Volkskammer zur Behandlung und Bestätigung vorgelegt wurde, enthalten.

Worauf stützte sich denn nun der Vorwurf des Hochverrats?

Der Hochverratsvorwurf ist jetzt fallengelassen worden. Das spricht nicht für die Drahtzieher eines solchen Vorwurfs, sie sind noch unbekannt. Leider hat man lange gezögert, den unbegründeten Vorwurf des Vertrauensmißbrauchs fallenzulassen. All diese Vorwürfe, die auf der Basis von sogenannten Anzeigen erfolgten, erwiesen sich als ein Teil der Massenkampagne für die Kriminalisierung der Politik der SED und ihrer Führung. Sei es das Konto über die Freikäufe von Häftlingen über 75 Millionen DM oder das Schweizer Konto von über 370 Millionen Schweizer Franken. Niemand hat bisher öffentlich wirksam dementiert, daß diese Angaben falsch waren, daß sie benutzt wurden, um der DDR-Führung zu schaden, ihr Vertrauen im Volk zu untergraben. Ganz zu schweigen von mir. Man hat versucht, mich zu einem Verbrecher zu stempeln. Sogar an der Kasse des ZK, die angeblich vollkommen durcheinander und unübersichtlich war, sozusagen ein Selbstbedienungsladen, sollte ich mich vergriffen haben. Die Kasse des ZK erwies sich bei einer Tiefenprüfung als vollkommen richtig. Alle Belege waren da. Ich achte Bärbel Bohley und Frau Havemann. Sie waren Andersdenkende und sind es bis heute geblieben. Ihnen gilt mein Respekt. Sie haben in einer sehr ernsten Situation, als die Staatsanwaltschaft den Vorwurf des Hochverrats erhob, darauf hingewiesen, daß die ganzen Beschuldigungen offensichtlich dazu angetan waren, um mich zu diskreditieren und mich vom Volk zu isolieren.

Was hat es mit dem angeblich nur Ihnen zugänglichen Konto auf sich, das sich aus den Häftlingsfreikäufen speiste?

Mit Details dieser Angelegenheit war ich nicht befaßt. Ich kenne und kannte keine Überweisungen auf ein nur mir zugängliches Konto der Deutschen Handelsbank. Für die dort geführten Konten waren die Unterzeichnungs- und Verfügungsbefugnisse ausschließlich dem Bereich Kommerzielle Koordinierung übertragen. Der Verdacht, im Zusammenwirken mit anderen über den Bereich Kommerzielle Koordinierung Entscheidungen auf ökonomischem Gebiet zum Schaden der Volkswirtschaft der DDR veranlaßt oder getroffen zu haben, entbehrt jeder Grundlage.

Was war das überhaupt für eine merkwürdige Praxis, daß Häftlinge freigekauft werden konnten?

Diese Sache hat eine sehr lange Geschichte. Sie fing an mit dem Austausch von Gefangenen auf internationaler Ebene. Ich denke hier zum Beispiel an den Bevollmächtigten für humanitäre Fragen, den Staatsbürger der DDR, Professor Dr. Wolfgang Vogel, der diesen Austausch zuwege brachte. Ich betrachte diese Freikäufe politischer Häftlinge als humanitäre Aktion.

Wir wollten diese Freikäufe einstellen, weil sie auch negative Aspekte hatten. Aber seitens der BRD legte man großen Wert darauf, diese Freikäufe weiterzuführen.

Bei Beurteilung dieser gesamten Frage muß man sagen, daß dies während des kalten Krieges begann und seitens der Bundesregierung immer wieder Anstöße kamen, um einige Häftlinge freizubekommen.

Es ist nicht von der Hand zu weisen, daß durch die

geschickte Arbeit des Bevollmächtigten der DDR in humanitären Fragen 33 000 Inhaftierte in die Bundesrepublik gelangen konnten, sowie über 300 000 Menschen die legale Übersiedlung ermöglicht wurde. Am 30. 10. 1990 wird Professor Dr. Vogel 65 Jahre alt, weltweit gekannt und geachtet durch seine Tätigkeit als Bevollmächtigter der DDR für humanitäre Fragen bei der Regierung der BRD. Damit ist zwar das wichtige Gebiet seiner Tätigkeit in den letzten 30 Jahren umrissen, jedoch nicht die Ausgangsbasis für seine allseitige Aktivität in der internationalen Arena, als es darum ging, hochbrisante Unternehmen einzufädeln und abzuwickeln zwischen Staaten unterschiedlicher Gesellschaftsordnungen, zum Beispiel der Sowjetunion und den USA, beim Austausch von Personen solchen Kalibers wie Abel. Abel hat in der langjährigen Gefängnishaft ein schönes Gemälde hergestellt und mir dies, anläßlich seines Austausches, aus Dank für die Mitwirkung der DDR geschenkt.

Für uns Deutsche ist jedoch das wichtigste, was Dr. Vogel im deutsch-deutschen Verhältnis unternahm, in einer Zeit, als die Zweistaatlichkeit die Zusammenführung von Menschen und die Entwicklung normaler Beziehungen zwischen den deutschen Staaten erforderlich machte.

Und was sagen Sie zu den anderen Punkten der Anklage? Zum Beispiel, was Ihren Besitz von Bungalow und Villen betrifft?

Alle Verdächtigungen, meine Verfügungsbefugnisse zu Vermögensvorteilen für mich und andere mißbraucht zu haben, weise ich zurück. Das betrifft unter anderem den Bau eines Bungalows in der Nähe von Biesenthal, den Bau eines Hafens für die »Ostseeland«, eines kernwaffensicheren Bunkers in der Nähe von Wandlitz für die Angehörigen der Familien der Repräsentanten der DDR, den Bau einer Villa in Zeuthen, den

Kauf eines Grundstücks bei Frankfurt/Oder, die Errichtung von Richtfunkverbindungen nach der Insel Vilm, die Trassenführung der Autobahn von Berlin nach Rostock, die persönliche Inanspruchnahme von Schützengeld, den Verkauf von Geweihen, die Benutzung des Tafelbestecks der Hohenzollern, den Bau anderer Objekte. Ich kenne keinen Fahrstuhl im ZK, der zu Goldtresoren und anderen Wertsachen führen soll. Solche und andere Beschuldigungen, auch von Bürgern getätigte Hinweise und Anzeigen, entsprechen nicht den Tatsachen. Sie sind offensichtlich dazu angetan, gewollt oder nicht beabsichtigt, meine Verurteilung zu bewirken.

Angesichts der massiven Vorwürfe gegen Sie, die Sie alle als unhaltbar zurückgewiesen haben, sehen Sie also auch Ihren Rücktritt immer noch als ungerechtfertigt an?

Was meinen Rücktritt betrifft, so möchte ich sagen, daß ich seine Notwendigkeit bedauerte. Ich konnte allerdings nicht voraussehen, daß meine Nachfolger nicht die Kraft hatten, eine Arbeit zu entwickeln, die die weitere Festigung der DDR zum Hauptinhalt hatte. Im Gegenteil, die DDR wurde führungslos. In der Hoffnung, mehr Autorität zu erhalten, wurden Kübel von Schmutz auf mich und andere ausgeschüttet, wobei die Anschuldigungen ohne reelle Grundlage waren. Deshalb habe ich auch unmittelbar dagegen protestiert. Leider hat man es dem Zentralkomitee vorbehalten und der Öffentlichkeit. Ein gutes Beispiel für mehr »Transparenz«. Die Entwicklung hat jedoch gezeigt, daß sie dadurch in den Massen keine bessere Basis bekamen und nicht verhindern konnten, daß die Leitung der Republik ihren Händen entglitt. Damit wurde meine vierzigjährige Arbeit zu Grabe getragen, die die größte Chance hatte, auf deutschem Boden den Sozialismus als ein System zu verwirklichen, das den Interessen aller diente.

In Verbindung mit der spontanen und verantwor-

tungslosen Öffnung der Mauer hat man einen entscheidenden Schritt zur Aufgabe der DDR als Arbeiter-und-
Bauern-Macht getan. Nicht, daß ich gegen die Öffnung
der Mauer war und damit gegen die Erweiterung von
Reisemöglichkeiten von Bürgern der DDR nach Berlin-
West und in die BRD. Ich war dafür, diese Dinge ordent-
lich vorzubereiten, damit sich das in guten Bahnen
abwickelte und verhindert wurde, daß Milliardenbeträge,
die heute als Schulden für die DDR erscheinen, in die
Wechselstuben flossen. Schon bei meinen Verhandlungen
in Bonn spielte die Frage der Eröffnung von weiteren
Grenzübergängen in die BRD und Berlin-West eine
große Rolle.

**Gab es Ihrer Meinung nach einen Beschluß des Zen-
tralkomitees zur Öffnung der Mauer?**

Einen Beschluß des Zentralkomitees zur Mauer-
öffnung gab es noch nicht, obwohl es einige Empfehlun-
gen derer gab, die 1961 darauf gedrungen haben, daß die
Grenzen zwischen der DDR und Westberlin sowie zur
BRD unter die Kontrolle der Staatsorgane der DDR
genommen wurden. Das waren für mich die Grundlagen,
die zu den Sicherungsmaßnahmen vom 13. August 1961
führten.

»Die DDR war keine Insel«

Fazit und Ausblick

Könnten Sie jetzt eine Art Fazit Ihrer Analyse vorzunehmen, warum der Sozialismus auf deutschem Boden und anderswo offenbar gescheitert ist, zunächst die Frage, die immer wieder öffentlich gestellt wird: War dies überhaupt Sozialismus?

Die Frage ist für mich nicht neu. Sie erhält nur dadurch nicht mehr Wahrhaftigkeit. Natürlich war das schon Sozialismus, auf jeden Fall ein großes Stück von ihm. Sonst brauchte man heute nicht, wie ich bereits sagte, für die Verteidigung seiner Errungenschaften aufzutreten, gegen den Ausverkauf der DDR an bundesdeutsche Konzerne. Ich denke auch an jene, die auftreten gegen Spekulationen auf dem Grundstücksmarkt, ich denke an die Kinderdemonstrationen, auf denen auf verschiedenen Transparenten verlangt wurde: Wir wollen unser Schulessen behalten! Wir wollen unsere Kindergarten- und Kinderkrippenplätze, unsere Ferienlager erhalten! Natürlich ist es so, daß es in Verbindung mit der gesamten Entwicklung erforderlich gewesen wäre, den demokratischen Sozialismus stärker auszubauen. Das war ja der Kern meiner Darlegungen auf dem 7. Plenum des ZK, als ein Weg zur Vorbereitung unseres nächsten Parteitages.

Eine andere These, die immer wieder in diesem Zusammenhang aufgestellt wird, lautet: Dies war keine Arbeiter-und-Bauern-Macht, sondern eine Art feudaler Staatskapitalismus. Was meinen Sie dazu?

Auch diese Frage ist nicht neu. Man kann sie praktisch immer schon im Arsenal des Gegners finden, der von Anbeginn die Partei als ein bürokratisches Instrument beschimpfte. Man hat nie richtig verstanden, daß die Partei aufgrund ihrer gesamten Existenz, nachdem sie den wissenschaftlichen Sozialismus zur Grundlage ihrer Tätigkeit machte, wirklich als Vorhut der Arbeiterklasse tätig war. Daran ändern auch Mängel und Fehler nichts, die bei dieser Tätigkeit vorkamen. Es gilt das alte deutsche Sprichwort: Wo gehobelt wird, da fallen Späne! Kaum jemand kann bestreiten, daß unsere Politik den Interessen des ganzen Volkes entsprach, daß die Volkswirtschaft der DDR voll und ganz im Dienste des Volkes stand. Es gab ja bei uns niemand, trotz aller gegnerischen Propaganda, der auf Kosten des Volkes lebte. Im Grunde wurde alles, was produziert wurde, verteilt. Wir lebten sogar über unsere Verhältnisse. Wir gaben mehr aus, als wir eingenommen haben. Die Entwicklung zeigte doch insgesamt, daß wir trotz aller gegnerischen Propaganda bis zum Oktober 1989 eine starke Volkswirtschaft entwickelten. Das findet nicht zuletzt darin seinen Ausdruck, daß man jetzt auf einmal vier Milliarden weniger an Verschuldung ausweist. Das ist aus der Arbeit des Volkes gekommen. Man führt jetzt sogar noch neue Produkte in die Produktion ein. Die sind doch nicht von heute auf morgen entstanden. So könnte man viele Beispiele anführen, die davon zeugen, daß unter Führung der Partei und Regierung ein großes Produktionspotential geschaffen wurde. Das Nationaleinkommen wurde im Zusammenhang mit den Abrüstungsfragen zugunsten der Menschen umverteilt. Die Diktatur der Partei ist vollkommener Quatsch. Denn ohne die Volksmassen konnte die Partei überhaupt nicht leben. Was die Partei gemacht hat, war für und mit dem Volke, das heißt, durch eine gute Organisation der Arbeit Voraussetzungen für ein besseres materielles und kulturelles Leben zu schaffen.

Aber war das wirklich eine Diktatur des Proletariats und nicht eine Diktatur gegen das Proletariat, auch angesichts der permanenten Mängel in der Versorgung der Bevölkerung?

Die Bezeichnung »Diktatur des Proletariats« ist zweifellos in der Übergangsperiode vollkommen richtig, beim Übergang vom Kapitalismus zum Sozialismus. Es gibt kein Beispiel in der Welt, wo es anders ging. Ich habe selbstverständlich vollkommenes Verständnis für jene, zumal ich ja früher in der Weimarer Republik unter kapitalistischen Bedingungen gelebt habe, die von den vollen Schaufenstern des Kapitalismus angezogen werden. Damals waren auch die Schaufenster voll, aber die Taschen waren leer! Darin besteht eben der Unterschied. Wir hätten selbstverständlich auch volle Schaufenster zaubern können, wenn wir gleichzeitig bereit gewesen wären, ein Absinken des Reallohnes in Kauf zu nehmen. Man hätte die Dinge, die man im Schaufenster sieht, ebenfalls nicht kaufen können. Es ist offensichtlich in allen Ländern des Warschauer Vertrages so, daß sich im Ergebnis der Nachkriegsentwicklung große Umwälzungen vollzogen haben, auf ökonomischem wie auf kulturellem Gebiet. Aber in Verbindung damit hat die Kraft der sozialistischen Länder offenbar nicht ausgereicht, um eine enge Verbindung zwischen Produktion, Angebot und Nachfrage herbeizuführen. Meines Erachtens ist es ein Grundfehler, wenn heute viel davon gesprochen wird, daß die Landwirtschaft den Markt außer acht gelassen habe. Das wäre ein schlechtes Planen gewesen. Die Planung muß sich nach den Bedürfnissen des Volkes richten. Das heißt doch Markt. Die Entwicklung hat doch gezeigt, daß es letztendlich für eine Gesellschaft unmöglich ist, ohne Planung auszukommen.

Könnten Sie nun bitte ein Fazit Ihrer Analyse ziehen?

Die gesamten Ereignisse, die unter dem Begriff »Novemberrevolution 1989« in die Geschichte eingehen, können nicht umfassend genug eingeschätzt werden, und ich bin besonders in den Details nicht angetan, alle Ereignisse in ihren Einzelheiten zu beurteilen. Dazu standen mir weder ein Tagebuch noch Materialien zur Verfügung, die eine Gesamtbeurteilung erlaubten. Man muß es der späteren Geschichtsschreibung überlassen, welche Schlüsse für die kommunistische- und Arbeiterbewegung und auch für unser Volk gezogen werden müssen. Schon jetzt kann man aber sagen, daß die Ereignisse in der DDR nicht losgelöst von jenen betrachtet werden können, die sich fast zur gleichen Zeit in allen sozialistischen Staaten Mittel- und Osteuropas vollzogen und die sich heute, wenn auch in anderer Form, in der Sowjetunion wiederholen.

Tatsache ist, dort besteht ein unmittelbarer Zusammenhang. Mir steht es nicht an, die Äußerungen de Maizières bei seinem Treffen mit Michail Sergejewitsch Gorbatschow in Zweifel zu ziehen, indem er zum Ausdruck brachte, daß die Perestroika und Glasnost die friedliche Revolution in der DDR erst ermöglichten. Dasselbe kann man auch sagen für die Erklärung des Bundeskanzlers Kohl gegenüber dem neuen ungarischen Ministerpräsidenten bei der Verleihung des Bundesverdienstkreuzes an den ungarischen Außenminister mit der Bemerkung, daß Ungarn das Verdienst für sich in Anspruch nehmen kann, den ersten Stein aus der Mauer gelöst zu haben. Das entläßt uns aber nicht aus der Verantwortung, ob es nicht möglich gewesen wäre, einem solchen Kurs rechtzeitig entgegenzusteuern.

Für mich besteht kein Zweifel, daß der grundlegende Wandel in den sechs Staaten Osteuropas durch innere und äußere Faktoren bewirkt wurde. Seine inneren Merkmale sind die Entfernung der kommunistischen Arbeiterpartei aus der Regierungsverantwortung, die tiefgreifenden Veränderungen der Verfassung, der Rechts- und Staatsnormen sowie der grundlegende Wandel in den Eigentumsverhältnissen durch die Einführung der sogenannten freien Marktwirtschaft, das heißt durch Unterwerfung der gesellschaftlichen Verhältnisse unter das Kapital. Der Kapitalismus entsteht wieder, und sein Wolfsgesetz regiert oder, wenn wir so sagen wollen, die Ellenbogengesellschaft.

Jetzt kann man sagen, daß die sozialistischen Staaten Europas besonders Opfer äußerer Einflüsse wurden, Einflüsse im Zusammenhang mit der Hinwendung zum europäischen Haus sowie der damit einhergehenden ideologischen Besetzung einzelner sozialistischer Länder. Das gilt auch für die DDR.

Könnten Sie zunächst die äußeren Faktoren aus Ihrer Sicht näher charakterisieren?

Bemerkenswert in der gesamten Angelegenheit ist nicht nur die mangelnde Bündnistreue, sondern auch die mangelnde Solidarität zwischen den sozialistischen Ländern zu einem Zeitpunkt, als die NATO-Strategie verschiedene Übungen unter der Bezeichnung IMEX durchführte. Bei diesen Übungen ging man davon aus, daß die Länder Ost- und Mitteleuropas geschwächt sind und bei den Operationen gegenüber der Sowjetunion eine gute Ausgangsbasis vorhanden sei zu einer raschen Offensive gegenüber der Sowjetunion selbst. Den Gedanken, daß ein Atomkrieg für beide Seiten nicht gewinnbar sei, sondern eine Katastrophe wäre für die gesamte Menschheit, haben wir im Politischen Beratenden Ausschuß uns vollkommen zueigen gemacht. Man konnte aber zur damaligen Zeit nicht sagen, ob die NATO bereit ist, ihre Konzeptionen ebenfalls zu ändern. Jedenfalls ist es so, daß der Warschauer Vertrag einseitig abrüstete, ohne Verhandlungen abzuwarten, während innerhalb der NATO über die Vorwärtsstrategie und den Ersteinsatz von Atomwaffen keinerlei Meinungsverschiedenheiten bestanden. Bei der Beurteilung dieser Fragen ließen wir uns selbstverständlich von den Gedankengängen der Führung der Sowjetunion leiten, daß das Hauptschwergewicht bei der Erhaltung des militär-strategischen Gleichgewichts bei den strategischen Offensivwaffen läge. Auf diesem Gebiet hatte die Sowjetunion, auch noch heute, ein großes Gewicht, ebenso die USA. Beide Präsidenten haben sich das Vorrecht vorbehalten, über den Einsatz von Atomwaffen zu entscheiden. Es ergibt sich aber die Frage, ob es bei der Entscheidungsfindung darüber durch die Übermittlung tragischer Fehler nicht zu Fehlentscheidungen gekommen ist, obwohl beide mit ihren Beratern über einen Kreis von Menschen verfügen, die wissen mußten, was sie tun, um nicht das Signal zum Ausbruch eines Atomkrieges und damit zur Selbstvernichtung der Menschheit zu leisten.

Glauben Sie wirklich, daß die NATO die Hauptschuld trägt für den Untergang des Sozialismus und dabei auf einen dritten Weltkrieg hinsteuerte, falls Ihre globale Herrschaft anders nicht zu erreichen gewesen wäre?

Zwei furchtbare Weltkriege gingen von deutschem Boden aus, der über 55 Millionen Tote forderte, darunter 28 Millionen Sowjetbürger. Wir haben geschworen, all unsere Kräfte einzusetzen, damit nie wieder von deutschem Boden ein Krieg ausgeht. Aber wer sagt es denn, daß ein dritter Weltkrieg unbedingt von deutschem Boden ausgehen muß? Bei dem Fortschritt der Technologie, die der Kriegsführung dient, könnte er auch in Afrika, vom indischen Kontinent, von Süd- oder Mitteleuropa ausgehen. Ich denke dabei vor allen Dingen auch an den Nahen Osten und Mittelamerika. Hier kann über Nacht eine Situation herbeigeführt werden, die die Welt an den Abgrund eines neuen Weltkrieges führt. Das hängt nicht vom guten Willen des einzelnen genialen Staatsführers ab, sei es aus der sozialistischen oder der kapitalistischen Welt. Das hängt im starken Maße ab von der Entwicklung der Menschheit in diesen Kontinenten, von denen man annehmen kann, daß sie nicht ewig bereit sein werden, für die Entwicklung der Industrienationen die Rohstoffe zu liefern, um in ihren Ländern die imperialistische Herrschaft zu behalten. Allzu oft ziehen bereits jetzt die USA in ihre Flottenkommandos, um in einzelnen Teilen der Welt mit ihrem Einsatz zu drohen, falls das jeweilige Land nicht bereit ist, ihrem Diktat zu folgen. Es ist nicht auszumalen, was geschehen wird, wenn ein Überfall des USA-Imperialismus auf das revolutionäre Kuba erfolgt. Ich bin davon überzeugt, daß das revolutionäre Kuba unter Fidel Castro sich tapfer bis zum letzten Mann verteidigen wird. Aber Kuba allein wird es nicht schaffen. Es hängt viel von der Solidarität in den anderen Ländern ab, wie sich dieser Kampf vollziehen wird. Auch im Nahen Osten ist der Kriegsherd immer noch nicht entschärft, und bis jetzt besteht keine

Aussicht für eine friedliche Lösung, obwohl man bisher alle Angebote gemacht hat, die Israel ein Existenzrecht als Staat im Nahen Osten garantiert. Auf der anderen Seite weigert sich Israel hartnäckig, einen palästinensischen Staat anzuerkennen. Soweit man weiß, entwickelt diese arabische Nation immer mehr Kräfte, und eine Explosion in Richtung Krieg kann nicht ausgeschlossen werden.

Ich möchte nicht jenen das Wort reden, die sagen, ein neuer Weltkrieg sei unvermeidlich. Aber die Erkenntnisse von Marx und Engels, daß die Geschichte eine Geschichte von Klassenkämpfen ist und die Monopolbourgeoisie zu unüberlegten Schritten greift, um ihre Herrschaft nicht nur zu verteidigen, sondern auszuweiten, diese Erkenntnisse von Marx und Engels sind nach wie vor richtig und sollten zur erhöhten Wachsamkeit verleiten. In Verbindung damit steht sehr stark die Zukunft des Sozialismus, die für viele Menschen nicht mehr so klar ist.

Trotz einer so einleuchtenden und verbreiteten Betrachtung in der gegenwärtigen Zeit, daß mit Hilfe von Waffen die Grundfragen der Menschheit nicht gelöst werden können, darf man nicht außer acht lassen, daß die Geschichte der Menschheit eben eine Geschichte von Klassenkämpfen ist und daß es unter diesen Gesichtspunkten nie unsere Bestrebung sein konnte, die sogenannte Zweidrittelgesellschaft, wie wir sie in der Bundesrepublik haben, als Ideal darzustellen. Immerhin ist dadurch ein Drittel der Menschheit ausgeschlossen aus der Gesellschaft. Hinzu kommen solche Fragen wie Obdachlosigkeit, Kriminalität, Drogensucht und so weiter. Nach meiner Auffassung muß es für die Zukunft doch klar sein, daß die Entwicklung der Produktivkräfte für ein menschenwürdiges Leben nur im Sozialismus ein solches Ausmaß erreichen kann daß die Produktion im Interesse der Bedürfnisse der Menschen voll ausgenutzt werden kann. Hinzu kommt ja noch, daß ein Teil dieses westlichen Wohlstandes zurückzuführen ist auf die neokolonialistische Politik der Ausbeutung. All dies unterstreicht, daß das Gerede von einer globalen Entwicklung der Menschheitsinteressen zum Teil Phrasen sind, wenn man unbeachtet läßt, daß die Entwicklung der Gesellschaft sich unter den Bedingungen des Ringens zwischen den Arbeitenden und jener Schicht vollzieht, die es gewohnt ist, als die Herren der Gesellschaft zu erscheinen.

Trotz aller Fortschritte bei der Abrüstung leben wir doch in einer Welt, in der die Aufrüstung der imperialistischen Staaten nach wie vor als erster Punkt auf der Tagesordnung steht. Nicht umsonst wurde auf der letzten Tagung des NATO-Rates noch einmal unterstrichen, daß es gegenwärtig überhaupt keinen Grund gäbe, die NATO-Doktrin der Vorneverteidigung zu beseitigen und in Verbindung damit den Erstschlag mit Atomwaffen. Die Bush-Administration erklärte gleichzeitig, daß sie niemand davon abbringen kann, das Sternenkriegsprogramm voranzutreiben. Diese Aufrüstung, die sich unter dem Motto der Modernisierung vollzieht, besteht doch darin, daß man letzten Endes versucht, die Schwächen der sozialistischen Welt auszunutzen, um sie überhaupt von der Weltkarte zu streichen. Nicht etwa, weil man Bedauern hat mit den unterbemittelten Schichten in der sozialistischen Welt! Vor kurzem wurde veröffentlicht, daß in der Sowjetunion 41 Millionen Menschen unter dem Existenzminimum leben. Diese Leute, die die Rüstung betreiben, wollen ja nicht diese Mittellosigkeit beseitigen. Dazu hätten sie genügend zu tun in ihren eigenen Ländern! Sie wollen die Idee ausrotten, die zum Teil zur materiellen Gewalt wurde und für ihr Herrschaftssystem eines Tages zur Existenzfrage werden könnte. Von diesem Blickpunkt aus gesehen, konnten wir zweifellos sagen, daß wir für Abrüstung sind und insbesondere für die großen Initiativen der Sowjetunion auf diesem Gebiet. Aber nehmen wir die Nah-Ost-Frage, die Entwicklung in lateinamerikanischen Ländern, überall finden wir in der westlichen Welt große Gruppierungen, die unter veränderten Bedingungen nach wie vor nach der Weltherrschaft streben.

Wir selbst hatten selbstverständlich allen Grund, der

Schlußakte von Helsinki breiten Raum zu geben, weil sie die Grundlage ist, von der Konfrontation zur Zusammenarbeit von Staaten zu kommen mit unterschiedlichen Gesellschaftsordnungen. Aber es ist selbstverständlich ein Fehlurteil, wenn man bisher davon ausgeht, daß es den sozialistischen Staaten in der Menschenrechtsfrage nicht gelungen sei, die Schlußakte von Helsinki zum Tragen zu bringen. Die Leute, die das behaupten, vergessen natürlich, daß es nicht nur diesen Punkt 3 in der Schlußakte gibt, sondern auch Punkt 2, in dem die Beseitigung der Schranken eines weltoffenen Handels proklamiert wurde. Aber der Handel zu den kapitalistischen Staaten wurde und wird dadurch behindert, daß nach wie vor die COCOM-Bestimmungen in Kraft sind. Vom Standpunkt der USA heißt das, daß man keine High-Technik an die sozialistische Welt lieferte. Damit ist ja ganz klar, daß diese Leute nicht wollen, daß die industrielle Entwicklung in den verbliebenen sozialistischen Ländern einen solchen Verlauf nimmt, der die westliche Welt einholen beziehungsweise überflügeln kann. Wobei natürlich heute schon einige sozialistische Länder Spitzenerzeugnisse auf den Weltmarkt bringen. Diese COCOM-Bestimmungen haben uns doch gehindert bei der Entwicklung unserer Volkswirtschaft, sie in dem Maße zu vollziehen, wie es ursprünglich beabsichtigt war.

Ich habe bei meinen Besuchen in der Bundesrepublik und in anderen Ländern darauf hingewiesen, daß selbstverständlich für das europäische Haus eine Hausordnung erforderlich ist, bei all den offenen Fenstern und Türen. Es muß auch die Möglichkeit geben, mal allein sein zu können, um Aufgaben in seiner Familie zu erledigen. Bei einem friedlichen Zusammenwirken der beiden Systeme können in einem solchen Haus natürlich auch Probleme entstehen, die der Einhaltung der Hausordnung bedürfen.

Sind Sie generell gegen die Annäherung der beiden Systeme, speziell gegen die Verschmelzung der beiden deutschen Staaten in einem europäischen Haus, weil sie sich doch geschichtlich besonders nahestehen?

Aus der jetzigen Sicht ist wichtig, nicht zu übersehen, daß die Alliierten des Zweiten Weltkrieges nach der Zerschlagung des Dritten Reiches sich nicht einigen konnten über die Anwendung des Potsdamer Abkommens in den Besatzungszonen. Im Ergebnis dessen entstanden im Jahre 1949 zwei deutsche Staaten. Gegenwärtig ist man dabei, wieder von vorn anzufangen. Ob es gelingt – ich hoffe es. Es läge im Interesse des Friedens einer Welt, in der sich viel Zündstoff angehäuft hat. Als Zeitzeuge der fünfunvierzigjährigen Entwicklung nach dem 8. Mai 1945, dem Tag der Befreiung auch unseres Volkes vom Hitlerfaschismus, kann ich aus vollem Herzen sagen, daß die Kommunistische Partei Deutschlands und schließlich die vereinte Partei der Arbeiterklasse – die SED – alles in ihrer Kraft Liegende unternommen hat, damit sich die antifaschistisch-demokratische Umgestaltung vollziehen konnte auf der Grundlage der Beschlüsse des Potsdamer Abkommens, auf der Grundlage eines einheitlichen sozialistischen Deutschland. Alle Dokumente belegen dies. Selbst nach der Gründung der DDR verfolgte die DDR das Ziel, die Teilung Deutschlands zu überwinden. Ich selbst habe im Verlaufe der Jahre 1945 und 1949 an vielen Sitzungen des Politbüros der Partei und seit 1950 an allen Sitzungen des Politbüros des ZK der SED teilgenommen. Bis ungefähr zum Jahre 1957 wurden solche Fragen besprochen, die die Vereinigung der beiden Deutschlands in einer Konföderation ermöglichen sollten. Aber in Bonn ging inzwischen der Spruch von Konrad Adenauer um: »Lieber das halbe Deutschland ganz, als das ganze Deutschland halb.« Es bildete sich im Zentrum Europas eine Lage heraus, die ein französischer Schriftsteller mit den Worten umschrieb: »Ich liebe Deutschland so sehr, daß ich mich freue, daß es zwei Deutschlands gibt.« Dies darf man nicht vergessen!

Aber ist die Eigenstaatlichkeit der DDR nicht auch aufgrund Ihrer wirtschaftlichen Schwäche immer gefährdet gewesen?

Zur Entwicklung der DDR gehört die Tatsache, daß 45 Jahre Frieden bestand. Hoffen wir, daß die jetzige Entwicklung den Frieden für die nächsten 45 Jahre sichert.

Rückwärts schauend kann man sagen, daß die Entwicklung der DDR als selbständiger souveräner Staat äußerst kompliziert verlief. Die Entwicklung der DDR vollzog sich sehr opferreich. Es ist bekannt, daß die DDR bis in die Mitte der fünfziger Jahre Reparationen für ganz Deutschland zahlte. Die BRD kam statt dessen in den Genuß des Marshall-Planes. Die Demontage von Industriebetrieben und zum Beispiel auch die Entfernung des zweiten Gleises der Reichsbahn machte den Prozeß des Aufbaus noch schwieriger. Das sei allen gesagt, die heute nicht laut genug von der maroden Wirtschaft der DDR reden! In einer verhältnismäßig kurzen Zeit hatte sich die DDR zu einem der zehn stärksten Industrienationen der Welt entwickelt. Wir verfügten bis Oktober 1989 über eine höhere Arbeitsproduktivität und den höchsten Lebensstandard innerhalb aller sozialistischen Länder. Die Solidarität der DDR mit den Ländern der Dritten Welt genießt noch heute große Anerkennung, ungeachtet der Schwere unserer Bedingungen, die sich zu einem großen Teil auch durch die Entwicklung der BRD ergeben hat, durch die Störungen unserer Volkswirtschaft und des politischen Lebens. Ich erinnere an das über den Handel mit der DDR verhängte Embargo und viele andere Maßnahmen, die die DDR hinderten, an der Arbeitsteilung am internationalen Markt voll und ganz teilzunehmen! Wir hielten festen Kurs auf die Normalisierung der Beziehungen zwischen den beiden deutschen Staaten. Das schien uns das wichtigste, um gleichzeitig einen Beitrag zur Sicherung des Friedens in Europa zu leisten. Einige versuchen heute, diese Seite des Lebens der DDR vergessen zu machen. Das kann man in der Welt von heute aber nicht.

Wir hatten auch ein aufblühendes kulturelles Leben in der DDR. Und wir schufen stets, soweit uns das möglich war, die materiellen Grundlagen hierzu. Ich denke dabei an die Deutsche Staatsoper, die Kammerspiele, das Schauspielhaus, den Französischen Dom, den Deutschen Dom, den Friedrichstadtpalast, den Palast der Republik, das Nationalmuseum, das Gewandhaus in Leipzig, die Semperoper in Dresden. Man kann auch nicht übersehen die umfangreichen Maßnahmen, die wir zur materiellen Sicherung eines hochentwickelten Gesundheits- und Sozialwesens durchführten, zur Sicherheit des Arbeitsplatzes und vieles andere, wie das einheitliche sozialistische Bildungssystem, die Gewährleistung für die Herausbildung einer sozialistischen Persönlichkeit über die Kinderkrippe, Kindergärten, zehnklassige polytechnische Oberschule bis zu den Universitäten und Hochschulen beziehungsweise einer guten Berufsausbildung.

Wir haben aber auch seit Jahren auf dem deutsch-deutschen Gebiet eine ganze Reihe Fragen in Angriff genommen. Ich denke hier dabei insbesondere an meine Kontakte und Gespräche mit Herbert Wehner, Franz Josef Strauß, Helmut Kohl und Jochen Vogel. In all diesen Gesprächen haben wir stets davon gesprochen, wie man Schritt für Schritt die Grenzen öffnen kann, damit die Menschen noch enger zueinanderkommen. Hier sei auch genannt der Abbau der Selbstschußanlagen, der Minenfelder und seit 1987, seit meinem offiziellen Besuch in der Bundesrepublik, die Aufhebung des sogenannten Schießbefehls an der Grenze-West. Das wurde durch das Politbüro, besonders durch Willi Stoph und Horst Sindermann und Heinz Keßler, voll und ganz unterstützt. Die Einheit Deutschlands stand nicht und konnte damals nicht auf der Tagesordnung stehen.

Es zeigt sich heute, daß diese Frage vielen europäischen Ländern Sorgen bereitete. Die faschistischen Krawalle, erst vor kurzem auf dem Alexanderplatz und in vielen anderen Städten, die erst der Anfang sind, zeigen die Berechtigung der Sorgen der benachbarten Völker. Die Vereinigung der beiden deutschen Staaten sollte eng mit der Vereinigung Europas erfolgen. Dann erst würden 80 Millionen Deutsche im Zentrum Europas Wohnungen mit offenen Türen haben. Das bedarf selbstverständlich auch eines großen Verständnisses der Nachbarn. Die Oder-Neiße-Grenze muß Friedensgrenze bleiben. Nur durch die Einbindung in ein europäisches Sicherheitssystem kann auch der Frieden für die weiteren Jahrzehnte gewahrt werden. Tatsache ist, daß dieses Deutschland ein Schwergewicht bildet innerhalb Europas auf ökonomischem Gebiet, daß das Eigengewicht Deutschlands das Gleichgewicht im europäischen Haus stark zerstört.

Es bedarf wirklich einer großen Weitsicht, um den Einigungsprozeß zu einem deutschen Staat auf der Grundlage der Konföderation innerhalb einer europäischen Konföderation sich so vollziehen zu lassen, daß keine eigenmächtigen Schritte Deutschlands möglich sind, wie etwa 1936 durch den Einmarsch in die entmilitarisierte Zone des Rheinlandes. Das ist ein Teil der großen außenpolitischen Aspekte, die sich durch die Entwicklung der sogenannten friedlichen Revolution in Mittel- und Osteuropa vollzogen haben.

Aus alledem läßt sich aber schließen, daß auch Sie nun nicht absolut gegen die Wiedervereinigung sind?

Ich habe bereits bemerkt, daß die Einheit Deutschlands nicht auf der Tagesordnung stand. Das wurde auch lange Zeit von unseren Verbündeten betont. Die Entwicklung kam dennoch anders. Wichtig ist jetzt, daß alles schrittweise erfolgt und man dabei nicht vergißt, daß in den zurückliegenden Jahren die Grundlage dafür gelegt wurde, auch für ein gutes Zusammenleben in einem einheitlichen deutschen Haus. Man muß berücksichtigen, daß die Vorschläge von beiden Seiten kommen und nicht nur diktiert werden von der Bundesrepublik.

Wir hatten zu Beginn des Jahres bereits eine ganze Reihe Maßnahmen getroffen, um durch die Herausgabe von Reisepässen an alle Bürger der DDR eine ordnungsgemäße Öffnung zu erreichen. Das Problem besteht darin, daß man die Folgen der spontanen Öffnung jetzt rasch überwindet. Hier erleidet die DDR Milliarden an Verlusten.

Ist die tiefste Ursache für den Zusammenbruch des Sozialismus nicht in der Unlösbarkeit seiner ökonomischen Probleme zu suchen, in seiner permanenten wirtschaftlichen Schwäche? Oder hätten Sie ein Mittel gewußt, diese Schwäche zu überwinden?

Bei der Beurteilung der gesamten Fragen, wie sie sich jetzt ergeben haben, kann selbstverständlich niemand auf dem Standpunkt stehen, daß das eine rein deutsche Angelegenheit ist, wie ich wiederholt sagte. Wir sehen die Entwicklung in Polen. Vor kurzem hat der polnische Präsident Jaruzelski erklärt, daß der reale Sozialismus zusammengebrochen ist und das polnische Volk einen neuen Weg in die Zukunft suchen muß, wobei der Sozialismus als Ideal natürlich nach wie vor besteht. Wir haben diese Entwicklung in der ČSFR, in Ungarn, die aber eindeutig bis zu der Formulierung gehen: Wir schließen uns der NATO an. Wir haben die Auseinandersetzungen in Bulgarien und die blutigen Auseinandersetzungen in Rumänien. Nach wie vor steht die Frage: Welche Alternative gibt es zum realen Sozialismus? Obwohl in den meisten dieser Staaten von keiner Partei mehr vom Sozialismus als Tagesaufgabe gesprochen wird. In dieser Beziehung ist ein Teil der sozialistischen Welt zusammengebrochen. Und das muß man sehen.

Wir haben durch die Ereignisse eine Niederlage erfahren. Was wollte ich damit sagen? Ich wollte sagen, daß die Frage der Niederlage des Sozialismus und die Ursachen, die dazu geführt haben, nicht nur nach deutschen Gesichtspunkten einer Beurteilung unterzogen werden können. Das ist eine weltweite Erscheinung. Und selbst im Mutterland des Sozialismus, der Sowjetunion, gibt es gegenwärtig sehr starke Auseinandersetzungen. Gerade jetzt erleben wir mit dem Austritt Litauens und so weiter aus der Union der Sozialistischen Sowjetrepubliken, in welche Richtung sich dort die Dinge bewegen. Es gibt nicht wenige Menschen in der Sowjetunion, die sagen, daß die Entwicklung der Zukunft jetzt schon unkontrollierbar sei!

Natürlich müssen wir zuerst die Ursachen bei uns suchen für die Entwicklung. Sowohl Margot als auch ich haben schon angedeutet, daß wir wissen, daß etwas geändert werden mußte. Deshalb haben wir auf dem 7. Plenum diese Fragen aufgeworfen. Aber wir haben keinesfalls gedacht, daß sich die Entwicklungen so rasch vollziehen, der Zusammenbruch so rasch kommen würde. Somit kamen wir selbstverständlich in den Nachtrab. Die Entwicklung ging schneller, als vorauszusehen war.

Aber zur damaligen Zeit, aufgrund der schon eingetretenen Diskreditierung des Sozialismus nicht nur auf deutschem Boden, haben wir uns gesagt, daß wir die politisch-ideologische Arbeit stärker an den Werten des Sozialismus messen müssen, um in Verbindung damit das erforderliche Niveau zu erreichen, um die Menschen viel stärker an die Weiterentwicklung des Sozialismus auf deutschem Boden heranzuführen, auch zur Verteidigung seiner Errungenschaften. Es ist interessant, und ich möchte das mal aus meinen damaligen Aufzeichnungen übernehmen: Wir gingen damals immer wieder davon aus, daß mit der Oktoberrevolution eine neue Epoche der Menschheit in der Geschichte angebrochen ist. In diesen Notizen, die ich hier vor mir liegen habe, ist als erstes angeführt, daß diese Revolution die Welt verändert hat und daß heute ein Drittel der Welt in sozialistischen Bedingungen existiert. Das war, was wir damals unter einem höheren Niveau der politisch-ideologischen Arbeit verstanden haben. Im Grunde genommen stimmt das natürlich. Man braucht das Manifest der Kommunistischen Partei nur nachzulesen, das von Marx und Engels im

Jahre 1848 ausgearbeitet wurde. Man braucht nur bei Engels nachzulesen, im »Ursprung der Familie, des Privateigentums und des Staates«. In diesem Buch ist der Staat vom Standpunkt des historischen Materialismus dargelegt, und daß die ganze Geschichte der Menschheit eine Geschichte von Klassenkämpfen ist, von der niedrigsten Stufe bis zur höheren Stufe. Das ist ja auch der Hauptinhalt der Geschichtsbetrachtung und der Zielstellung im Manifest der Kommunistischen Partei.

Aber von Ideologie ist noch niemand satt geworden. Das ist doch nicht materialistisch.

Keiner unserer Freunde im Ausland kann verstehen, daß es die sozialistischen Werte nicht mehr gibt. Aber nicht nur sie. Neben den Mitgliedern der SED und ehemaligen DDR-Bürgern gibt es im Land viele, die es nicht verstehen können. Ich gehöre zu denen. Ich bin sogar einer, der es nie verstehen wird.

Hatten nicht bei uns alle zu essen und zu trinken? Ja! Hatten nicht bei uns alle die Möglichkeit, sich sowohl für den Sommer, den Herbst, den Winter und das Frühjahr zu kleiden? Ja! Gab es in der DDR Obdachlose? Nein, im Gegensatz zu den 900 000 in der BRD. Hatten die Kinder eine gute Ausgangsbasis für ein gutes Leben von der Geburt bis zum 16. oder 18. Lebensjahr? Ja! Gab es eine kostenlose ärztliche Betreuung, obwohl der Krieg alles vorher zerstörte? Ja! Gab es nicht das Recht auf Arbeit, für jede Arbeit, für jeden Beruf? War das Volk der DDR faul oder fleißig? Wurden nicht in der kurzen Zeit von 18 Jahren 3,4 Millionen Wohnungen für über 9 Millionen Menschen neu gebaut oder modernisiert? Wo auf der Welt gab es das alles? Hat man vergessen, daß es für alle in der DDR, ohne Gleichmacherei, 99 kg Fleisch pro Kopf, 15,5 kg Butter pro Kopf, über 200 Eier pro Person pro Jahr gab? Richtig, der Mensch lebt nicht von Brot allein!

In der DDR konnte jeder nach seiner Fasson selig werden. Gesetze mußten eingehalten werden. Wem hat das alles nicht gepaßt? Bärbel Bohley? Großen Respekt für sie, aus ihrem Brief an Gysi spricht Haltung. Soll ihn jeder noch einmal nachlesen. Aber »Wir sind das Volk«? Wo war das Volk bei den Wahlen? Bei der heiligen Allianz! Nichts gegen die CDU. In ihr gibt es viele ehrenwerte Frauen und Männer. Christen habe ich immer geachtet. Aber was sich jetzt vollzieht, ist sehr unchristlich – zum Beispiel Sippenhaft, schlimmer als bei den Nazis. Und das Volk – es glaubt den Märchen von Gysi über den Verbrecher Erich Honecker, der die Parteigelder vereinnahmt hatte. Es wurde alles widerlegt. Dann kam sein angebliches Schwarzkonto mit 100 Millionen Mark. Nur Kinder, die noch nicht lesen können, glaubten dies. Es waren glatte Lügen und Verleumdungen. Das Collier für seine Frau, das Haus für seine Tochter, die Villa in Teupitz, das Eßbesteck der Hohenzollern, das alles gab es nicht. Warum dann so viel Lärm? Die Autorität, das Ansehen der Honeckers mußte gebrochen und seine Partei zerschlagen werden! Das Volk mußte in eine bestimmte Richtung manipuliert werden. Die Wahlen für die D-Mark, der Anschluß an die BRD waren der Zweck. Bei allem, was heilig ist, aber das ist die Wahrheit! Dazu paßt noch nicht einmal die Dreigroschenoper von Brecht. Brecht – mein Freund aus dem Olymp! Arme Geister, die ihm nicht einmal sein letztes Ruhebett gönnen. Ich bin zutiefst erschüttert, daß jetzt sogar die Gräber von Bert Brecht und Helene Weigel – beide Große der deutschen Kultur – geschändet wurden. Wie soll das noch weitergehen? Das erinnert an die Kälte der Nacht, in der SS und SA ihr Unwesen trieben. Die Zukunft wird es zu beweisen oder zu widerlegen haben.

»Wir sind das Volk«?, schön und gut, ich liebe das Volk. Aber um welches Volk handelt es sich? Um ein manipuliertes oder eines, dessen Handeln von der Vernunft bestimmt wird? Hier muß man schon frei nach Shakespeare sagen: »Sein oder Nichtsein«! Ist es ein aufgeklärtes Volk, ein mündiges Volk? Oder ein Volk, das den Rattenfängern nachläuft? Ja, was noch schlimmer ist, in den Ruf ausbricht: »Steinigt ihn!«

Vor kurzem habe ich einen Freund getroffen, der ebenso wie ich der DDR nachtrauert und nicht verstehen kann, daß die Geschichte solche Sprünge macht. Ja, es ist geschehen, und man kann es nicht ändern. Was mich am meisten bedrückt, ist, daß man ein Volk so irreführen kann. Ist dieses Wort richtig angewandt im Zusammenhang mit dem, was sich gegenwärtig vollzieht? Ja, es ist es! Die täglichen Nachrichten bestätigen dies. Hier wird ein jüdischer Friedhof geschändet. Die Täter sind nicht zu finden. Dort wird das sowjetische Ehrenmal in Treptow besudelt, das Mahnmal zu Ehren der Sowjetsoldaten. Die Täter sind nicht zu finden.

Die alte Führung, der ich nicht mehr angehörte, ist dem Ruf des nah- oder ferngesteuerten Volkes gefolgt, anstatt dafür zu sorgen, daß das Volk ihr folgt. Sie haben eine Wende vollzogen, bei der sie aus dem Wagen gefallen sind. Das kommt vor. 1953 war dies schon einmal so. Bei schroffen Wenden kann man schon aus dem Wagen geschleudert werden. Das Volk ist als Masse leicht manipulierbar, aber in erster Linie zu schöpferischen Fähigkeiten in der Lage. Ohne eine klare Führung durch eine marxistische Partei geht das nicht! Es ist die über Jahrhunderte gereifte Erkenntnis, »daß Freiheit die Einsicht in die Notwendigkeit« ist!

Margot Honecker

Aber man kann nicht nur von Haß bei den Leuten sprechen. Es gibt auch Enttäuschungen. Das hängt damit zusammen, daß man wirklich den Menschen plötzlich die Ideale nahm. Der Sozialismus war nichts. Es gibt eine Orientierungslosigkeit. Wobei auch hier wieder differenziert werden muß: Es gibt Menschen, die sagen, wir halten an diesen Idealen fest. Wir haben doch was geleistet, auch unter der Führung dieser alten Partei. Es gibt Empörung, Verbitterung, weil natürlich in dieser jetzigen Atmosphäre nicht nur die Führung angeklagt wird, sondern mit der Führung alle, die mit der Führung gegangen sind, und auch die sind Repressalien ausgesetzt.

Es gibt Haß von Menschen, die nie den Sozialismus wollten. Und es wäre eine Illusion zu glauben, daß alle dafür wären. Es gibt Haß bei Menschen, die immer auf der anderen Seite gestanden haben und sich jetzt verstärkt artikulieren.

Was die Frage der Demokratie betrifft, finde ich, daß alle, die mit dem Begriff Demokratie antreten, sich eigentlich nicht klarmachen, was sie denn unter Demokratie verstehen. Wenn wir von Demokratie sprachen, dann hieß das natürlich immer, die Macht der Arbeiter und Bauern zu schützen, zu verteidigen gegen die, die diese Macht nicht wollten, die eigentlich mit dem Kopf oder dem Bein im Kapitalismus standen. Demokratie für wen? Das ist die Frage! Das ist immer eine Frage der Machtverhältnisse und hat einen Klasseninhalt.

Der Fehler bei uns bestand vielleicht darin, daß man nicht genügend differenzierte, was waren die Kräfte der Opposition, die eine Änderung des ganzen Systems wollten, und was waren diejenigen, die es besser machen wollten, die mehr Mitspracherecht, mehr Zugehen auf die Probleme wollten. Dieses undifferenzierte Vorgehen hat natürlich viele dazu verführt, Haß zu haben, weil ihnen Unrecht geschehen ist und sie enttäuscht wurden. Die Enttäuschung spielt ja eine größere Rolle meiner Auffassung nach als das Problem, wie man den Sozialismus demokratischer und humaner gestalten kann. Das ist eine innere Frage. Wie versteht es die führende Partei, die Macht der Arbeiter und aller Werktätigen mit allen zusammen zu machen?

Aber es ist immer auch die äußere Einwirkung zu beachten gewesen. Die DDR war keine Insel, der Sozialismus war keine Insel. Und wenn wir gesagt haben, wir leben an der Nahtstelle zwischen den beiden Systemen, so hat das doch, wenn wir jedes Mal von den spezifischen deutschen Verhältnissen sprechen, immer eine Rolle gespielt. Trotz Entspannung waren wir konfrontiert mit einem Gegner.

Erich Honecker

Ich möchte noch sagen, daß wir nie der Auffassung waren, daß die DDR eine Insel der Seligen war. Wir haben zu keiner Zeit übersehen, daß die Frage der Klassen und des Klassenkampfes in der Deutschen Demokratischen Republik in dieser oder jener Beziehung bei uns entschieden war.

Warum war es so schwer, eine demokratische Wirtschafts- und Überbauform durchzusetzen? Was war da so unendlich träge? Was hat dem entgegengewirkt?

Ob das unendlich träge war, weiß ich nicht, zumal gegenwärtig ganz offensichtlich ist, daß diese Frage nicht die entscheidende Frage für den Zusammenbruch der sozialistischen Länder in Osteuropa war. Ich habe von Anfang an schon darauf hingewiesen, daß die Zeit kommen wird, in der man diejenigen aufdecken wird, die im Hintergrund die Fäden zogen, um diesen Zusammenbruch herbeizuführen. Natürlich ist die nationale Verantwortung von außerordentlich großer Bedeutung. Aber wenn man heute sagt, daß das an jedem Land selbst gelegen hat, so möchte ich doch darauf hinweisen, daß innerhalb der NATO eine sehr große Solidarität besteht, so daß von vornherein klar war, daß sich innerhalb der NATO keine solchen Veränderungen vollziehen könnten wie in der sogenannten sozialistischen Gemeinschaft.

Daß jede Partei, jede Regierung selbständig entscheidet über die Politik, setzt ja nicht die internationale Solidarität außer Kraft. Der Kapitalismus ist international auch solidarisch im Rahmen der Paktsysteme, und wir haben die alte Losung gehabt: »Proletarier aller Länder, vereinigt euch!« Wobei das Prinzip der Nichteinmischung auch dort entscheidend ist. Aber man muß doch feststellen, daß dieses Prinzip nicht geachtet wurde, sondern daß man allen Ländern ein bestimmtes Modell aufzwingen wollte. Und das war falsch.

**Die Linken der ganzen Welt fragen sich heute:
Warum konnte der Sozialismus keine ökonomische,
kulturelle und politische Alternative zum Kapitalismus herausbilden?**

Das ergab sich allein schon daraus, daß die proletarische Revolution im Jahre 1917 in einem wirtschaftlich rückständigen Land gesiegt hat, wie Lenin feststellte. Und dieses wirtschaftlich so rückständige Land konnte nicht die volle Kraft gewinnen, weil es dauernd mit Krieg überzogen wurde. Der Bürgerkrieg in Rußland dauerte doch von 1917 bis Ende 1922. Dann hatte die junge Sowjetmacht nur Zeit von 1923 bis 1941. Unter den damaligen Bedingungen wurde die Sowjetunion trotzdem zu einem der führenden Industrieländer. Die sogenannten Hochtechnologien haben sich ja erst im Verlauf und nach dem Zweiten Weltkrieg entwickelt. Nach dem Zweiten Weltkrieg war die Sowjetunion ein großer Trümmerhaufen bis zur Wolga. Das wieder aufzubauen war genauso schwierig wie bei uns in Dresden und Berlin. Wir sind jetzt noch nicht damit fertig.

Aber der Sprung in eine moderne, ökologisch verträgliche Leistungs- und Konsumgesellschaft, ist der nicht primär auch aus innenpolitischen Gründen nicht gelungen?

Die DDR war naturgemäß eingebunden in die sozialistische Staatengemeinschaft. Ihre Struktur wurde dadurch bestimmt. Sie können nicht hochentwickelte Maschinen in Länder liefern, in denen dazu keine Fachkräfte vorhanden waren. In den letzten Jahren erst wurde begonnen, einen Austausch der Facharbeiterausbildung durchzuführen. Selbstverständlich gab es in der Sowjetunion eine hochentwickelte Technologie auf dem Gebiet des Verteidigungswesens. Aber dieses Gebiet war vollkommen getrennt von dem Gebiet der Arbeit für zivile Zwecke. Mit dem kamen wir auch nicht in Verbindung. So war der Hauptabsatzmarkt unserer Lieferungen zu

70 Prozent in die sozialistische Welt und zu 30 Prozent in die kapitalistische. Dadurch wurde natürlich auf breiter Basis die Industrie der DDR gehemmt, sich so zu entwikkeln, daß sie auf dem westlichen Markt bestehen konnte. Wobei wir auf verschiedenen Gebieten diesen Konkurrenzkampf bestehen konnten, zum Beispiel in der Malimo-Produktion. Wir haben sogar Malimo-Maschinen und Lizenzen dafür in die USA gegeben.

Aber es ist doch insgesamt nicht gelungen, die permanente Mangelsituation im Konsumsektor hier zu überwinden. Das war der ausschlaggebende Punkt, warum die Bevölkerung dann den Sozialismus letztlich fallengelassen hat.

Das eine hängt mit dem anderen zusammen. Sie wissen ganz genauso wie ich, daß zum Beispiel auf textilem Gebiet die Modefrage eine entscheidende Rolle bei der Profitmaximierung in der kapitalistischen Welt spielt. Ob mal ein Rock lang oder kurz ist und so weiter. Die Mode wirkt selbstverständlich auch auf die Entwicklung der Industrie. Aber das wird in der kapitalistischen Welt hauptsächlich durch die Profitwirtschaft forciert. Und was die anderen Fragen betrifft, so muß ich doch immer wieder darauf hinweisen: Bei uns konnten alle satt werden!

Aber der Mensch lebt nicht vom Brot allein.

Das sagen Sie mit Recht. Aber er lebt auch nicht allein von der Literatur und vom Geistigen, obwohl wir doch sehr hohe Auflagen hatten. Die DDR war ein sehr lesefreudiges Land.

Aber die Menschen sind dann überall sehr schnell in Richtung Kapitalismus umgekippt.

Was wollten die Menschen? Man kann doch nicht sagen, daß unsere Schaufenster zum Schluß schlecht waren. Aber plötzlich durch ein westliches Kaufhaus zu laufen war dann doch etwas anderes! Solche Kaufhäuser konnten wir auch haben, wir brauchten dazu bloß die Preise zu erhöhen.

Gut. Da kommen wir nicht weiter. Noch eine andere Frage: Welche Bedeutung hat für Sie im nachhinein die Kirche der DDR? War sie in Ihren Augen doch mehr progressiv oder hat sie den Weg für die »Konterrevolution« bereitet?

Unser Verhältnis zur Kirche. Ich möchte sagen, dazu gehörten selbstverständlich immer zwei. Unsererseits haben wir in der Vergangenheit von 40 Jahren verschiedene Dummheiten gemacht, von der anderen Seite kann man das gleiche nicht abstreiten. Aber wir waren mit den Ergebnissen vom 6. März 1978 doch zu einer Grundlage des Zusammenwirkens von Kirche, Staat und Gesellschaft gekommen, die gute Ansatzpunkte enthielten für die gesamte weitere Entwicklung. Wir waren glücklicherweise in einem Land, in dem die Kirche frei ihrer Tätigkeit entsprechend ihrem Auftrag nachgehen konnte. Das diakonische Werk der evangelischen als auch der katholischen Kirche genoß stets die Unterstützung des Staates. In den letzten zwanzig Jahren wurden zum ersten Mal in den Neubaugebieten Kirchen gebaut. Das alles zeugt von unseren Bestrebungen, hier eng zusammenzuarbeiten. Daß die Kirchen später Zufluchtstätten wurden von jenen, die mit der Kirche überhaupt nicht verbunden waren, ist schon eine andere Sache. Durch ein direktes Verhältnis zur Kirche und auf der anderen Seite zur Nationalen Front hätte man zu einer guten Einbeziehung der einzelnen Initiativgruppen kommen können. Und zwar nicht nur in Versammlungen, sondern auch bei den Wahlen. Das alles wurde ungenügend durchdacht. Allerdings hatten wir bereits Schlußfolgerungen gezogen, die zu einer Aussprache mit der evangelischen Kirche führen sollten und zu einem annehmbaren Kompromiß. Diese Unterredung war bereits festgelegt, konnte aber leider von mir nicht mehr durchgeführt werden, sondern von meinem Nachfolger, der aber durchaus nicht mehr in der Lage war, einen positiven Einfluß auszuüben. Er hatte keine Basis mehr in der Partei. Das sage ich deshalb, weil ich ja praktisch durch meine Erkrankung teilweise aus der unmittelbaren Parteiarbeit ausgeschaltet war.

Über eine lange Periode hatten wir ein ganz vernünftiges Verhältnis zur Kirche. Ich habe vor kurzem das Interview mit Bischof Forck gelesen und hatte auch die Möglichkeit, ihn während meines Aufenthaltes in Lobetal bei Holmers zu sehen. Es gab gute Seiten in der Entwicklung von Kirche und Staat und auch negative Seiten. Die negativen Seiten waren zumeist stark geprägt durch sektiererische Elemente, die in unserer Gesellschaft und auch teilweise in der Partei vorhanden waren. Ich war immer — das möchte ich hier betonen — für die Herstellung eines guten Verhältnisses zur Kirche unter dem Gesichtspunkt: Gebt der Kirche, was der Kirche gehört, und dem Staat, was dem Staat gehört.

Wie sehen Sie die PDS?

Auf dem Sonderparteitag der SED-PDS bezeichnete man als Hauptergebnis den Bruch mit dem Stalinismus. Darunter kann ich mir überhaupt nichts vorstellen. Denn die Gründung der deutschen Arbeiterbewegung, ihre Entwicklung und ihr Kampf hat ganz andere Wurzeln als die des Bolschewismus. Wobei die reichen Erfahrungen, die die sozialdemokratische Arbeiterbewegung einbrachte, nicht zu unterschätzen sind. Ich gehe davon aus, daß auch in dieser Frage die PDS nicht im Besitz der allgemeinen Wahrheit ist. Bis jetzt ist noch in keinem Land der dritte Weg zum Sozialismus mit Erfolg beschritten worden. Man kann einwenden, daß auch unser Weg durch den Zusammenbruch des Sozialismus in sechs osteuropäischen Staaten nicht zum Ziel führte.

Aber das ist schon eine ganz andere Angelegenheit. Wir alle standen fest im Bündnis mit der Sowjetunion und den anderen Staaten des sozialistischen Lagers und konnten nicht wissen, daß dieser Sozialismus im Zuge der Bestrebungen zur Schaffung eines europäischen Hauses zur Disposition gestellt wurde. Jene, die bis dahin davon ausgingen, daß die Vereinigung der beiden deutschen Staaten nicht auf der Tagesordnung der Geschichte stand, waren nicht nur überrascht über diese neue Richtung der internationalen Beziehungen, sie sahen auch ihre große Chance, den Sozialismus nicht nur in der DDR, sondern in allen osteuropäischen Ländern zu zerstören und damit eine Entwicklung zu beseitigen, die im Ergebnis des Zweiten Weltkrieges und der Nachkriegsentwicklung entstanden war und praktisch in der Schlußakte von Helsinki ihre Bestätigung fand. Das alles kann man selbstverständlich nicht als Stalinismus bezeichnen. Das war das Streben der europäischen Völker, von der Konfrontation zur Zusammenarbeit zu gelangen, und ist auch noch heute entscheidend für die weitere Entwicklung auf dem Gebiete der Abrüstung und zur Schaffung eines europäischen Hauses. Wir gingen dabei von der Annahme aus, daß im europäischen Hause gleichzeitig unterschiedliche gesellschaftliche Ordnungen bestehen könnten und durch die Schaffung einer Konföderation Voraussetzungen gegeben würden, in diesem Haus mit offenen Türen zu leben, nicht nur eine freie Bewegung der Menschen zu haben, sondern auch alle Schranken zu zerreißen, die der wirtschaftlichen und sozialen Entwicklung entgegenstanden.

Man muß überhaupt sagen, daß bei der KPD und SPD, die sich im Frühjahr 1946 vereinigten, und aufgrund des Willens aller Sozialdemokraten und Kommunisten, die noch tief im Kampf gegen den Faschismus standen, jetzt von der Einheit der Arbeiterbewegung als Grundbedingung für das neue Leben des deutschen Volkes ausgingen, von Stalinismus überhaupt keine Rede sein konnte, sondern wir waren bemüht, die besten Seiten der Entwicklung der KPD und der Sozialdemokratie zusammenzuführen zum Wohle des deutschen Volkes. Dies war ein breiter Strom. Ich habe ihn miterlebt. In Berlin, Halle, Karl-Marx-Stadt, Dresden, Frankfurt am Main, Duis-

427

burg, Oberhausen, Stuttgart, in Saarbrücken und in Mannheim. Wir alle gingen nicht von Stalin aus, weil unser Bestreben war, das Leben in unseren vier Besatzungszonen wieder in Gang zu bringen. Aber wir hatten immer seine Losung im Kopf: Hitler vergeht, aber das deutsche Volk bleibt. Wir waren deshalb in Übereinstimmung mit dem Potsdamer Abkommen bestrebt, ein demokratisches und friedliches Deutschland zu gestalten. Die Erfahrungen der Sowjetunion konnten wir beim weiteren Aufbau einer demokratischen Ordnung in unsere Erfahrungen einfließen lassen. Das Wichtigste der damaligen Zeit bestand darin, die Hitler-Theorie vom Herrenmenschentum zu beseitigen und statt dessen die Solidarität und die Gleichberechtigung aller Völker in den Vordergrund zu stellen. Wir wußten um die Vorstellungen des Morgenthau-Planes, das heißt der Verwandlung der deutschen Erde in einen großen Acker ohne Industrie. Und wir waren erfreut, daß es in der Potsdamer Konferenz Stalin war, dessen Position mit dazu beitrug, daß diese Pläne alle in den Papierkorb wanderten. Deshalb war das Potsdamer Abkommen für uns Grundlage für unser Minimalprogramm, das heißt die Schaffung eines demokratischen und friedlichen Deutschlands. Dieses Wirken stieß auf maximalen Widerstand sowohl der westlichen Alliierten als der neuen Parteien unter Führung von Adenauer und Schumacher.

Wenn Sie mir die Frage stellten, welche Bedeutung für mich Stalin hatte, möchte ich die Frage stellen, welche Bedeutung Stalin in der damaligen Zeit hatte. Obwohl ich bereits in den Jahren 1930/31 eine Begegnung mit Stalin hatte – anläßlich des 9. Verbandskongresses des Komsomol –, muß ich doch sagen, daß Stalin bis dahin keine besondere Bedeutung in meinem Leben hatte. Besondere Bedeutung in meinem Leben hatte damals die Tatsache, daß die Sowjetunion und ihre Führung, an ihrer Spitze Stalin, es waren, die durch das Programm der Industrialisierung die Voraussetzung schuf für eine starke Sowjetmacht und die durch die Kollektivierung in der gleichen Richtung wirkte.

428

Durch die Kulturrevolution wurde ein Volk entwikkelt, das nicht nur lesen und schreiben lernte, sondern aufgrund seiner hohen Bildung auch in der Lage war, die Fünfjahrpläne nicht nur zu erfüllen, sondern die Großmacht Sowjetunion zu schaffen, die nach anfänglichen Rückschlägen doch den Sieg über den räuberischen Hitlerfaschismus errang.

Für mich war Stalin jene Person, die die Grundlagen für den Sieg des Sozialismus in der Sowjetunion schuf, der Verteidigung im Großen Vaterländischen Krieg, der letzten Endes zur Befreiung der Völker Europas führte, auch des deutschen Volkes.

Bereits auf der 3. Parteikonferenz, ich kehrte damals kurze Zeit nach der Parteihochschule in Moskau zurück, um uns mit den Beschlüssen des XX. Parteitages und der damaligen Geheimrede von Nikolai Sergejewitsch Chruschtschow vertraut zu machen, waren wir alle zutiefst erschüttert über die bekannt gewordene Entstellung des sozialistischen Systems. Aber ich habe mich schon vorher in den Seminaren an der Parteihochschule dagegen verwahrt, daß man Stalin mit Hitler gleichstellte. Schließlich kann man nicht von der Hand weisen, daß die Gasöfen eine Erfindung Hitlers waren, um die Juden, um Männer, Frauen und Kinder, ja Babies, zu vernichten. Wir haben den Hitlerfaschismus an Leib und Leben kennengelernt. Wir werden niemals eine Zeit in den Gestapokellern des Prinz-Albrecht-Palais' und unsere Einkerkerungen in den Gefängnissen der Leibstandarte Adolf Hitlers in Berlin-Lichterfelde vergessen. Wir haben auch zur damaligen Zeit nicht aus den Augen verloren den Thälmannschen Ausspruch, daß Stalin Hitler das Genick bricht. Und so ist es ja schließlich auch gekommen.

Was halten Sie vom PDS-Programm und von ihrer weiteren Rolle in der deutsch-deutschen Geschichte?

Das PDS-Programm ist mir bekannt. Ich habe es mit großem Interesse durchgearbeitet. Ich betrachte es als ein Alternativprogramm zu allen bisher bestehenden Parteien mit einer sozialistischen Zielstellung, wobei auch sehr stark auf die Tagesfragen eingegangen wird.

Das Programm der PDS betrachte ich als ein Aktionsprogramm, nicht nur zur Verteidigung der sozialen Rechte und zur Sicherung der Bedürfnisse der Menschen, sondern auch vom Standpunkt des Weges in die Zukunft. Einige Fragen sind in diesem Programm noch nicht so ausgearbeitet, wie es einer marxistisch-leninistischen Partei entspricht. Das ist verständlich, angesichts der Tatsache, daß beim Außerordentlichen Parteitag die Hauptorientierung galt, das Vergangene zu negieren und den Blick in die Zukunft zu richten.

Ich bin der Meinung, daß die PDS die einzige Alternative besitzt für die weitere gesellschaftliche Entwicklung. Die PDS ist meines Erachtens nicht nur die Heimat all derer, die mit den Lehren von Marx und Engels verbunden sind und die eine sozialistische Zukunft erstreben, sondern die PDS ist nach wie vor die reale Kraft, die es den arbeitenden Menschen in der DDR, den Bauern und Intellektuellen ermöglicht, nicht nur eine konstruktive Opposition auszuüben, sondern die auch starken Widerstand gegen reaktionäre Bestrebungen entwickeln kann, um von sozialen Errungenschaften der DDR soviel wie möglich in die Konföderation beider deutscher Staaten einzubringen. Das ist eine reale Kraft der Linken. Unter diesem Gesichtspunkt gesehen, wünsche ich der PDS und all ihren Mitgliedern alles Gute in ihrem sehr harten Kampf um den Sozialismus, damit der Mensch wieder ein Mensch sein kann.

Was sagen Sie zu der heutigen Entwicklung der ehemaligen Blockparteien CDU und FDP? Kennen Sie die Politiker, die jetzt am Ruder sind, aus eigenem Erleben?

Zunächst ist selbstverständlich festzustellen: Wenn die SED anfängt zu rudern, dann muß man auch den Blockparteien zubilligen, daß sie ihre eigenen Interessen in den Vordergrund stellen. Die Ursachen des Auseinandergehens des demokratischen Blocks liegen natürlich bei der SED und PDS begründet, nicht bei den Blockparteien. Nachdem die SED erklärt hatte, die bisherige Politik war falsch, kann man nicht von den Blockparteien verlangen, daß sie sagen, sie wäre richtig gewesen. Mit dem Verlassen der SED-PDS von ihrer bisherigen Plattform war das natürlich folgerichtig, daß die anderen Parteien auch die bisherigen Vereinbarungen verlassen haben.

Aber der Sinneswandel ist unheimlich schnell gekommen.

Das hängt natürlich mit der SED-Führung zusammen. Dort ist der Sinneswandel ganz groß gewesen.

Kommen wir zum Schluß. Welchen Menschen oder Einzelpersonen möchten Sie an dieser Stelle noch etwas sagen?

Ich möchte nicht einer einzelnen Person Dank sagen. Ich möchte vielmehr all jenen noch mal auf das herzlichste danken, die in den letzten 40 Jahren große Anstrengungen unternommen haben, damit die Deutsche Demokratische Republik das wurde, was sie zu ihrem 40. Jahrestag war. Wir hatten schließlich eine aufblühende Volkswirtschaft. Das ist auch von den größten Miesepetern nicht zu bestreiten. Wir hatten einen Aufschwung in der Landwirtschaft, um das Volk der DDR aus eigenen Kräften zu ernähren. Es ist ein Jammer, wenn man heute sieht, daß durch die volkswirtschaftlichen Fehlentscheidungen sowohl die Industrie als auch die Landwirtschaft eine rückläufige Entwicklung durchmachen. Was früher undenkbar war, wird jetzt kommen: das Heer der Arbeitslosen. Es war immer eine Begleiterscheinung des Kapitalismus, während der Sozialismus ein solches Heer nicht brauchte. Der Vorteil des Sozialismus bestand ja gerade darin, daß er allen Brot und Arbeit gab.

431

Ich denke, wir waren und sind eine große Gemeinschaft, eine Gemeinschaft von Genossen, die wissen, daß man in den schwersten Zeiten zusammenstehen muß, um mit dazu beizutragen, unseren Menschen eine neue Zukunft zu geben.

Mit Reinhold Andert im Gespräch 1990

Möchten Sie noch etwas zu unserem Interview sagen?

All das, was ich Ihnen auf Ihre Fragen antwortete, gründete sich nicht auf ein Tagebuch oder irgendwelche Dokumente, sondern auf das, was ich selbst erlebt habe und was heute noch im Kopf ist. Ich versuchte, alles so darzustellen, wie es war, wie es sich im politischen Leben nach 1945 und nach der Gründung der DDR vollzog. Vieles habe ich weggelassen, über die Ursachen der Liquidierung der DDR ist offen geantwortet worden. Die Beseitigung von sechs sozialistischen Staaten im Osten und im Zentrum Europas ist das Ergebnis des neuen Denkens. Es hat ursprünglich nicht in sich eingeschlossen, daß in Verbindung damit sich der politische Pluralismus anbahnte und eine ganz andere Richtung in der Entwicklung dieser Völker annahm. Ich habe dies schon zweimal erlebt und weiß, daß der Nationalismus in der Lage ist, Menschen des gesunden Menschenverstandes zu berauben.

Meine Gedanken zur Entwicklung sind so, daß ich selbstverständlich stark erschüttert bin über unsere Niederlage, ja, zutiefst erschüttert.

Ich frage mich: Was hätten wir eigentlich besser machen können? Natürlich hätten wir mit den Andersdenkenden eher in die Diskussion eintreten sollen, natürlich! Aber dies alles hätte die Situation nicht grundlegend verändert. Eine Situation, der bisher sechs sozialistische Staaten zum Opfer fielen! Damit ist auch die Frage beantwortet, warum der Sozialismus in der DDR gescheitert ist. Er ist nicht etwa gescheitert, wie man jetzt vorgibt, an der maroden Wirtschaft. Im Gegenteil: trotz aller Schwierigkeiten wurde von Werktätigen der DDR Großes geleistet, um eine moderne Industrie aufzubauen. Ich brauche hierzu keine Beispiele mehr anzuführen.

Oft hat man an mich die Frage gestellt, was ich heute anders machen würde. Selbstverständlich würde ich vieles anders machen, aber dies alles hätte angesichts der neuen Entwicklung nicht die Basis geliefert, die sogenannte friedliche Revolution zu verhindern. Man sagt, die schlimme Verfassung der Ökonomie und der Ökologie sei eine der Hauptursachen zu der verfehlten Politik. Es besteht kein Zweifel, daß diese Argumente mit Absicht in die Welt gestreut wurden. Man muß sagen, daß die DDR zu jenen Staaten gehörte, die als erste ein Umweltministerium schafften, und daß eine große Arbeit geleistet wurde, um auch bessere ökologische Bedingungen zu schaffen.

In Ihrer Biographie steht, Sie sind ein »Sonntags-kind«. Was bedeutet das?

Den Begriff haben andere geprägt. Ich habe nicht ausgegraben, daß ich sonntags geboren wurde. Unter Sonntagskind versteht man einen Menschen, der Glück im Leben hat. Natürlich hatte ich nicht nur Glück im Leben. Es gab auch unglückliche Ereignisse, und es gab komplizierte Probleme zu lösen. Aber ich möchte doch sagen, daß ich im großen und ganzen durch alles hindurchgekommen bin, und nicht schlecht.

Wie würden Sie Ihre Charaktereigenschaften bezeichnen. Die Stärken und Schwächen.

Wissen Sie, darüber lasse ich lieber andere ein Urteil fällen, als mich selber dazu zu äußern. Tatsache ist, daß ich stets versucht habe, die Aufgaben zu erfüllen, die man mir übertragen hat.

In Ihrer Biographie steht: »Ich kann mich an keinen Augenblick in meinem Leben erinnern, daß ich an unserer Sache gezweifelt hätte.« Gab es Augenblicke, wo Sie an sich gezweifelt haben, etwa, daß Sie Ihren Aufgaben nicht gewachsen sein könnten?

Wenn es bei mir Zweifel gegeben hätte, daß ich meinen Aufgaben nicht gewachsen bin, dann wäre ich zurückgetreten.

Herr Honecker, wie stellen Sie sich jetzt Ihre persönliche Zukunft vor?

Zuerst hoffe ich selbstverständlich, daß recht bald das Ermittlungsverfahren niedergeschlagen wird und wir damit die Möglichkeit erhalten, wie jeder andere Bürger zu leben. Die dringendste Frage ist dann selbstverständlich, das haben Sie ja schon gehört, eine Wohnung zu erhalten, in der wir unsere Sachen unterbringen können, die zur Zeit bei verschiedenen Freunden untergestellt sind. Dann haben wir die Absicht, so lange unser Gesundheitszustand dieses noch erlaubt, kurzfristig unsere Kinder in Chile zu besuchen. Dank der Solidarität, die gegenüber den Chilenen zur Zeit der Pinochet-Diktatur seitens der DDR ausgeübt wurde, und unseren persönlichen Kontakten aus dieser Zeit ist es so, daß wir sehr viele Freunde in Chile haben. Auch der Präsident Chiles, Aylwin, in Verbindung mit anderen führenden Persönlichkeiten des neuen Chiles hat uns die Möglichkeit des unbefristeten Aufenthaltes in Chile gegeben, so daß wir die Absicht haben, kurzfristig unsere Kinder und Enkel zu besuchen, um danach zurückzukommen und in Berlin weiter zu leben.

Das wird vielleicht auch nicht ganz einfach sein, zum Beispiel aus Sicherheitsgründen.

Nun, das wird nicht einfach sein. Aber ich habe in meinem ganzen Leben nicht mit großer Sicherheit gelebt. Ein Sicherheitsrisiko gibt es immer für mich, wie es unter den heutigen Umständen in Deutschland für jeden Bürger ein Sicherheitsrisiko gibt.

Und wie sieht es mit Ihren Finanzen aus?

Was heißt hier Finanzen? Ich gehe noch immer davon aus, daß meine Mindestrente von 517 Mark auf meinem Konto eingeht und gleichzeitig die VVN-Rente. Das wird die Grundlage für meine weitere materielle Existenz sein. Inwieweit das ausreicht, kann ich heute nicht beurteilen aufgrund der Preisentwicklung. Aber davon sind ja alle Menschen betroffen in diesem Land, und insbesondere jene, die mit Rentenbezügen leben müssen. Bis jetzt haben sich weder die Modrow-Regierung noch die jetzige Regierung dafür eingesetzt oder sich darum gekümmert, daß ich eine Staatsrente erhalte, denn ich war ja immerhin viele Jahre Staatsoberhaupt. Soweit ich weiß, ist es in allen Staaten üblich, für einen Präsidenten, dessen Präsidentschaft abgelaufen ist, auch eine bestimmte Staatsrente zu zahlen.

Die VVN-Rente ist bisher übrigens bloß bis Ende des Jahres sicher.

Das weiß ich nicht. Bis jetzt habe ich überhaupt keinen Rentenbescheid.

Aber ein bißchen gespart haben Sie doch wohl?

Ein bißchen gespart habe ich natürlich. Das waren 184000 Mark bis zum 15. Dezember 1989. Was seitdem gelaufen ist, darüber habe ich keinen Überblick. Aber das Konto müßte ja auch umgestellt werden. Inwieweit das geschehen ist, kann ich gegenwärtig auch nicht sagen.

Wonach sehnen Sie sich? Was sind Ihre persönlichen Wünsche für die Zukunft?

Vor allen Dingen Freiheit. Sich frei bewegen wie jeder andere Bürger dieses Landes.

Die letzte Frage: Hat Ihrer Meinung nach der Sozialismus noch eine Zukunft?

Das scheint mir das entscheidende zu sein: Wer sich mit dem historischen und dialektischen Materialismus beschäftigt, wird wie ich zu der Schlußfolgerung kommen, daß ungeachtet der Niederlage eines Tages das Volk erneut die Errichtung der sozialistischen Gesellschaftsordnung in Angriff nehmen wird, die zum Kapitalismus die einzige Alternative darstellt. Wie man das auch nennen mag, so wird es doch eine Gesellschaft ohne Ausbeutung des Menschen durch den Menschen sein, die man im wissenschaftlichen Sinne als eine sozialistische Gesellschaft bezeichnen muß. Ich bin tief davon überzeugt, daß der Marxismus eine Wiederbelebung erfahren

436

wird, weil die Konzentration des Kapitals in einer Hand die Arbeiterklasse, insbesondere ihre Gewerkschaften zwingt, den Kampf um die soziale Besserstellung der Menschen zu führen! Zum Zeitpunkt der dritten wissenschaftlich-technischen Revolution stößt das heutige Gesellschaftssystem sowieso an die Grenzen der Existenzmöglichkeit. Wie sich das im einzelnen vollzieht, ist eine ganz andere Frage. Marx und Engels haben gelernt aus der Pariser Kommune, aus ihrer Niederlage. Lenin hat das ebenfalls getan aus den Erfahrungen des imperialistischen Krieges und der Oktoberrevolution.

Und worauf baut Ihr Optimismus für die Zukunft?

Ich habe die feste Überzeugung, nicht nur die Hoffnung, daß es der Kommunistischen Partei der Sowjetunion gelingt, die Dinge in der Hand zu behalten, zumal ihre Streitkräfte immer mehr zum konsolidierenden Element in der Sowjetunion werden. Sie werden es erlauben, eine neue Föderation der Sowjetstaaten herbeizuführen, in der die strikte Gleichberechtigung aller gesichert wird. Aber man muß auch dabei berücksichtigen, daß nicht nur die nationale, sondern auch die soziale Frage in diesen Ländern eine große Rolle spielt. Wenn jedoch die weitere friedliche Entwicklung im Weltgeschehen gesichert wird, wenn die Sowjetunion und die Volksrepublik China in engere Beziehungen treten, dann besteht kein Zweifel, daß die Ziele der Perestroika dem Sozialismus eine breite Basis im Volke verschaffen werden. Das ist eine große Hoffnung für alle kommunistischen und Arbeiterparteien, eine große Hoffnung für die Völker! Denn in ihren Ländern hört ja der Klassenkampf nicht auf. Der Sozialismus, wenn er jetzt auch diskreditiert wurde, bleibt doch die einzige Alternative für die Menschheit gegenüber der kapitalistischen Gesellschaft, der sogenannten freien Marktwirtschaft oder wie man das auch nennen mag.

Lenin sprach davon, daß der Imperialismus die höchste und zugleich letzte Etappe des Kapitalismus sei. Ich denke, bis jetzt gibt es keinen Grund, und zwar ohne Dogmatiker zu sein, an dieser Feststellung zu zweifeln. Die Zukunft wird zeigen, daß Marx und Engels recht hatten, als sie zum Ausdruck brachten, die bisherigen Philosophen haben die Welt nur verschieden interpretiert, es kommt aber darauf an, sie zu verändern. Wie man sie verändert, haben die Grundzüge im Manifest der Kommunistischen Partei nachgewiesen, das haben die Erfahrungen der sozialistischen Revolutionen seit der Pariser Kommune gezeigt.

Es steht außer Frage: Nicht nur die materielle Grundlage, sondern der geistige Überbau ist entscheidend für den Sieg der sozialistischen Gesellschaft. Seine humane Kraft, hat Lenin gesagt, ist die proletarische Diktatur. Sie ist im Verhältnis zur bürgerlichen Demokratie die reinste Form der Demokratie. Die Formen zur Entfaltung derselben sind verschieden. Aber gerade angesichts der Niederlage, die wir erlitten haben, muß ich sagen, daß in mir unerschütterlich das Bewußtsein besteht, daß die Menschheit neue Kraftquellen aufdecken wird, die revolutionären Kräfte zu stärken, die unterstreichen, daß Marx nicht tot ist.

Eines Tages wird auch auf dem Boden der DDR wieder der Satz Gültigkeit haben, den Rosa Luxemburg zum Ausdruck brachte, indem sie sagte: »Wir sind wieder bei Marx!« Das ist wichtig für die kommenden Generationen. Vor ihnen steht die Aufgabe, Fragen zu beantworten, die in unseren Tagen vorübergehend ihre Relevanz verloren haben, aber nichtsdestoweniger die Zukunft der Menschheit sichern werden.

Wir danken Ihnen für dieses Interview.

Honeckers von hinten

Anhang

Ende Juni 1989
Erich Honecker trifft sich in der Sowjetunion mit Michail Gorbatschow und besucht die Städte Swerdlowsk und Magnitogorsk.

Anfang Juli 1989
Teilnahme am Gipfeltreffen der Warschauer Vertragsstaaten in Bukarest. Wegen einer Gallenkolik Rückflug nach Berlin und stationäre Behandlung. Bis 12. August Urlaub zur Vorbereitung auf eine Operation.

15. bis 28. August 1989
Erneuter Krankenhausaufenthalt, Gallen- und Darmoperation.

3. Oktober 1989
Empfang von Widerstandskämpfern im Zentralkomitee der SED.

6. Oktober 1989
Empfang der ausländischen Staatsgäste auf dem Zentralflughafen Berlin-Schönefeld zum 40. Jahrestag der DDR.
Festveranstaltung im Palast der Republik.
Fackelzug der FDJ Unter den Linden.

7. Oktober 1989
Ehrenparade der Nationalen Volksarmee.
Gespräche mit Michail Gorbatschow. Empfang im Palast der Republik.
Protestdemonstration mehrerer tausend Berliner vom Alexanderplatz zur Gethsemanekirche im Stadtbezirk Prenzlauer

443

Berg. Spezialeinheiten der Polizei und der Staatssicherheit gehen gegen die Demonstranten vor.

9. Oktober 1989
Erich Honecker und Egon Krenz bereiten die Tagung des Politbüros für den nächsten Tag vor.

12. Oktober 1989
Beratung mit den 1. Sekretären der Bezirksleitungen.

13. Oktober 1989
Treffen der SED-Führung mit den Vorsitzenden der Blockparteien. Die Teilnehmer kommen überein, den Sozialismus in der DDR durch »tiefgreifende Wandlungen und Reformen ständig weiter zu verbessern«.

17. Oktober 1989
Willi Stoph stellt den Antrag, Erich Honecker von seiner Funktion als Generalsekretär der SED zu entbinden.

18. Oktober 1989
Auf dem 9. Plenum, der Vollversammlung des Zentralkomitees der SED, erklärt Erich Honecker seinen Rücktritt. Zum neuen Generalsekretär wird auf seinen Vorschlag Egon Krenz gewählt. Günter Mittag (Wirtschaft) und Joachim Herrmann (Agitation) werden ebenfalls von ihren Funktionen abberufen.

8. November 1989
Das 10. Plenum des Zentralkomitees der SED beginnt. Erich Honecker wird als Hauptverantwortlicher für die krisenhafte Entwicklung in der Partei und der DDR benannt.
Der Generalstaatsanwalt der DDR leitet ein Ermittlungsverfahren gegen Erich Honecker wegen Amtsmißbrauch und Korruption ein.

9. November 1989
Politbüromitglied Günter Schabowski teilt auf einer Pressekonferenz die Öffnung der Westgrenze der DDR mit.

13. November 1989
Hans Modrow wird mit der Bildung der neuen Regierung beauftragt.

23. November 1989
Die Zentrale Parteikontrollkommission leitet ein Parteiverfahren gegen Erich Honecker ein.

1. Dezember 1989
Die Volkskammer beschließt die Streichung des Führungsanspruchs der SED aus der Verfassung.

3. Dezember 1989
Auf Vorschlag des Politbüros beschließt das Zentralkomitee der SED den Ausschluß Erich Honeckers und weiterer elf ZK-Mitglieder aus der SED.

6. Dezember 1989
Egon Krenz tritt vom Amt des Staatsratsvorsitzenden zurück. Es amtiert Manfred Gerlach.

8. Dezember 1989
Beginn des SED-Sonderparteitages.

9. Dezember 1989
Der Berliner Rechtsanwalt Gregor Gysi wird zum Vorsitzenden der SED gewählt.

16. Dezember 1989
Die SED beschließt auf ihrem Sonderparteitag, zukünftig den Beinamen Partei des Demokratischen Sozialismus, PDS, zu führen.

10. Januar 1990
Operation Erich Honeckers in der Berliner Charité wegen eines bösartigen Tumors an der rechten Niere.

29. Januar 1990
Entlassung aus der Charité und Überführung in die U-Haftan-
stalt Rummelsburg.

30. Januar 1990
Wegen Haftunfähigkeit aus der Untersuchungshaft entlassen.
Margot und Erich Honecker werden von Pastor Uwe Holmer,
Leiter der Hoffnungsthaler Anstalten in Lobetal bei Bernau,
aufgenommen.

18. März 1990
Wahlen zur Volkskammer der DDR erbringen eine Stimmen-
mehrheit für die CDU.

23. März 1990
Besuch des Ministerpräsidenten Hans Modrow in Lobetal. Die
Honeckers werden im Gästehaus der Regierung in Lindow
untergebracht.

24. März 1990
Aus Sicherheitsgründen Rückkehr nach Lobetal.

3. April 1990
Umzug ins sowjetische Militärhospital Beelitz.

23. Mai 1990
Erneute Untersuchung auf Haftfähigkeit.

14. Juli 1990
Besuch des Innenministers Diestel bei Erich Honecker, um
Wohnungs- und Sicherheitsfragen zu klären.

446

Personenregister

Abel, Rudolf Iwanowitsch   399
Ackermann, Anton   77, 143, 160, 224, 227 f.
Adam   216
Adamek, Heinz   324
Adenauer, Konrad   155, 241, 260, 414, 430
Ahrens (Lehrer)   182 ff.
Andropow, Juri   81
Apel, Erich   281 f.
Arafat, Yasir   338
Axen, Hermann   337
Aylwin, Patricio   437

Baum, Bruno   161, 165, 395
Baumann, Edith   241 f.
Becher, Johannes R.   315
Berija, Lawrentij   231 ff., 377
Bialek   202
Biedenkopf, Kurt   326
Biermann, Wolf   316 ff., 320 f.
Bohley, Bärbel   397, 421
Böhme, Joachim   56
Bolz, Lothar   216
Bösel, Fritz   135 f.
Brandt, Willy   343 f., 349, 355 f.
Brasch, Horst   318 f.
Brasch, Thomas   318 f.
Braun, Wernher von   282
Braune, (Pfarrer)   48
Brecht, Bertolt   72, 312, 421
Breshnew, Leonid   60, 69, 81, 281, 389

Bronfman, Edgar 339
Bucharin, Nikolai 134, 144f.
Bürger, Annekathrin 318
Busch, Ernst 321f.
Bush, George 412

Castro, Fidel 410
Ceauşescu, Nicolae 86f.
Chruschtschow, Nikita Sergejewitsch 233, 248, 250, 281, 347, 431
Churchill, Winston 210, 222

Dahlem, Franz 227
Dahrendorf, Gustav 221
Darwin, Charles 180
Dickel, Friedrich 98
Djilas, Milowan 210

Eberlein, Werner 214, 248
Ebert, Friedrich 149
Ebert, Friedrich 272
Engels, Friedrich 75, 81, 110, 120, 148, 300, 411, 419f., 432, 439
Erich, Walter 180, 188

Fechner, Max 221, 224, 228f.
Feist, Margot siehe **Honecker,** Margot
Field, Noel 232
Florin, Peter 160
Forck, Gottfried 47ff., 428
Frenzel, Max 197

Galinski, Heinz 338
Gaulle, Charles de 210
Gei, Alfred 198
Geißler, Heiner 326
Genscher, Hans-Dietrich 91
Gerhard 202, 239f.
Gerlach, Manfred 88

Giptner, Richard   199
Girnus, Wilhelm   166
Gladkow, Fjodor   186
Goldenbaum, Kurt   216
Gomolla, Emanuel   197
Gorbatschow, Michail Sergejewitsch   34 f., 60–63, 66, 68, 71, 78 f., 81 f., 342, 408
Goethe, Johann Wolfgang   182, 224
Gottwald, Klement   391
Grejewna, Natascha   144
Gromyko, Andrej   61
Grosse, Fritz   166
Grosse, Lea   142
Grotewohl, Otto   221, 224, 227, 229, 233, 242, 257, 259, 266, 271, 310, 369, 379
Grund   199
Guillaume, Günter   344
Gysi, Gregor   39, 48, 421

Habsburg, Otto von   92
Hager, Kurt   30, 161, 271 f., 317, 320, 337
Hanisch (Pfarrer)   203
Hanke, Erich   168
Hartwig, Helmut   230
Havemann, Katja   321, 397
Havemann, Robert   320 f.
Heidenreich, Gerhard   230
Hekla, Fritz   135
Herger, Wolfgang   36, 365 f.
Herrmann, Frank-Joachim   32
Herrmann, Joachim   28, 31 f., 324 f., 361
Herrnstadt, Rudolf   224, 233
Heym, Stefan   324
Hindenburg, Paul von   340
Hitler, Adolf   144, 149, 151–155, 157–160, 164, 172, 210 f., 265 f., 340 f., 395 f., 430 f.
Hoelz, Max   137 f.
Hoffmann, Heinz   160, 267
Holmer, Uwe   49 ff., 428

Homann, Heinrich 216
Honecker, Frieda 117
Honecker, Gertrud 116 ff.
Honecker, Karoline 106, 109, 111−116
Honecker, Käthe 116, 128
Honecker, Margot 33, 39 ff., 43, 47, 49, 51 f., 112, 177−194, 203, 234−244, 286, 297−309, 316 f., 318 f., 322, 330−333, 335, 384 f., 387, 392, 419, 422 f.
Honecker, Robert 118
Honecker, Sonja 43, 112, 242, 382
Honecker, Wilhelm 104−114, 116, 126
Honecker, Willi 117
Hoppstädter, Hans 117 f.
Husák, Gustáv 389

Jarowinsky, Werner 285
Jaruzelski, Wojciech 389, 418
Joseph, Hans-Jürgen 44
Junker, Wolfgang 394

Kaiser, Gretel 200
Kaiser, Jacob 214
Kamenjew, Lew 145
Kapp, Wolfgang 148
Kautsky, Karl 150
Kekkonen, Urho Kaleva 323
Keßler, Heinz 201, 229, 416
Kohl, Helmut 90, 92, 336, 344, 374, 408, 416
Kolb (Staatsanwalt) 169
König (Botschafter) 21
Koschewoi 389
Kossygin, Alexej 281, 389
Koziolek, Helmut 283
Krenz, Egon 25, 28, 31, 33−36, 55, 90, 94 ff., 98 f., 304, 366 ff., 384
Krug, Manfred 318
Külz, Wilhelm 214

Lamberz, Werner 55, 242, 317 f.

Lambsdorff, Otto Graf   352
Lange, Ingeburg   30, 285
Leich, Werner   48, 137
Lenin, Wladimir Iljitsch   71 f., 75, 81, 120, 136, 196 ff., 150, 214, 253, 292, 328 f., 334, 425, 439 f.
Leonhard, Wolfgang
Lorenz, Siegfried   30, 56
Liebknecht, Karl   109, 137, 146, 148
Lübke, Heinrich   282
Luft, Christa   168
Luxemburg, Rosa   109, 137, 146 ff., 169, 440

Mahle, Hans   200
Maizière, Lothar de   408
Malenkow, Georgi   233
Mao Tse-tung   245
Markowski, Paul   55
Maron, Karl   259
Marx, Karl   75, 81, 110, 120, 148, 293, 300, 411, 419, 432
Masur, Kurt   96
Matern, Hermann   228, 241, 272, 379
Materna, Max   167
Menzel, Robert   165 f.
Mewis, Karl   350
Mielke, Erich   36, 98, 230, 259, 361 f., 366 ff., 370, 373–376
Mittag, Günter   28, 30 ff., 281–285, 361
Modrow, Hans   29, 50, 437
Molotow, Wjatscheslaw Michailowitsch   233
Mühlen, Hermynia Zur   134
Müller, Gerhard   56
Müller, Kurt   151, 160
Müller, Margarete   30
Müller (Arzt)   166
Müller (Dachdecker)   125

Neumann, Alfred   30
Neumann, Heinz   149, 152
Nikitin (Direktor)   144
Nikolai, Fritz   136

Norden, Albert 272, 337
Noske, Gustav 150

Oelßner, Fred 144, 233
Oertel, Heinz Florian 387

Palm 221
Paulus, Friedrich 216
Pieck, Wilhelm 55, 201, 220, 224, 227 ff., 233, 240, 242, 244, 271, 310, 360
Pilsudski, Jósef 140
Podgorny, Nikolai 281, 389

Radek, Karl 136
Reagan, Ronald 69, 342
Reed, John 71
Reimann, Max 155
Reuter (Staatsanwalt) 45
Ruhnke, Hubert 32
Rüthnick, Rudolf 390

Sarah (Studentin) 163
Schabowski, Günter 30, 36, 56
Schalck-Golodkowski, Alexander 351 f.
Schanel, Charlotte 169 f.
Scheidemann, Philipp 150
Schiller, Friedrich 182
Schirdewan, Karl 248, 250, 259
Schmidt, Helmut 37, 343, 354 f.
Schmidt, Waldemar 200
Schön, Otto 242
Schulz (Prälat) 105
Schumacher, Kurt 220, 348, 430
Schuster, Gretel 203, 239
Seibt, Kurt 197
Seiters, Rudolf 91
Shakespeare, William 421
Simmering 150
Sindermann, Horst 34, 416

Sinowjew, Grigori 134, 145
Slansky, Rudolf 232
Sokolowski, W. D. 201
Spangenberg, Max 161
Stalin, Jossif Wissarionowitsch 63, 71, 81, 146, 150, 210, 231 f., 244—251, 351, 430 f.
Stolpe, Manfred 48
Stoph, Willi 30 f., 33 f., 86, 259, 265 ff., 416
Strauß, Franz Josef 59, 262, 343 f., 351—354, 416
Streich (Bauer) 128 ff.

Thalbach, Katharina 319
Thälmann, Ernst 136 f., 139, 146, 149 f., 152—155, 160, 214, 376, 431
Thiele, Wilhelm 197
Thorez, Maurice 207
Tito, Josip Broz 210, 212 f.
Tisch, Harry 390
Togliatti, Palmiro 207, 246
Trotzki, Leo 145
Tschernenko, Konstantin Ustinowitsch 60, 81
Tschuikow, Wassili Iwanowitsch 216, 221

Ulbricht, Walter 55, 200, 220 f., 224, 227 ff., 232 f., 242, 244, 248, 253, 259, 265 f., 271 ff., 281, 284, 310 f., 315, 321 f., 369, 379, 381 f.

Verner, Paul 239, 272
Vogel, Hans-Joachim 416
Vogel, Wolfgang 45, 344, 348 f., 398 f.

Wehner, Herbert 160, 220, 344—351, 356, 416
Weidenhof, Peter 122
Weigel, Helene 421
Weizsäcker, Richard von 343 f., 374
Wiechert, Theo 241
Winzer, Otto 244
Wollenberg, Erich 144
Wollweber, Ernst 230, 232, 369, 375

Wolf, Friedrich   135, 186, 364f.
Wolf, Konrad   199
Wolf, Markus   343f., 364f.
Wolff, Joachim   32
Wolff von Amerongen, Otto   284

Zaisser, Wilhelm   224, 229−232
Zimmermann, Kurt   135
Zimmermann, Monika   378
Zimmermann, Rudi   165

Bildnachweis

ADN-Zentralbild, Seite 40, 67, 110, 140, 152/153, 198, 215, 245, 252/253, 261, 275, 300, 345, 346, 353, 355
Privatbesitz, Seite 107, 109, 132/133, 157, 203, 235, 243, 258, 389
Christina Kurby, Berlin, Seite 20, 23, 434, 441
Herbert Hensky, Berlin, Seite 226/227